Sleufloze technieken

voor de leidingeninfrastructuur

NSTT

Reed Business Information
Vakdocumentaire Uitgaven
Postbus 4
7000 BA Doetinchem

CIP-Gegevens Koninklijke bibliotheek, Den Haag

Sleufloze technieken

Sleufloze technieken voor de leidingeninfrastructuur
onder red. van: NSTT; [eindred. B.G.L. Rondeltap-Kaal,
ing. N. Witten en drs. T.J.A. Worm]
Doetinchem: Reed Business Information bv
ISBN 90 6228 487 6
NUR 956

© 2003 Reed Business Information bv, Doetinchem
De auteur en de uitgever van dit boek zijn bijzonder geïnteresseerd in
uw op- of aanmerkingen bij deze uitgave. U kunt daarvoor contact
opnemen met:

Reed Business Information bv
Afdeling Vakdocumentaire Uitgaven
Postbus 4
7000 BA Doetinchem
Telefoon (0314) 35 82 99
Fax (0314) 35 82 59
e-mail: info@elsevier-vdu.nl
internet: http://www.elsevier-vdu.nl

Bureauredactie: B.G.L. Rondeltap-Kaal, Ing. N. Witten,
                  Drs. T.J.A. Worm

Uitgever: Drs. P.J.M. Meijer-Sasse

Deze uitgave is met de grootst mogelijke zorg samengesteld. De
uitgever stelt zich echter niet aansprakelijk voor de gevolgen van
eventueel nog voorkomende onjuistheden in de inhoud van deze
uitgave.

ISBN 90 6228 487 6   NUR 956

WOORD VOORAF

Hoe beleven wij de ruimte om ons heen: *Vol, Voller, Overvol?*

Zonder noemenswaardige verstoringen van de bovengrondse activiteiten is de inzet van *Sleufloze technieken voor de leidingeninfrastructuur* de oplossing van de toekomst.

Sleufloze technieken voor de leidingeninfrastructuur is een techniek in de Grond-, Water- en Wegenbouw die ruimere aandacht verdient en wellicht verdere toepassing.

Het transport door leidingen heeft veel voordelen: het voorkomt overlast door dichtslibbende wegen lawaai en stank, en het transport is uit het zicht. Tijdens de aanleg van leidingen kan overlast worden voorkomen door *sleufloze technieken* toe te passen.

Het beleid van de overheid met betrekking tot de leidingeninfrastructuur, is met name de laatste jaren verder ontwikkeld. Het belang van leidingen is gelijkwaardig aan dat van wegen, spoorlijnen, waterwegen en luchtvaartfaciliteiten. Dat beleid is weliswaar nog van recente datum en de uitwerking zal nog meer vorm moeten krijgen. De mogelijkheden voor leidingen met inbegrip van de sleufloze uitvoeringen zijn legio.

De Nederlandse vereniging voor Sleufloze Technieken en Toepassingen (NSTT) heeft tot doel om bijdragen te leveren aan de ontwikkeling van *sleufloze technieken* en het bekendmaken van de mogelijkheden.
De NSTT is internationaal aangesloten bij de ISTT – *International Society for Trenchless Technology.* Daarbij zijn circa 25 landenorganisaties aangesloten. Het is een belangrijk instrument om tot internationale uitwisseling van kennis en ervaringen te komen.

De NSTT en Reed Business Information geven in dit boek inzicht in de sleufloze mogelijkheden die er bestaan voor de leidingeninfrastructuur. Dit informatieve boekwerk is een prima wegwijzer voor opdrachtgevers en aannemers in de Grond-, Water- en Wegenbouw, voor adviesorganisaties, ingenieursbureaus, verzekeraars en vergunningverleners. Bovendien is het geschikt als naslagwerk voor MBO en HBO studenten in de civiele techniek.

Leden van de NSTT hebben de taken op zich genomen om als auteurs en hoofdauteur bijdragen te leveren aan het boek. Het bestuur van NSTT heeft als redactieraad haar deskundigheid ingebracht.

Dit alles uit zich niet alleen in een overzichtelijk geheel, maar straalt een enthousiasme uit voor de techniek. Hiervoor dank en waardering.

Ir. J.A. Ringers   Ing. J.J. van den Berg
Hoofdauteur   Voorzitter NSTT

INHOUD

SLEUFLOZE TECHNIEKEN

INLEIDING I

1   Algemeen

no dig (niet graven)

Onder sleufloze technieken vallen alle methoden, waarbij niet behoeft te worden gegraven. Met de veel gehoorde aanduiding *no dig (niet graven)* wordt hetzelfde bedoeld.

leidingeninfrastructuur

Leidingeninfrastructuur is de verzamelnaam voor alles wat ook wel kabels en leidingen, pijpleidingen, buisleidingen, leidingentunnels en Ondergronds Logistiek Systeem (OLS) wordt genoemd. De diameters variëren van enkele centimeters voor de dunste kabel tot circa vijf meter voor bijvoorbeeld een leidingentunnel.

Naast de traditionele toepassingen van leidingen voor het vervoer van vloeistoffen, gassen, kracht en signalen al dan niet in combinatie met leidingentunnels, neemt de belangstelling voor niet-traditionele toepassingen toe. Dan kan gedacht worden aan meer algemeen goederenvervoer, bijvoorbeeld met een volledig geautomatiseerd ondergronds transportsysteem. De kosten daarvan vormen nog een drempel om tot uitvoering te komen. Gelet op het belang van dergelijke systemen zal daarin stellig verandering komen.

De toepassing van sleufloze technieken bij de aanleg van kabels en leidingen in de ondergrond neemt om de volgende redenen steeds meer toe:
– Enerzijds omdat het aantal mogelijkheden van het toepassen van deze technieken steeds groter worden door de verdere ontwikkelingen van apparatuur met een verder toenemende nauwkeurigheid.
– Anderzijds omdat de beheerders van infrastructuren die gekruist worden door kabels en leidingen minder voor een traditionele aanleg in een sleuf kiezen. De gebruikers van deze infrastructuren vinden het onacceptabel, dat door het aanbrengen van sleuven en daardoor tijdelijke omleidingen, hun voortgang belemmerd wordt. Zowel bovengronds als ondergronds wordt het te 'druk'. Dit dwingt tot sleufloze technieken.

Er zijn vele sleufloze technieken ten behoeve van leidingen. Dat geldt zowel voor het nieuw aanleggen als voor het uitvoeren van werkzaamheden aan bestaande leidingen.

Toepassingsgebieden zijn o.a. bij het kruisen van de infrastructuur, zoals er zijn de wegen, spoorwegen, rivieren en kanalen met hun dijken, verder natuurgebieden, waterwingebieden, vuilstortplaatsen of het kruisen/ontwijken van verontreinigde bodem(s).

2   Van voorbereiding tot uitvoering

Het volledige traject voor sleufloze technieken, van voorbereiding tot uitvoering, ziet er als volgt uit:

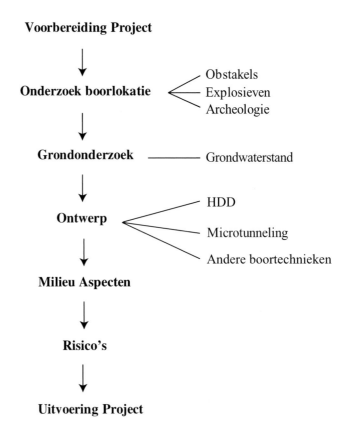

In het algemeen zal voor het uitvoeren van een project met gebruik van een sleufloze techniek dit volledige traject van voorbereiding tot uitvoering doorlopen moeten worden.

Alvorens aan te vangen met een project, waarbij ondergronds gewerkt moet worden, zal informatie over de bodem noodzakelijk zijn. Om deze informatie te verkrijgen is een grondonderzoek gewenst. Met o.a. deze gegevens kan de voorbereiding beginnen voor het verdere ontwerp van het uit te voeren project door middel van een *Horizontaal Gestuurd Boren* sleufloze techniek, als er zijn *Horizontaal Gestuurd Boren* (HDD) (zie *Microtunneling* figuur 2.1), *Microtunneling*[1] (zie figuur 2.2) of andere toepassingen.

---

[1]   De Engelse schrijfwijze is 'Microtunnelling', de Amerikaanse schrijfwijze is 'Microtunneling'. In dit boek wordt de Amerikaanse schrijfwijze gehanteerd.

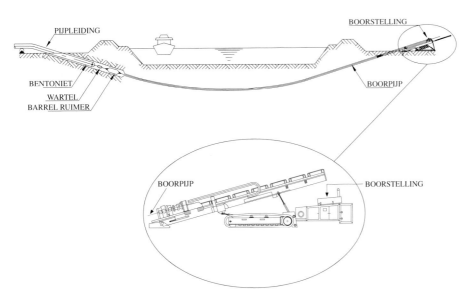

Figuur 2.1 Horizontaal gestuurd boren (HDD)

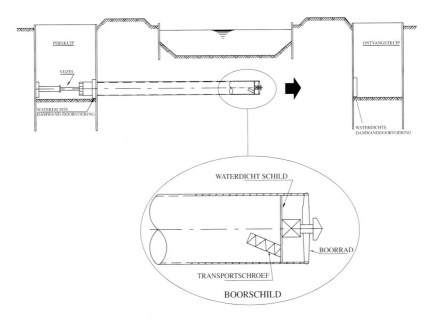

Figuur 2.2 Microtunneling

Alle technieken naast de reeds langer in omloop zijnde uit-
voeringswijzen voor het aanleggen van leidingen[2] krijgen aandacht.

---

[2] In het vakgebied van 'sleufloze technieken' gebruiken vaklieden van
Horizontaal Gestuurd Boren (HDD) het woord 'pijp', terwijl bij Microtunneling vaklieden meestal het woord 'buis'gebruiken, als over de leiding
wordt gesproken.

Voor de reeds aangelegde leidingnetten zijn renovatie- en inspectietechnieken op de markt, die steeds meer als alternatief aangewend
worden voor het vervangen van leidingen. Deze technieken vallen
ook onder het begrip 'sleufloze technieken' en worden bijgevolg ook
in dit boek behandeld.

3 Milieu en risico

Met al deze sleufloze technieken mogen we het aspect 'milieu' niet
uit het oog verliezen en krijgt dit onderwerp naast 'historische
ontwikkelingen' en 'beleidsaspecten' de nodige aandacht.

Door de beperkte ervaring en vooral de congestie in de grond mag het
onderwerp 'risico' niet ontbreken bij de behandeling van 'sleufloze
technieken'.

Velerlei toepassingen hebben in het voorbije verleden plaatsgevonden en krijgen ook een plaats in dit boek.

Kortom, dit boek behandelt alle aspecten die een rol spelen bij
'sleufloze technieken voor de leidingeninfrastructuur'. Alle hoofdstukken zijn voorzien van relevante foto's, tekeningen, tabellen en
praktijkvoorbeelden. Achter in het boek zijn een begrippenlijst en
trefwoordenlijst opgenomen, naast een verklaring van de afkortin-
gen. De daarin opgenomen begrippen worden cursief voor de tekst in
dit boek vermeld. Aansluitend op elk hoofdstuk is een overzicht van
literatuur ter verdere verdieping.

HISTORISCHE ONTWIKKELING

1   Algemeen

De oudste waterleiding van Europa is 3500 jaar geleden aangelegd op Kreta door Koning Minos. Verder is bekend dat in het oude China water werd getransporteerd van de beken in de bergen via holle stammen van bamboeplanten naar huizen van de welgestelden.
De Romeinen legden 2000 jaar geleden in Centraal- en Zuid-Europa uitgebreide systemen aan voor vervoer van water door gemetselde kanalen en via bronzen-, gebakken klei- of loden pijpen.

In Nederland liet eind de 17^e eeuw prins Willem III voor zijn Paleizen Het Loo in Apeldoorn en Soestdijk in Baarn waterleidingen aanleggen. Deze waterleidingen bestonden uit pijpen voorzien van flenzen, waardoor over flinke afstand en onder druk, water kon worden getransporteerd.

In de 19^e en 20^e eeuw deden ook de olie en aardgas hun intrede en werden meer en meer pijpleidingen aangelegd. Verschillende materiaalsoorten o.a. gietijzer, staal, PVC, PE en andere meer moderne materialen als glasvezel en dergelijke ontwikkelden zich.

Voor het kruisen van waterwegen (rivieren) moest een sleuf worden uitgebaggerd en werd een zinker, die vooraf op maat was gemaakt, ingevaren. Het scheepvaartverkeer moest dan urenlang worden stilgelegd.

Met de toename van de drukte op spoor-, verkeers- en vaarwegen werd stilleggen van 'verkeer' maatschappelijk steeds minder aanvaardbaar. Aannemers zijn toen technieken gaan ontwikkelen die het mogelijk maakten om de buis of leiding aan te leggen zonder het 'verkeer' stil te leggen, dus het begin van het gebruik van moderne sleufloze technieken.

Sleufloze technieken bestaan namelijk al vele jaren, dit in tegenstelling tot de wijdverbreide mening dat het iets nieuws is. Reeds in de oudheid, duizenden jaren geleden, werden de pijpen via primitieve perstechnieken in de grond gedrukt en met menskracht horizontale gaten (tunnels) gegraven in de grond. Rond het midden van de 20^e eeuw hebben de technieken zich steeds verder ontwikkeld, zowel qua vorm als perfectie. De sleufloze technieken zoals we ze vandaag kennen zijn:
–   verdringingstechnieken;

- avegaar(doorpersing)boringen;
- doorpersing/microtunnelling;
- horizontaal gestuurd boren (HDD);
- inspectie, reparatie en renovatie.

Al deze technieken hebben een zeer verschillende historische ontwikkeling doorgemaakt. In de volgende paragrafen wordt op de
verschillende methoden apart ingegaan.

2 Historische ontwikkeling van de diverse technieken

2.1 Verdringingstechnieken

verdringingstechnieken

Bij de *verdringingstechnieken* wordt een buis al trillende (laag frequent) in de grond gedrukt of getrokken. Hierbij treedt grondverdringing op in combinatie met trillingen.

percussiehamers

Gebaseerd op het gebruik van *percussiehamers* zijn al patentaanvragen van meer dan negentig jaar geleden bekend.Via verdringing
worden al vele decennia kabels en leidingen in de grond aangebracht.
De moderne verdringingstechnieken bekend als *Impact Moling* en
Impact Ramming zijn gebaseerd op Oost-Europese prototypes van
rond de jaren 1960. Het nadeel van deze technieken is nog steeds de
moeilijke bestuurbaarheid en de met de techniek samenhangende
vibraties en het risico van *oppersing*.

Impact Moling
Impact Ramming

oppersing

2.2 Avegaar(doorpersing)boringen

avegaarboring

Bij een *avegaarboring* maakt men gebruik van een doorgaande
avegaarboor. Hierbij wordt grond los geboord en verwijderd, terwijl
tegelijkertijd een buis in de grond wordt gedrukt. Avegaarboringen
(augerboringen) hebben zich ontwikkeld in de jaren rond 1950,
samenhangend met het aanbrengen van transportleidingen voor olie
en gas, vooral gebruikt voor het kruisen van wegen en spoorwegen.

open boorfront

Behoud van stabiliteit van het boorfront is een gecombineerd proces.
Hiermee wordt bedoeld, dat het persen van de buis afgestemd moet
worden op het gelijktijdig weggraven van de grond. Beide zaken
moet in evenwicht zijn. Er is sprake van een *open boorfront*. De
avegaartechniek voor het vervoer van grond wordt vaak gebruikt in
combinatie met klassieke perstechnieken. Maar ook enkele moderne
types microtunnelboormachines maken er gebruik van.

2.3   Doorpersing/Microtunneling

Algemeen
In de diverse landen waar deze technieken worden toegepast, worden verschillende definities gehanteerd. Soms wordt de betekenis gekoppeld aan de diameters of begaanbaarheid van de geïnstalleerde pijpen. In dit boek wordt de internationale benaming aangehouden met de volgende betekenis:.

doorpersing (pipejacking)

Doorpersing (pipejacking) is het in de grond persen van buiselementen door middel van vijzels vanuit een daarvoor geconstrueerde persschacht. **Doorpersen** is het persen van buizen.

microtunneling

Microtunneling is het in de grond persen van buiselementen door middel van vijzels vanuit een daarvoor geconstrueerde persschacht, waarbij de geperste buis voorafgegaan wordt door een stuurbare

gesloten boorfront

boormachine met een meestal *gesloten boorfront*. **Microtunneling** is doorpersen met behulp van een stuurbare boormachine.

Voor beide technieken geldt het gebruik van open- en gesloten front schilden, waarbij grond verwijderd wordt d.m.v. mens- dan wel mechanische kracht.

Doorpersing

doorpersing

Bij *doorpersing* worden buizen met kleine - en grote diameters in de grond gedrukt. Volgens de internationale literatuur is er voor het eerst sprake van het aanbrengen van grotere diameter buizen (mantoegankelijk) in de USA, eind jaren vijftig van de vorige eeuw. Deze techniek heeft zich aanvankelijk slechts langzaam ontwikkeld, want de lengtes en stuurnauwkeurigheden bleven beperkt. In combinatie met avegaarboringen zijn de mogelijkheden wel vergroot. Maar de grote toepassing van het doorpersen, als onderdeel van het microtunnelproces, is echt op gang gekomen bij het op de markt verschijnen van de bestuurbare schildboormachines.

Microtunneling
Het microtunnelen kent in tegenstelling tot de hiervoor beschouwde technieken een veel kortere historie. Waar de eerder genoemde methoden (met uitzondering van het doorpersen) technisch min of meer uitontwikkeld zijn, maakt microtunneling een snel doorgaande ontwikkeling door. Dit geldt met name voor zaken als nauwkeurigheid, lengte en diameter.

Microtunnelen ligt op het grensvlak van de civiele- en werktuigbouwkundige techniek. De invloed van besturingstechniek wordt echter steeds belangrijker om het proces goed te kunnen beheersen. Met recht kan hier gesproken worden van een interdisciplinaire techniek.

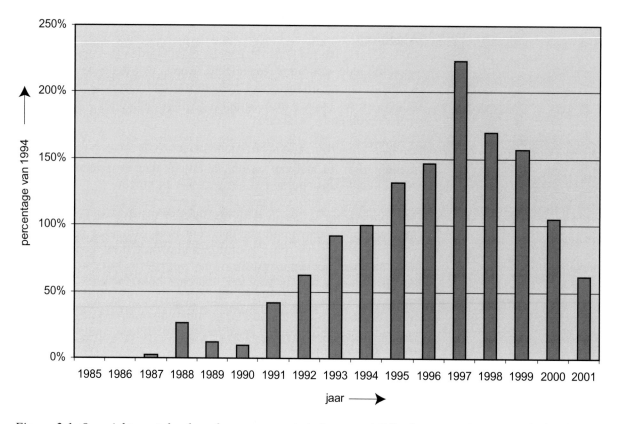

Figuur 2.1 Overzicht aantal geboorde meters met behulp van schildboringen per jaar in Nederland

De ontwikkeling van de betrokken boormachines is in Nederland en enkele buurlanden langs twee lijnen verlopen.

1. Eind jaren 70 in de 20^e eeuw is de ontwikkeling door middel van *vloeistofschilden*, waaronder het *spoelboren* begonnen. Deze methode was het alternatief voor het aanbrengen van zinkers in Noord-Holland. De spoelboormethode was met een gesloten boorfront en werd toegestaan door de provincie Zuid-Holland, de autoriteit in Nederland die advies geeft aan vergunnings-verleners (pijpleidingcode) voor kruisingen van rivieren en dijken.

2. Naast de hiervoor geschetste autonome ontwikkeling brengen sinds de jaren 80 van de vorige eeuw een aantal fabrikanten schildboormachines – *gesloten front schilden* - op de markt. Deze machines, zijn in hoge mate technisch afgeleid van en boortechnisch vergelijkbaar met de grotere *Tunnel Boor Machines (TBM)*. De oorspronkelijke TBM's zijn echter veel groter en worden gebruikt bij het construeren van de grote tunnels voor spoor en verkeer. (zogenaamde segmenttunnels) Net als bij TBM's wordt ook bij de microtunnelmachines

vloeistofschilden
spoelboren

gesloten front schilden

Tunnel Boor Machines (TBM)

Slurry- en Earth Pressure Balance (EPB) schilden laser sturing

onderscheid gemaakt tussen *Slurry- en Earth Pressure Balance (EPB) schilden*. De besturingstechnieken (*laser sturing*) zijn vergelijkbaar. Hierbij moet wel opgemerkt worden dat zeker bij de kleinere boormachines t.b.v. de installatie van niet mantoegankelijke buizen een eigen ontwikkeling plaatsvindt bij hierin gespecialiseerde bedrijven.

Omdat er gebruik gemaakt wordt van vijzels die directe druk uitoefenen op de buizen, is de te installeren lengte beperkt. Om deze belemmering te overkomen heeft er een ontwikkeling plaats gevonden in de toepassing van tussenstations met *tussenvijzels* bij mantoegankelijke buizen.

tussenvijzels

De diameters van de met behulp van deze techniek geïnstalleerde buizen variëren van ongeveer 300 mm tot 5000 mm. Bij de laatste diameter is een duidelijke overlap met de genoemde segmenttunnels. De grootste tot nu toe bekende behaalde lengte, met behulp van tussenvijzels, bedraagt 2300 m. (Nordeney, Duitsland).

Beide geschetste ontwikkelingen vanuit de (1) 'het spoelboren' en (2) de grotere schilden, hebben qua mogelijkheden tot vergelijkbare microtunnelboormachines geleid. In detail vertonen ze grote verschillen, maar er wordt gebruik gemaakt van dezelfde civiele en werktuigbouwkundige principes.

2.4 Horizontaal Gestuurd Boren (HDD)

Bij alle hiervoor geschetste technieken, behalve micro-tunneling, heeft een speciaal op het doel gerichte ontwikkeling plaats gevonden, namelijk van groot naar klein. Bij de HDD is de ontwikkeling totaal anders verlopen. De techniek is een afgeleide van het gedevieerd boren naar olie en gas in de 20^e eeuw in de USA.

De eerste toepassing kwam tot stand doordat een kruising met een diepgelegen rivier niet mogelijk was met de reeds bekende perstechnieken. Een innovatieve aannemer had kennis van een specifiek verschijnsel: in de olie industrie gebruikte boorwerktuigen hadden na slijtage de neiging om een verkeerde richting uit te sturen. Na veel testen lukte het de aannemer om gebruik te maken van dat verschijnsel en de eerste gestuurde boring was een feit. Overigens maakte men hier gebruik van boor 'torens' (*drilling-rigs*) en 'gereedschap' (*tools*) in gebruik bij de olie-industrie. In eerste instantie werd het gestuurd boren alleen toegepast bij de olie- en gaswinning (gedevieerd boren). Later werd de techniek toegepast voor de aanleg van leidingen.

drilling-rigs
tools

Dit alles vond plaats van 1970 tot 1972. Door diverse patenten was een snelle doorbraak van de techniek niet mogelijk. Echter in 1979 besloten de patenthouders door middel van licenties de wereldmarkt op te gaan. Opvallend is dat vanaf die mogelijkheid een aantal Nederlandse bedrijven voorop gelopen hebben in de verdere ontwikkeling en verspreiding van de techniek.

De eerste HDD-boring in Nederland werd eind 1983 bij de kruising van het Buiten IJ bij Amsterdam toegepast. De kruising was een gasleiding voor de Nederlandse Gasunie. Vervolgens werden twee proefprojecten in Zuid-Holland uitgevoerd met toestemming van de provincie Zuid-Holland, de autoriteit die eiste dat er uitgebreide metingen werden uitgevoerd in de dijken, die gekruist werden. Naast de eventuele zettingen ter plaatse van de dijk werd ook de waterspanning rondom het boorgat gemeten. Een studiecommissie, die het onderzoek begeleide, maakte een aanzet van de regelgeving voor toepassing van de HDD-methode bij kruisingen van leidingen met waterstaatswerken.

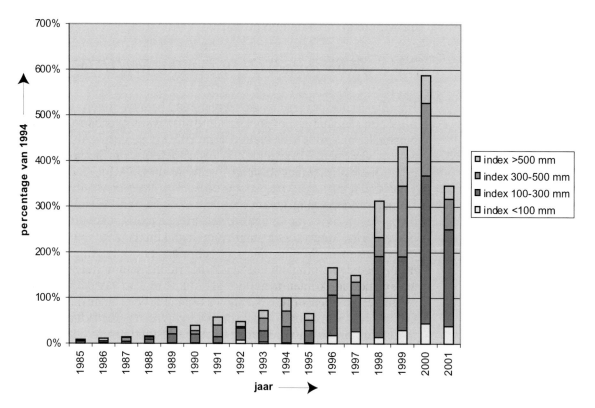

Figuur 2.2 Aantal geboorde meters HDD in Nederland

maxi's

pilot boring, washover pipe

midi
mini

zinkers

relining

Gelet op de oorsprong van de techniek is het niet verwonderlijk dat de eerste specifieke HDD machines *maxi's* waren en dat men gebruik maakte van de in de olie- en gasindustrie gebruikelijke techniek van de *pilot boring* en de *washover pipe*.

Nadat de techniek een grotere bekendheid had gekregen vond een autonome ontwikkeling plaats naar kleinere machines (*midi*'s en *mini*'s), met aangepaste en verbeterde stuurtechnieken. Vooral dit laatste was zeker nodig omdat de stuurnauwkeurigheid in de begin jaren gesteld werd op 1% van de geboorde lengte.

Opmerkelijk is echter dat al in het begin van de jaren 80 van de vorige eeuw kruisingen werden gerealiseerd met lengtes van 1000 meter en meer. De noodzakelijke toleranties in de maatvoering werden geaccepteerd vanwege de grote voordelen van de techniek, zoals het voorkomen van hinder voor scheepvaart en wegverkeer bij het aanbrengen van *zinkers* of open sleuven.

Verdergaande kwaliteits- en milieueisen hebben de techniek ontwikkeld tot de 'state of the art' van vandaag. Er wordt niet alleen geboord voor het aanbrengen van olie-, gas- en waterleidingen, maar ook steeds meer voor elektriciteits- en telecommunicatievoorzieningen en geperforeerde buizen ten behoeve van drainage en bodemsaneringen.

2.5 Inspectie-, reparatie- en renovatietechnieken

Naast het aanbrengen van nieuwe systemen is het dikwijls economischer om bestaande beschadigde of niet meer optimale systemen niet te vervangen, maar te renoveren of te repareren. Inspectie en reparaties worden al sinds lange tijd uitgevoerd. Relatief nieuw is de renovatie via het aanbrengen van nieuwe binnenwanden in bestaande leidingen, de zogenaamde *relining*.

Er bestaan diverse systemen van inwendig cementeren, van het intrekken van volle doorsnede kunststofbuizen en tot het aanbrengen van gevouwen binnenvoeringen, die na het aanbrengen tegen de buiswand aan komen te liggen en uitharden. Het aanbod van deze systemen is zeer sterk leverancier bepaald. Meer studie en kennis omtrent de sterkte-eigenschapen en duurzaamheid is dringend gewenst om de toepasbaarheid ten volle te benutten.

BELEIDSASPECTEN

1 Inleiding

In de geschiedenis is bewezen, dat het traditionele buisleidingen vervoer voor water, olie, gas, afvalwater en zelfs voor kabels een geïntegreerd en aanvaardbaar aspect van de infrastructuur is.

De overheid heeft tot voor kort geen bijzonder beleid gevoerd om de slagader van ons bestaan te betrekken bij ondergronds ruimtegebruik, waarbij sleufloze technieken ook een rol spelen. Sinds de ruimte voor bovengrondse economische en andere activiteiten schaarser wordt, dient de overheid initiatieven te ondernemen om het landelijk ondergronds net te erkennen en breder in te zetten.

Slechts na een Kamerbreed gesteunde motie -Van Heemst, ingediend tijdens de begrotingsbehandeling van Verkeer en Waterstaat eind 1996, werd de basis gelegd voor ondergronds transport via buisleidingen. Hiermee was het product buisleidingen op de markt. Tegelijkertijd was hiermee aangegeven dat de traditionele pijp- en buisleidingen zich onderscheiden van andere infrastructuur, zoals de rail-, water- en weginfrastructuur. Ze vormen namelijk niet alleen de transportweg (buis en strookgrond), maar zijn tevens het transportmiddel.

Het toepassingsgebied van buisleidingen met het facet sleufloze technieken, waar nodig, zal de komende jaren veel aandacht opeisen voor het ondergronds ruimtegebruik in algemene zin.

2 Goederentransport per pijpleiding

Buisleiding Industrie Gilde (BIG)
Goederentransport per Pijpleiding

In 1995 is op initiatief van het *Buisleiding Industrie Gilde (BIG)*, een werkgroep *Goederentransport per Pijpleiding* opgericht. Na ontwikkeling van het idee, dat er capsules door grote buisleidingen vervoerd kunnen worden met het formaat van een kwart van een container, werd er door de werkgroep contact gezocht met het Ministerie van Verkeer en Waterstaat en werd het idee verder ontwikkeld. Het resultaat was een rapport, met als conclusie dat het 'Unit transport per pijpleiding' goed aansloot bij de huidige marktontwikkeling en het 'intermodal' vervoer.

Stuurgroep Buisleidingen

Dit onderzoek vond plaats onder leiding van de eerste *Stuurgroep Buisleidingen*. Deze stuurgroep is in 1993 opgericht met als opdracht de kansen en mogelijkheden van de vervoersmodaliteit buisleidingen in beeld te brengen.

De Stuurgroep sloot haar werkzaamheden af met een rapportage in juni 1996. De belangrijkste aanbevelingen waren:
– een meer actieve rol van de rijksoverheid t.a.v. de vervoersmodaliteit buisleidingen;
– het wegnemen van knelpunten bij de aanleg van traditionele buisleidingen;

Unit Transport per Pijpleiding (UTP)

– het stimuleren van innovaties en introductie van *Unit Transport per Pijpleiding (UTP)*.

3   Ondergronds transport in vogelvlucht

Aan ondergronds goederentransport lijken aanmerkelijke voordelen verbonden. Deze liggen in de sfeer van de kwaliteit van de leefomgeving, veiligheid, betrouwbaarheid, milieubelasting, ruimtebeslag

Ondergronds Transport en Buisleidingen (OTB)

en meervoudig ruimtegebruik. *Ondergronds Transport en Buisleidingen (OTB)* kan in potentie als aanvulling op de rail-, water- en weginfrastructuur worden gezien. Maar er zijn ook tal van onzekerheden, bijvoorbeeld kosten en marktpotenties.

Genoemde overwegingen zijn aanleiding geweest voor de Tweede Kamer der Staten-Generaal om bij de begrotingsbehandeling van het Ministerie van Verkeer en Waterstaat, de regering in een kamerbrede motie te vragen aan te geven 'onder welke condities pijp- en buisleidingen als een publieke voorziening zijn aan te merken'.

Interdepartementale Projectorganisatie Ondergronds Transport (IPOT)

Naar aanleiding van deze motie is medio 1997 een *Interdepartementale Projectorganisatie Ondergronds Transport (IPOT)* in het leven geroepen.

De doelstelling van het IPOT is te onderzoeken of en zo ja aanbevelingen te doen met betrekking tot een overheidsbeleid t.a.v. ondergronds transport en buisleidingen met als richtjaar 2015 waarbij:
– de economische structuur wordt versterkt;
– de efficiency en de effectiviteit van het vervoerssysteem wordt verhoogd;
– de externe veiligheid, een efficiënt ruimtegebruik en de vermindering van de milieubelasting wordt bevorderd;
– en daarnaast de procedures rond buisleidingen worden gestroomlijnd.

Het IPOT onderzoek is afgerond in 2001. De derde en laatste rapportage 'Van visie naar realisatie ' is met een begeleidende brief in augustus 2001 aan de Tweede Kamer aangeboden.

4 Vraagstelling van de IPOT

Het doel van het onderzoek en de beleidsontwikkeling in het kader van de IPOT is het geven van een antwoord op de volgende algemene vraag:

Ondergronds Transport en Buisleidingen (OTB)

In welke situaties en onder welke voorwaarden is *Ondergronds Transport en Buisleidingen (OTB)* een realistische optie, die een positieve bijdrage kan leveren aan vraagstukken op het gebied van bereikbaarheid, economische structuur en leefmilieu?

Deze algemene vraag is vertaald naar de volgende onderzoeksvragen:
– Kan OTB bijdragen aan oplossingen voor de bereikbaarheids- en vervoersproblematiek, met name in de binnenstad en op vervoersknooppunten?
– Draagt OTB bij aan minder milieubelasting en een efficiënt ruimtegebruik?
– Helpt OTB aan het versterken van de economische structuur en het bevorderen van de leefbaarheid van steden?
– Onder welke condities worden buisleidingen als publieke infrastructuur beschouwd? (motie van Heemst)
– Op welke wijze kan OTB worden gefinancierd, wat zijn de kosten en baten?
– In hoeverre bestaat er draagvlak voor OTB?

Het onderzoek naar OTB heeft het denken over innovatieve transportconcepten een stimulans gegeven. Het besef is gegroeid dat realisering van OTB op een breed front innovatie in transport en logistiek vereist. Deze innovatie op zich kan al op kortere termijn een bijdrage leveren aan een duurzaam transport. Het aanleggen van *Ondergronds Logistiek Systeem (OLS)* zelf is een zaak van langere adem. Het draagvlak is nog niet groot genoeg om tot grootschalige invoering van OLS- en over te gaan. Voor lokale situaties is een OLS oplossing denkbaar. Organisaties zouden de krachten moeten bundelen voor het toepassen van innovaties in het transport.

Ondergronds Logistiek Systeem (OLS)

Voor OLS is geconcludeerd dat het niet zozeer gaat om het ondergronds karakter maar dat er vooral behoefte bestaat aan ongehinderde logistieke systemen, die ook boven de grond kunnen liggen. Dit kan bijvoorbeeld door toepassing van bovengrondse geautomatiseerde voertuigen al dan niet in combinatie met (geautomatiseerd) personenvervoer. Voor zowel boven- als ondergrondse oplossingen geldt dat zij stap voor stap ontwikkeld zullen moeten worden en onderdeel moeten uitmaken van een geïntegreerd logistiek netwerk.

Nationaal Verkeers en Vervoersplan (NVVP)

In het *Nationaal Verkeers en Vervoersplan (NVVP)* wordt een voorstel voor een Transport Innovatie Programma gedaan. De financiering hiervan valt binnen de prioriteitenstelling van de V EN W begroting.

Het Kabinet acht het van belang de geprognosticeerde groei voor traditioneel buisleidingvervoer daadwerkelijk gerealiseerd wordt en is daarom van mening dat traditioneel buisleidingvervoer een gelijkwaardige positie verdient ten opzichte van de andere transportmodaliteiten. Die gelijkwaardigheid heeft mede een rol gespeeld bij het besluit om het *Structuurschema Buisleidingen (SBUI)* te integreren in het Nationaal Verkeers- en Vervoersplan (NVVP).

Structuurschema Buisleidingen (SBUI)

Wat betreft de vraag of de pijp- en buisleidinginfrastructuur als een publieke voorziening moet worden aangemerkt (de motie van Heemst) is de conclusie dat de buis vooral als transportmiddel dient en dat, uitgaande van de begrippen zoals gehanteerd in het advies van de *Wetenschappelijke Raad voor het Regeringsbeleid (WRR)*, de buis moeilijk als publieke voorziening kan worden beschouwd. De aanleg behoort derhalve tot de verantwoordelijkheid van het bedrijfsleven.

Wetenschappelijke Raad voor het Regeringsbeleid (WRR)

Voor het traditioneel buisleidingvervoer zijn de belangrijkste resultaten uit het IPOT onderzoek:
- het streven naar verhoging van de ruimtelijke efficiency door bundeling van infrastructuur;
- het, waar nodig, treffen van kruisende voorzieningen bij hoofdinfrastructuur;
- de aanpak van de veiligheidswetgeving;
- het stimuleren van samenwerking tussen bedrijfsleven en overheid met het oog op het realiseren van buisleidingnetwerken.

5   Kamerbehandeling motie Van Heemst

Op 3 september 1998 stond Ondergronds Transport en Buisleidingen (OTB) op de agenda van de Tweede Kamer. In de Vaste Kamercommissie van Verkeer en Waterstaat vond de behandeling plaats van de kabinetsbrief van de ministers van V EN W, EZ en VROM inzake ondergronds transport en buisleidingen en de bijbehorende voortgangsrapportage 'Transport onder ons'. De minister van Verkeer en Waterstaat, mevrouw Netelenbos, was uitgenodigd de stand van zaken toe te lichten.

De politici waren stuk voor stuk positief over OTB. De voortvarende manier waarop de motie Van Heemst is opgepakt door de betrokken ministeries en de heldere voortgangsrapportage werden op prijs gesteld. Van Heemst ziet ondergronds transport niet alleen als een thema *van* de toekomst maar vooral ook als een thema *voor* de toekomst.

Rode draad in de betogen van de commissieleden was dat er sprake is van een innovatieve vervoersmodaliteit met potentie. Duidelijk was ook dat er vanzelfsprekend nog veel zaken nader uitgewerkt dienen te worden zoals beheer, exploitatie en het verkennen van PPS-constructies. Dit liet onverlet dat er zich commissiebreed een brede positieve steun ten aanzien van OTB aftekende. OTB zal in de nabije toekomst een volwaardige plaats moeten krijgen in de beleidskaders terzake.

Ondergronds transport moet volgens Van Heemst een belangrijke, maar vooral ook een gelijkwaardige, plaats krijgen op het goederenvervoer terrein. Hij vindt dat afwikkeling van goederenvervoer via alternatieve vervoerswijzen, zoals OTB, belangrijk is en sprak over OTB als de vijfde modaliteit. 'Laten we OTB de plaats geven die het potentieel toekomt'. Een politieke afweging tussen de verschillende modaliteiten is noodzakelijk.

De belangstelling van de politici ging in het bijzonder uit naar de financiële aspecten van OTB, de stand van zaken van de pilots en de wijze waarop OTB opgenomen moet worden in de beleidskaders terzake. Veiligheid, wetgeving, eigendom en inrichting van de ondergrond vond men issues die nader onderzocht moeten worden.
Voorts heeft minister Netelenbos uitgesproken dat opname van OTB in MIT, 5^e Nota R.O. en NVVP zal plaatsvinden.

Proefprojecten vervullen een belangrijke rol volgens Netelenbos. De minister zegde toe de lopende initiatieven (Schiphol, Zuid-Limburg, Utrecht, Delfzijl) te ondersteunen.
Meer duidelijkheid over de financiële bijdrage van de overheid zal op korte termijn moeten blijken.

6 Maatschappelijke voordelen ondergrondse systemen

De belangrijkste voordelen van ondergrondse systemen ten opzichte van andere vormen van transportsystemen zijn:
– reductie van ruimtegebruik;
– geluidsemissie;
– wegnemen van visuele hinder.

Terwijl verbetering van de capaciteit, emissies (CO_2 en NO_X) en veiligheid voor alle vormen van systemen beter is dan voor de conventionele variant. De nadelen van ondergrondse systemen zijn de hoge investeringskosten, de interne veiligheid en technische aspecten. Daarnaast staat er een groot vraagteken bij de flexibiliteit van het systeem. Hoewel in theorie ondergronds een vrije tracékeuze mogelijk is, zal de aanleg van een systeem dat vervoerders en verladers als voldoende flexibel ervaren uitermate kostbaar zijn.

Dit soort systemen kan alleen van de grond komen door samenwerking. De ontwikkeling van logistieke netwerken, waarin bedrijven samenwerken om logistieke schaalvoordelen te behalen, vraagt om een geïntegreerd netwerk voor goederenvervoer, eventueel in combinatie met personenvervoer.

De voordelen van netwerkvorming zijn voor enkele bedrijven tentatief uitgerekend. Een reductie in de relevante kosten van 10 à 25 procent is mogelijk. Bovendien daalt het aantal voertuigkilometers met ruwweg 20 à 30 procent. Dit laatste is ook voor de overheid interessant. Bundeling leidt dus tot significante voordelen voor bedrijfsleven en overheid. Over de keuze van de vervoersmodaliteiten binnen dat netwerk bestaan uiteenlopende visies. OLS is een mogelijk onderdeel, maar noodzakelijk is dat niet.

Structuurschema Buisleidingen (SBUI)

Aanleg en beheer van industriële buisleidingen behoren tot de competentie van het bedrijfsleven. Aan het gebruik van buisleidingen zijn ook maatschappelijke vraagstukken verbonden. Deze spelen een rol bij het buisleidingenbeleid van de Rijksoverheid. Omwille van industriebeleid, de milieu- en vervoersvoordelen, een efficiënt ruimtegebruik en een verantwoorde afweging van de tracering van buisleidingen is sinds 1985 het *Structuurschema Buisleidingen (SBUI)* van toepassing.

Het SBUI reserveert hoofdverbindingen voor hoofdtransportleidingen en geeft het kader aan voor de afstemming van de planning van buisleidingen en de ruimtelijke planning op de diverse bestuursniveaus. In het SBUI staat dat het vervoer per buisleiding in samenhang moet worden gezien met het vervoer over de weg, per rail en over het water. Provincies en gemeenten dienen in hun streek- en bestemmingsplannen rekening te houden met de ruimteclaims voor hoofdtransportleidingen van het SBUI. Het Rijk wil het SBUI integreren in het Nationaal Verkeers en Vervoersplan (NVVP) Hiermee wordt onderstreept dat buisleidingen als volwaardige transportmodaliteit worden beschouwd en deel uitmaken van transport- en logistieke netwerken.

De conclusie van de IPOT is dat het publieke belang van buisleidingen in de eerste plaats ligt bij het formuleren van eisen inzake ruimtelijke ordening, milieu en veiligheid en veel minder bij de aanleg van buisleidingen zelf. De buisleiding als transportmiddel kan uitgaande van het advies van de WRR moeilijk als publieke voorziening worden beschouwd. In gevallen waar om bedrijfs-economische overwegingen een buisleiding waarmee ook bredere maatschappelijke voordelen gepaard gaan, zoals veiligheidsvoor-delen, ruimtebesparing of milieuvoordelen, niet gerealiseerd kan worden, verdient het aanbeveling een overheidsbijdrage te over-wegen, voor zover de kosten - baten verhouding dat rechtvaardigt. De te verwachte nadelen zullen vooral ontstaan tijdens de aanleg van het netwerk (geluidsoverlast, bestemmingsverkeer).

Het op diverse locaties produceren van relatief geringe hoeveelheden grondstoffen (zoals propyleen), zoals nu gebeurt, is duur. Door het gebruik van buisleidingen kan de productie worden geconcentreerd. Dit biedt schaalvoordelen en maakt de productie minder afhankelijk van storingen in de aanvoer. Belemmeringen voor de toepassing van buisleidingen zijn:
- de hoge investeringskosten;
- de te lange terugverdientijd ten opzichte van de rentabiliteitseisen die het bedrijfsleven aan investeringen stelt;
- de versnippering van belangen over veel partijen.

7   Buitenland

Een Europees beleid voor buisleidingen ontbreekt, alhoewel uit studies is gebleken, dat er wereldwijd vele kilometers leidingentunnels zijn

Figuur 7.1 Leidingen tunnel Hollandsch Diep. De tunnel heeft een lengte van ca. 2 km. Bron: Stichting Buisleidingenstraat te Roosendaal.

aangelegd. Leidingentunnels vormen een onderdeel buiten de sleufloze technieken, echter deze tunnels met grote diameters herbergen
vele kabels en leidingen.

8 Relaties met nota's

Om versnippering van het ruimtebeslag te voorkomen, een actueel
thema in de discussies over NVVP en 5^e Nota Ruimtelijke Ordening,
wordt er naar gestreefd kabels en leidingen, waar mogelijk, te
bundelen met andere infrastructuur.

common carriers

Uiteraard mag primair van het bedrijfsleven een belangrijke inspan-
ning worden verwacht om groei van het buisleidingvervoer te realiseren. Dit zal vooral moeten komen uit samenwerkingsvormen, het
ontwikkelen van *common carriers* (gemeenschappelijke buisleidingen die voor derden toegankelijk zijn) en het, met het oog op
hergebruik, ontwikkelen van buisleidingnetwerken voor het vervoer
van reststoffen (CO_2, restwarmte).

Het Rijk zal zich er voor inzetten dat voor buisleidingnetwerken, met
een internationale dimensie, in de Europese Unie een discussie wordt
gevoerd over een mogelijke status als Trans Europees Netwerk. Dit
vergemakkelijkt de afstemming tussen de lidstaten, biedt groeimo-
gelijkheden en verstevigt de concurrentiepositie van de chemische
industrie en de havens.

Ondergronds transport in beleidsnota's
Het OTB wordt in de Perspectievennota van het ministerie van
Verkeer en Waterstaat[1] gezien als een van de technologische innovaties voor het goederenvervoer. Dit geldt eveneens voor de toepassing
van automatisch geleide voertuigen. Het onderwerp is verder uitgewerkt in het concept-NVVP[2]. Hierin staat ook het voornemen dat het
Rijk een besluit zal nemen over participatie in OLS-projecten.

Visie adviesraden
Ondergronds transport als mogelijke vervoersoplossing heeft ruim-
schoots aandacht gekregen van de direct betrokken adviesraden. Zo
pleit de Raad voor Verkeer en Waterstaat in haar advies 'Ruimtelijke
vernieuwing voor het Goederenvervoer[3], voor de ontwikkeling van
ondergronds transport. De Raad vindt ondergronds transport een van
de drie hoofdpijlers in het langetermijnbeleid voor het binnenlands

---

[1] Perspectievennota ministerie V EN W 1999, pag. 47
[2] NVVP concept 26 april 2000, pagina 20 deel A en pagina 4 deel C.
[3] Raad voor verkeer en waterstaat, Advies Lange Termijnbeleid voor het
     goederenvervoer, juli 1998.

goederenvervoer en stelt voor om op de korte termijn een systeem van stedelijke distributiecentra op te zetten, als bijdrage aan een ondergronds netwerk.

8.1 Beleidsvernieuwing externe veiligheid in het NMP4

Er zijn risico's verbonden aan het gebruik, de opslag en de productie van gevaarlijke stoffen (in bedrijven) en het transport van gevaarlijke stoffen (via wegen, spoorwegen, waterwegen en buisleidingen). Het kabinet wil onder meer een minimum beschermingsniveau voor burgers wettelijk vastleggen, onnodig vervoer van gevaarlijke stoffen aan banden leggen en dat bedrijven op kwetsbare plekken waarvan de veiligheid niet afdoende kan worden geregeld, uiteindelijk sluiten.

8.2 Buisleidingen en het NVVP

De verantwoordelijkheden voor buisleidingen liggen voor een groot deel bij marktpartijen. Hierover was weinig bij wet geregeld. In nauw overleg met verschillende betrokkenen is geïnventariseerd wat in nationale wetgeving moet worden opgenomen. Dit wetgevingstraject is inmiddels gestart. Uit onderzoek is inmiddels gebleken dat bundeling van buisleidingen met andere infrastructuur tot de mogelijkheden behoort.

De overheid streeft naar behoud en verbetering van de bereikbaarheid, zodanig dat de (inter)nationale verbindingen over weg, spoor, water, via de lucht, via buisleidingen en telecommunicatie zich kunnen meten met het buitenland en positief worden gewaardeerd door burgers, bedrijven en potentiële investeerders. De vervoerssystemen zijn op de belangrijkste knooppunten goed met elkaar verbonden. De infrastructuur zal de gewenste ruimtelijk-economische ontwikkeling optimaal ondersteunen.

Bij kruisingen van hoofdinfrastructuur zullen, waar maatschappelijk gewenst, proactief voorzieningen voor buisleidingen worden getroffen. Daarmee wordt bereikt dat buisleidingen gemakkelijker en efficiënter kunnen worden aangelegd en dat in de toekomst schadeclaims worden voorkomen. De kosten van deze voorzieningen worden ten laste van de gebruiker gebracht. Daarnaast zijn er situaties denkbaar, bijvoorbeeld in geval van uitbreiding of renovatie van hoofdinfrastructuur, waarin het rijk (een deel van) de financiering op zich neemt.

GRONDONDERZOEK IV

1 Algemeen

Bij de aanleg van leidingen door middel van sleufloze technieken is informatie over de grondlagen waar doorheen geboord wordt en informatie over het grondwater van groot belang. Ook informatie over het voorkomen van obstakels (waaronder ook explosieven en archeologische 'obstakels') in het boortracé is belangrijk. Obstakels in de ondergrond kunnen een groot probleem zijn bij het boren. Vooral een onverwachte confrontatie met obstakels tijdens de uitvoering kan leiden tot langdurige vertragingen en dus tot hoge extra kosten. De resultaten van grondonderzoek vormt een van de belangrijkste zaken die de opdrachtgever aan de aannemer beschikbaar moet stellen.

Is de leiding eenmaal aangelegd dan zal de interactie tussen leiding en grond resulteren in allerlei krachten op de leiding. Voor de bepaling van deze krachten is eveneens kennis van de eigenschappen van de grond noodzakelijk.

Informatie over de ondergrond en over het grondwater wordt verkregen door middel van geotechnisch onderzoek. Het uitvoeren van geotechnisch onderzoek kost tijd en geld; het niet uitvoeren van zo'n onderzoek kan eveneens tijd en geld kosten. Daarom dient voorafgaand aan het ontwerp en de uitvoering van een project aandacht te worden besteed aan het formuleren van het benodigde onderzoek.

In het algemeen kan worden gesteld, dat het geotechnisch onderzoek tot doel heeft het verloop, de samenstelling en de van belang zijnde eigenschappen van de grondlagen die voorkomen in het boortracé vast te stellen. Daarnaast moet het onderzoek informatie opleveren over de stijghoogte en de kwaliteit van het grondwater in de van belang zijnde lagen.

De keuze van het soort onderzoek en de omvang ervan hangen van veel factoren af. De bekendheid met de grondgesteldheid ter plaatse speelt daarbij een grote rol. Daarnaast heeft ook de wijze waarop de leiding wordt aangelegd, de uitvoeringsrisico's, de economie en de regelgeving een grote invloed hierop.

inhomogeen

Omdat de ondergrond is ontstaan door processen, waarbij toevallige omstandigheden een belangrijke rol hebben gespeeld, is deze in hoge mate *inhomogeen*. Het is in de praktijk niet mogelijk om alle inhomogeniteiten in de ondergrond te ontdekken. Door het geotechnisch onderzoek te intensiveren en te diversificeren, wordt de kans vergroot dat grote variaties in de ondergrond in het ontwerpstadium al worden onderkend.

Variaties in de bodemopbouw die pas tijdens de uitvoering van het werk worden onderkend en noodzaken tot aanpassing van de uitvoeringswijze, leiden bijna altijd tot veel extra kosten en een grote verlenging van de bouwtijd.

In algemene zin is er al veel bekend over de ondergrond in Nederland. De meest optimale aanpak van het geotechnisch onderzoek is dan ook om eerst, op basis van reeds bekende informatie (geologische kaarten, resultaten van oud onderzoek in de omgeving), een vooronderzoek uit te voeren om vervolgens op basis van dit vooronderzoek het definitieve onderzoek vast te stellen. Van groot belang hierbij is de reeds beschikbare kennis van de *geologie* en de *geohydrologie* van het betrokken gebied.

geologie en geohydrologie

2   Geologie van de ondergrond

Afzettingen in het Kwartair

De voor het boren van leidingen van belang zijnde grondlagen in Nederland zijn veelal afgezet in de laatste circa 2,5 miljoen jaren. Deze periode wordt het *Kwartair* genoemd. Op enkele plaatsen in Nederland kan men bij het boren van leidingen ook te maken krijgen met grondlagen uit het *Tertiair* (het Tertiair begint circa 65 miljoen jaar geleden). Dit is vooral het geval in het zuidwesten en in het oosten van Nederland. Bijvoorbeeld de Boomse klei (Rupelklei) en glauconietzanden nabij de Westerschelde zijn afgezet in het Tertiair. In Zuid-Limburg en in het oosten van ons land komen grondlagen (gesteenten) voor uit de periode vòòr het Tertiair (bijvoorbeeld de in Zuid-Limburg aanwezige kalksteen).

Kwartair

Tertiair

De laatste periode van de geologische geschiedenis, het Kwartair, wordt onderverdeeld in twee tijdvakken: het *Pleistoceen* en het *Holoceen*.

*Pleistoceen
Holoceen*

Het Kwartaire tijdperk is gekenmerkt door het optreden van grote klimaatveranderingen. De koude perioden worden aangeduid als *glacialen* (ijstijden). De tussenliggende warme perioden worden *interglacialen* genoemd. Het Holoceen, het jongste tijdvak in de aardgeschiedenis, kan worden beschouwd als een interglaciaal. Het begon 10.000 jaar geleden, op een tijdstip toen door temperatuurstijging een einde kwam aan de laatste ijstijd.

*glacialen
interglacialen*

Door bodemdaling ligt de grens tussen de tertiaire en kwartaire lagen in Noord-Holland het diepst (circa 500 m). Ongeveer ter plaatse van de landsgrens in het zuiden en in het oosten komen de tertiaire lagen dicht bij het oppervlak (zie figuur 2.1).

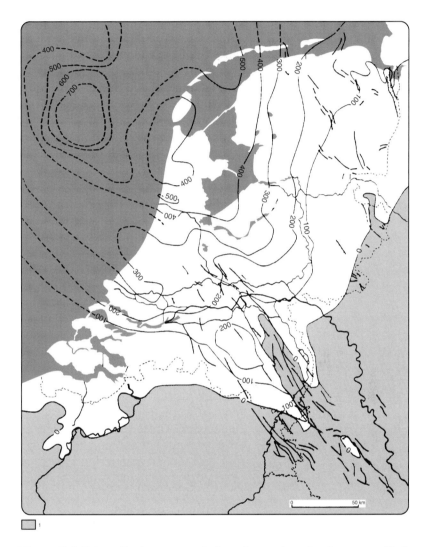

Figuur 2.1 Diepteligging van onderkant kwartaire afzettingen van Nederland (naar Van Staalduinen e.a., uit de Gans 1991)

Het Pleistoceen

Pleistocene afzettingen De *Pleistocene afzettingen* zijn gevormd door de aanvoer van bodemmateriaal met de zee, de grote rivieren of met het landijs. De omstandigheden waaronder de afzetting plaatsvond, zijn vooral afhankelijk van het klimaat ten tijde van de afzetting.

mariene afzettingen

fluviatiele afzettingen

Afzettingen door de zee (*mariene afzettingen*) vonden alleen plaats tijdens hoge zeestanden gedurende enkele interglacialen. De mariene afzettingen zijn over het algemeen kleiig tot fijn zandig. Bij de afzettingen door rivieren (*fluviatiele afzettingen*) wordt onderscheid gemaakt in aanvoer vanuit het oosten of vanuit het zuiden.

In het noorden van Nederland werd een delta opgebouwd door de 'oostelijke rivieren', afkomstig uit het Oostzeegebied en uit Midden- en Noord-Duitsland. Deze fluviatiele afzettingen zijn vrij grofkorrelig en zeer rijk aan kwarts. Ze hebben daardoor een witte kleur.

In Zuid-Nederland werd een delta opgebouwd door de voorlopers van de Rijn, de Maas en de Schelde. Deze fluviatiele afzettingen zijn meestal grofzandig en bevatten vaak grind. Door een hoog gehalte aan ijzer is de kleur bruinachtig, vooral van de jongere afzettingen.

Tweemaal drong de Scandinavische ijskap door tot op Nederlands grondgebied:

De eerste keer gebeurde dat in het Elsterien. Keileem, gevormd onder deze ijskap is tot dusver alleen in de ondergrond van Noord-Nederland (bij Terschelling) gevonden. In deze periode werden diepe geulen gevormd die later zijn opgevuld met fijn zand of zware bruinzwarte klei (potklei).

De tweede keer (tijdens het Saalien) bedekte het landijs ongeveer de helft van Nederland. Het reikte tot de lijn Haarlem - Nijmegen. Het landijs heeft tijdens het Saalien stuwwallen opgeworpen waar de Utrechtse heuvelrug en de Veluwe zich bevinden. Door het ijs werden stenen en grind meegevoerd. Op het contactvlak tussen ijs en land werd grondmorene afgezet. Het op enige diepte voorkomende leem nabij Amsterdam en Haarlem en de keileemlagen in het noorden van het land (Drente) zijn het gevolg van de laatste landijs bedekking. Bij de klimaatverandering van koude naar warme perioden zijn de erosiedalen met smeltwater-sedimenten gevuld.

Afzetting van grind
De grofste en dikste afzettingen zijn gevormd in koude perioden voor en na de ijstijden waarin door rivieren ook de meest eroderende werking op oudere afzettingen optrad. In Pleistocene zandafzettingen, die in koude perioden door snelstromende rivieren zijn gevormd, zijn ook grindbanken gevormd. Men kan zich daarbij een voorstelling maken door te denken aan de grindafzettingen die door de Maas nu nog worden gevormd.

De rivieren in het Pleistoceen meanderden echter sterk of waren verwilderd, zodat het voorkomen van grind niet altijd overeenkomt met de huidige loop van de rivieren. De structuur van de ondergrond is daarom nauwelijks goed met grondboringen waar te nemen. Het grind is niet gelijkmatig verdeeld maar in lenzen of banken aanwezig.

Bij meanderende rivieren wordt het grind als eerste aan de buiten-bocht van de rivier afgezet. In een binnenbocht wordt fijn materiaal afgezet. Bij een verwilderde rivier wordt het grind in banken afgezet en wordt het sediment fijner naarmate de stroomsnelheid door sedimentatie afneemt. Het grind kan bij toenemende stroomsnelheid ook weer door de rivier worden geërodeerd en verder stroomafwaarts worden getransporteerd. De grindbanken waarin zelfs stenen kunnen voorkomen hebben een enigszins hellend verloop.

Afzetting van fijne deeltjes

Kleilagen zijn ontstaan door bezinking van het fijnste sediment in zee of in de komgronden van rivieren. Vanwege de klimaatwisselingen is de hoogte van de zeespiegel niet constant geweest. Door het verschui-ven van de kustlijn varieerde de plaats van afzetting van fijn en grof sediment.

De fijnheid van het afgezette zand is behalve van de stroming van het water bij de heersende klimatologische omstandigheden ook afhan-kelijk van de optredende erosie door wind. In koude klimaatperioden werd door de wind het fijne zand verwaaid. Op deze wijze zijn bijvoorbeeld de ondergrondse rivierduinen of donken afgezet in de omgeving van Rotterdam. In Brabant komen dergelijke fijnzandige afzettingen tot aan maaiveld voor, samen met de lemige beekafzet-tingen die van lokale herkomst zijn. Ook het in Limburg aanwezige löss is door wind afgezet.

De gelaagdheid van de ondergrond

Door de steeds veranderende geologische omstandigheden is een gelaagde bodem ontstaan, waarbij klei en zandlagen afwisselend voorkomen. De uitgestrektheid van lagen is afhankelijk van de lokale geologische factoren.

Aangezien de sedimenten die tegen het eind van het Pleistoceen zijn afgezet, voornamelijk uit zand bestaan, is dit een afzetting waarop goed gefundeerd kan worden. De variatie in het voorkomen van grindige lagen door de rivierafzettingen in het Pleistocene zand is vooral een probleem bij horizontaal gestuurd boren (HDD). Het Pleistocene zandpakket is ook zeer goed doorlatend hetgeen bij spanningsbemaling kan leiden tot een groot waterbezwaar. De diepteligging van het Pleistocene oppervlak is weergegeven in figuur 2.2. In het westen van Nederland ligt de top van het Pleistocene zand 10 tot 20 meter beneden maaiveld.

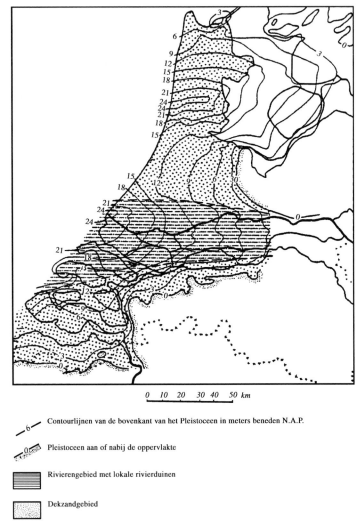

Contourlijnen van de bovenkant van het Pleistoceen in meters beneden N.A.P.

Pleistoceen aan of nabij de oppervlakte

Rivierengebied met lokale rivierduinen

Dekzandgebied

Figuur 2.2 Diepteligging van de bovenkant van het Pleistoceen

Het Holoceen

Gedurende het Holoceen ontstond door de stijgende temperatuur een zeespiegelrijzing. Ten gevolge van deze omstandigheden steeg de grondwaterstand en zorgde de plantengroei voor veenvorming. Het afgezette Basisveen is later weer sterk samengedrukt door bovenliggende lagen.

In het westen van het land ontstonden globaal noord-zuid-gerichte strandwallen. Hierin komen ook kleiige zeebodemafzettingen voor. Achter de duinen of strandwallen ontstond een lagune of een estuarium, waarin met het getij klei werd afgezet. Op droogvallende delen in het gebied achter de kuststrook trad veenvorming op (het Hollandveen). Dit veen heeft een grote dikte bereikt. Het type veen is afhankelijk van de plantengroei die bij de vorming van het veen aanwezig was (mos, riet of bos). Afhankelijk daarvan kunnen in het veen obstakels (houtresten) aanwezig zijn.

Ten gevolge van inbreuken door de zee (transgressies) konden nabij de kust zeegaten en stroomgeulen ontstaan. Door getijwerking werd buiten de geulen voornamelijk marien kleiig sediment afgezet. Landinwaarts zorgden overstromende rivieren voor afzetting van rivierklei. In de erosiegeulen van de meanderende geulen en rivieren trad ook verzanding op.

Door het samenspel van al deze factoren hebben de Holocene lagen een complexe structuur. Holocene klei- en veenlagen zijn bijvoorbeeld doorsneden door zandige geulafzettingen (zie figuur 2.3).

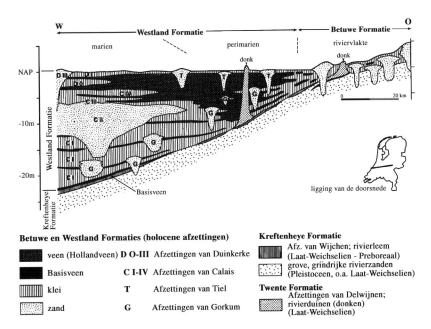

Figuur 2.3 Doorsnede over het westelijk deel van Nederland

In de delen van Nederland, die niet langs de kust of rivieren liggen, is het voorkomen van lokale afzettingen aan maaiveld van belang. Op hoge gronden worden bijvoorbeeld de plaatselijke beekafzettingen gevonden (in Brabant en Limburg met klei, leem en ijzeroer als belangrijkste sedimenten), het hoogveen (in Drente en de Peel) en de stuifzanden (op de Veluwe).

De menselijke invloeden op de toestand van de toplagen komen tot uiting in: de verminderde sedimentaanvoer in de lage gebieden, de verstuiving door ontbossing, de ontzanding van het duingebied, de ontvening in de moerasgebieden, de bodemvorming door bewoning en landbouw. De landaanwinning en de bedijkingen hebben voor een belangrijk deel het huidige gezicht van Nederland bepaald. De ontveende gebieden zijn door een intensieve ontwatering tot droogmakerijen gemaakt. De niet-ontveende gebieden zijn tengevolge van ontwatering en inklinking gezakt en vormen nu de veenpolders.

Voor een uitgebreide algemene beschrijving van de Nederlandse geologie wordt verwezen naar de literatuur. (Berendse 1996, Gans 1991, Zagwijn 1991).

3 Beschrijving van de geohydrologische situatie in Nederland

Grondwater

Tussen de korrels in de grond is porieruimte aanwezig waarin zich afhankelijk van de hoogteligging en het vochtaanbod grondwater kan bevinden. Waar de poriën vrijwel volledig met water zijn gevuld, is de bodem verzadigd. Boven de grondwaterspiegel in de onverzadigde bodem blijft het bodemvocht ten gevolge van capillaire werking in de poriën hangen.

De verzadigde grondwaterstroming vindt vooral plaats in de goed doorlatende Pleistocene zandafzettingen De stroming is vooral horizontaal, vanwege de grote uitgestrektheid en verhoudingsgewijs geringe dikte van watervoerende lagen. De watervoerende lagen worden onderling gescheiden door waterremmende of slecht doorlatende lagen bestaande uit klei en leem, waarin slechts verticaal transport kan plaatsvinden.

In het noorden van het land komen op geringe diepte scheidende lagen voor bestaande uit de glaciale klei, Eemklei en potklei. In het westen van het land zijn de watervoerende pakketten afgedekt door slecht doorlatende holocene toplagen bestaande uit klei en veen. De oude strandzanden en zandige geulopvullingen die in de kleilagen voorkomen, kunnen als lokale watervoerende lagen een rol spelen.

In het Nederlandse bekken dat in de schematische doorsnede in figuur 3.1 is aangegeven, vormen de slecht doorlatende afzettingsgesteenten uit het Tertiair de vrijwel ondoorlatende basis van het geohydrologisch systeem.

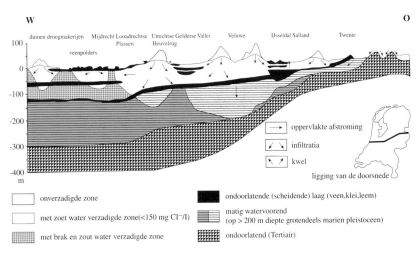

Figuur 3.1 Schematische doorsnede van het Nederlandse bekken

Infiltratie- en kwelgebieden

Voor de Nederlandse omstandigheden zijn twee typen van schematiseringen te onderscheiden voor verschillende grondwaterstromingstoestanden:

infiltratiegebieden

– *Infiltratiegebieden* waar voeding van het grondwater plaatsvindt door neerslag

kwelgebieden

– *Kwelgebieden* met spanningswater onder een waterremmende laag. Aan de bovenzijde van de laag is beïnvloeding mogelijk door het poldersysteem. De opwaarts gerichte grondwaterstroming (kwel) is afhankelijk van het stijghoogteverschil over en de hydraulische weerstand van de afdekkende laag.

Indien in een kwelgebied een boring plaatsvindt door een afdekkende waterremmende laag (bijvoorbeeld klei en veen) waaronder zich overspannen grondwater bevindt (met een stijghoogte die hoger is dan de waterstand boven deze waterremmende laag), kan een lekweg ontstaan. Tijdens het boren dient hiermee rekening gehouden te worden door een goede keuze van het volumegewicht en de daardoor opgebouwde druk van de boorspoeling.

freatische grondwaterstand

In zandlagen bevindt zich bij de overgang naar de verzadigde bodem de (*freatische*) *grondwaterstand*. Onder afsluitende lagen is de stijghoogte van grondwater mede afhankelijk van de grondwaterdruk die op een bepaalde diepte heerst.

De grondwaterstand of de stijghoogte fluctueert onder invloed van hydrologische factoren, zoals de variatie in de dagelijkse neerslag, de seizoensafhankelijke verdamping of de getijdenbeweging nabij de kust en op de benedenrivieren. Voor bouwprojecten is van belang welke hoogste stand verwacht kan worden tijdens de bouw op basis van historische meetreeksen van grondwaterstanden. In een *potentiaallijnen of isohypsen* watervoerende laag wordt met *potentiaallijnen of isohypsen* aangegeven waar gelijke grondwaterstanden of stijghoogten voorkomen. De richting van de stroming, die wordt aangegeven met stroomlijnen, is haaks op de isohypsen. De grondwaterstroming wordt aangedreven door drukverschillen.

Door de polders in het westen van Nederland treedt een opwaartse kwelstroming op door de toplagen ten gevolge van het kunstmatig laag gehouden polderpeil. Bij de overgang van infiltratiegebieden naar polders en in de polders met een voor de akkerbouw vereiste diepe drooglegging is de kwel groot. De kwaliteit van het grondwater speelt bij kwel naar de polders toe een rol. Op enige diepte bevindt zich brak tot zout grondwater dat van zee afkomstig is. Door infiltratie van neerslag heeft zich een zoete grondwatervoorraad kunnen ontwikkelen. In het duingebied drijft deze op het zoute grondwater. De afstroming van kwelwater wordt gecompenseerd door aanvulling vanuit de hoge zandgebieden (het oosten en zuiden van het land, de heuvelruggen) waar hoge waterpeilen voorkomen. Waterscheidingen (zoals open water of heuvelruggen) en grondwateronttrekkingen vormen randvoorwaarden voor de stroming.

4 Geotechnisch onderzoek

4.1 Algemeen

De omvang van het geotechnisch onderzoek is afhankelijk van de reeds beschikbare informatie uit het vooronderzoek en dient dus per project te worden vastgesteld. Daarbij speelt ook een belangrijke rol de grootte van het risico (kans × gevolg) dat wordt gelopen wanneer van de grondlagen waarin geboord wordt weinig bekend is. Zo zal voor een gestuurde boring met een *mini-rig* onder een sloot door volstaan kunnen worden met een globaal beeld van de grondgesteldheid. Moet echter een waterkering worden gekruist dan is, gezien het verhoogde risico, een geotechnisch onderzoek op locatie altijd noodzakelijk.

Het geotechnisch onderzoek kan in het algemeen worden verdeeld in:
– terreinonderzoek;
– laboratoriumonderzoek.

druksonderen (static cone penetration test)

dynamic cone penetration test

In Nederland wordt in het terrein vooral het *druksonderen* (*static cone penetration test*) veel toegepast. Op enkele plaatsen in Nederland en in het buitenland is de ondergrond zo hard dat wordt overgestapt op de slagsondering (*dynamic cone penetration test*).

Standard Penetration Test (SPT)
grondsteekapparaat

In het buitenland wordt vaak gebruik gemaakt van de *Standard Penetration Test (SPT)*. Hierbij wordt in een boorgat (pulsboring) een *grondsteekapparaat* op de bodem neergelaten. Vervolgens wordt het steekapparaat met behulp van een valgewicht in de bodem van het boorgat geheid. Het aantal slagen om het steekapparaat 300 mm in de grond te heien is een maat voor de vastheid van de bodem.

Afhankelijk van de met het sonderen aangetroffen grondgesteldheid en van de te verwachten geotechnische problemen, worden naast het sondeeronderzoek ook grondboringen uitgevoerd. Bestaat de bodem uit vast gesteente dan worden alleen kernboringen uitgevoerd. Daarnaast kan het noodzakelijk zijn met behulp van bijvoorbeeld peilbuizen de stijghoogte van het grondwater in een watervoerend zandpakket vast te stellen.

In het algemeen bedraagt over de lengte van het boortracé de afstand tussen de onderzoekslocaties 50 à 100 m. Bij kruisingen met watergangen met een breedte van meer dan 100 à 150 m zal ook grondonderzoek op het water moeten worden overwogen.
Bij boorprojecten is het van groot belang, dat de onderzoekslocaties in het terrein zich buiten het boortracé bevinden. De afstand tot het boortracé dient minimaal 5 m te bedragen. Het onderzoek zal tot een diepte van enkele meters beneden de diepste ligging van de leiding moeten worden uitgevoerd.

De bij de grondboringen gestoken grondmonsters worden in een laboratorium nader onderzocht. Door middel van proeven op deze grondmonsters kunnen diverse eigenschappen van de betreffende grondlaag worden vastgesteld. De aard van de proeven dient per project te worden vastgesteld.

Het nadeel van onderzoek door middel van sonderingen en boringen is, dat slechts op een beperkt aantal punten gegevens van de grond worden verkregen. Er blijft altijd enige mate van onzekerheid bestaan over het verloop van de grondlagen tussen de onderzoekspunten in. Dit nadeel kan worden omzeild, door het gebruik van geofysische grondonderzoekmethoden (bijv: geo-elektrisch of elektromagnetisch onderzoek of onderzoek met grondradar). Met behulp van deze methoden kan in combinatie met sonderingen en boringen een continu beeld van de ondergrond worden verkregen.

4.2 Grondonderzoek door middel van sonderingen

Het sonderen
Het uitvoeren van een sondering bestaat uit het in de grond drukken
conus
van een *conus* en het meten van de weerstandbiedende kracht van de

conusweerstand, wrijving

*bezwijk- en
vervormingseigenschappen*

grond. Tegenwoordig wordt gebruik gemaakt van een elektrische meetconus. Zowel de *conusweerstand* als de *wrijving* langs een wrijvingselement boven de conus worden daarbij gemeten. De conus wordt hydraulisch weggedrukt vanuit een geballast of verankerd voertuig. De meting geeft algemene informatie over de laagopbouw alsmede een indicatie van de *bezwijk- en vervormingseigenschappen* van de grond.

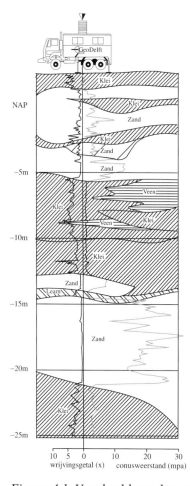

Figuur 4.1 Voorbeeld van het sondeerresultaat van gelaagde bodem

piëzoconus

Bij toepassing van de *piëzoconus* wordt ook de waterdruk tijdens het sonderen gemeten. Hierdoor kunnen dunne kleilagen goed worden gedetecteerd.

dissipatietest

Wanneer het wegdrukken op zekere diepte wordt gestopt kan een *dissipatietest* worden uitgevoerd waarbij uit het verloop van de waterspanning in de tijd een indruk van de waterdoorlatendheid ontstaat. Als de test voldoende lang wordt doorgezet, wordt de ongestoorde poriewaterdruk gemeten. Deze meting is echter onnauw-keuriger dan een aflezing van een peilbuis.

De sonderingen moeten worden uitgevoerd conform NEN 5140. De beste wijze van uitvoering is type 2 (conusweerstand en plaatselijke wrijving), klasse 1 (hoogste meetnauwkeurigheid). De uitvoering van sonderingen, met als belangrijk aspect de snelheid van het wegdruk-ken, is verder genormeerd volgens NEN 3680. De sondeerconus moet regelmatig worden geijkt. Niet goed uitgevoerde sonderingen, niet goed onderhouden, niet geijkte of gesleten conussen geven aanleiding tot interpretatiefouten bij de grondsoortherkenning. Een andere foutenbron is de afwijking van de verticaliteit tijdens het sonderen.

Indirecte grondsoortherkenning met behulp van sonderingen

wrijvingsgetal

Bij het uitvoeren van een sondering worden de conusweerstand en de plaatselijke wrijvingsweerstand gemeten. Hieruit wordt het *wrij-vingsgetal* berekend dat een correlatie heeft met de grondsoort (zie figuren 4.1 en 4.2). Via empirische correlaties kunnen met de conusweerstand en de grondsoort grondeigenschappen en sterkte-parameters worden geschat. Een rechtstreekse beproeving is natuur-lijk nauwkeuriger.

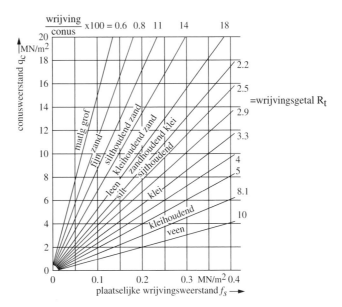

Figuur 4.2 Verband tussen conusweerstand en plaatselijke kleef in relatie tot de grondsoort. Deze grafiek geldt voor de cilindrische elektrische standaardconus volgens NEN 3680:1982

De correlaties tussen het wrijvingsgetal en de grondsoort zijn van toepassing in het geval van natuurlijk afgezette homogene lagen beneden de grondwaterstand. Voor de herkenning van de grondlagen die boven de grondwaterstand liggen, kan geen gebruik worden gemaakt van het wrijvingsgetal. Daarvoor moet bijvoorbeeld een ondiepe handboring worden uitgevoerd.

Voor antropogene gronden (zoals grondverbetering) zijn de correlaties eveneens niet geldig.

Door het gewicht van landijs kunnen pleistocene zandlagen in het oosten en noorden van het land overgeconsolideerd zijn. Dit aspect beïnvloedt de eigenschappen in belangrijke mate. De conusweerstand en de horizontale spanning in de grond kunnen hierdoor bijvoorbeeld sterk zijn toegenomen. De *pakkingsdichtheid van zandlagen* is afhankelijk van het afzettingstype en bepaalt eveneens de conusweerstand.

pakkingsdichtheid van zandlagen

4.3   Grondonderzoek door middel van boringen

Het boren

Bij grondonderzoek door middel van boringen wordt de grond onderzocht aan de hand van monsters die met boringen zijn verkregen. De kwaliteit van de grondmonsters uit verschillende boormethoden loopt sterk uiteen. De boormethoden zijn genormeerd in NEN 5119. Om de eigenschappen van grond te onderzoeken door middel van laboratoriumproeven dient men de beschikking te hebben over grondmonsters van goede kwaliteit. Het is belangrijk dat de monsters zo min mogelijk worden beïnvloed ('geroerd') door de uitvoering van de boring.

ongeroerde monsters

Twee systemen worden veel gebruikt om goede *ongeroerde monsters* te steken, namelijk:

Ackermannboring

– de *Ackermannboring* of pulsboring met gestoken monsters (zie figuur 4.3 en figuur 4.4);

Begemannboring

– de *Begemannboring* (zie figuur 4.5).

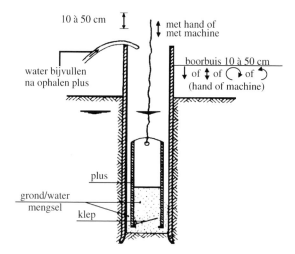

Figuur 4.3 Pulsboring

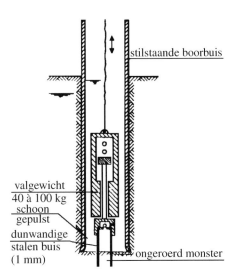

Figuur 4.4 Ackermann-steekapparaat

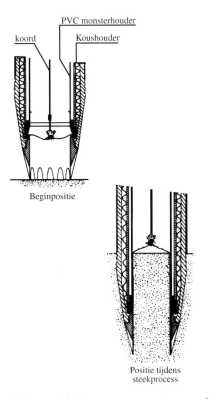

Figuur 4.5 Begemann continu-steekapparaat

Daarnaast zijn nog andere boormethoden mogelijk, die echter minder geschikt zijn voor ongeroerde monstername ten behoeve van geotechnisch onderzoek voor ondergrondse projecten:

– (Edelman)handboor- en gutsmethoden, voor ondiepe verkenning van de bodemopbouw;

– avegaarboren voor snelle grondverwijdering ten behoeve van funderingswerk;

– spuit-, spoel- en zuigboorsystemen, die veel toegepast worden voor de aanleg van diepe drinkwaterbronnen en waarnemingsputten;

– kernboren voor het doorboren van vast gesteente.

pulsboring

Met de *pulsboring* (zie figuur 4.3) kan tot betrekkelijk grote diepte geboord worden (tot maximaal 100 m afhankelijk van de stelling). Door het wegpulsen van de grond wordt de verbuizing steeds dieper in de grond gebracht. Tijdens de boring maakt de boormeester een zo goed mogelijke boorbeschrijving van de bodem aan de hand van de inhoud van de puls.

Ackermannapparaat

Het *Ackermannapparaat*, waarmee een dunwandige stalen steekbus van $\emptyset$ 66 mm in de grond wordt geslagen, wordt op gewenste diepten ingezet voor het steken van redelijk ongeroerde monsters (zie figuur 4.4). Voor gerichte monstername van slappe lagen is het aan te bevelen ter verkenning eerst een sondering uit te voeren. De steekbussen worden naar het laboratorium vervoerd voor beproeving en classificatie.

Begemannboring

Met de *Begemannboring* kunnen ongeroerde monsters worden gewonnen (zie figuur 4.5). Bij dit systeem wordt een steekbus en een monsterhouder weggedrukt met een sondeerwagen. Het monster wordt omgeven door een PVC-buis, een nylon kous (die aanvankelijk in de kop van het steekapparaat was opgerold) en een dunne laag van een zware steunvloeistof die zorgt dat praktisch geen wrijving tussen het monster en de omringende buis optreedt. Tot ongeveer 18 m diepte kan continu worden bemonsterd. De booropbrengst wordt in het laboratorium pas uitgelegd. Uit de 66 mm variant van dit type boring worden representatieve monsters verkregen die geschikt zijn voor alle classificaties en mechanische beproevingsmethoden (klasse 1, NEN 5119).

Soms verdient het aanbeveling op enkele locaties zowel een sondering als een boring te verrichten. Omdat boringen kostbaar zijn, is het aan te bevelen deze met name uit te voeren op de locaties waar onzekerheid over de grondslag bestaat. Als sprake is van sterk gelaagde grondslag, bijvoorbeeld zand met dunne kleilaagjes, is het verloop van het wrijvingsgetal met de diepte grillig en soms moeilijk interpreteerbaar. Het is zaak om de boring dan direct naast een sondeerlocatie te maken. Tussen de boorbeschrijving en de sondering kunnen verbanden worden gelegd die worden gebruikt voor de interpretatie van andere sonderingen in de omgeving.

Bij het maken van boringen en sonderingen voor onderzoek in kwelgebieden en in ontgraven bouwputten dient men te waken voor welvorming door sondeer- en boorgaten.
Aan de doorboring van scheidende lagen waarover een stijghoogteverschil aanwezig is, moet bijzondere aandacht worden besteed. Grondboringen die worden uitgevoerd ten behoeve van HDD-kruisingen dienen te worden afgedicht om de kans op een blow-out te verkleinen.

Directe grondsoortherkenning met behulp van boringen
Voor het geotechnisch ontwerp is het noodzakelijk dat laagscheidingen van de diverse grondlagen worden bepaald en de grondsoort per laag wordt benoemd. Hierbij moet onderscheid worden gemaakt tussen de volgende beschrijvingen:
- een globale boorbeschrijving in het veld waarbij de boormeester de boorspoeling of uitkomende grond beoordeelt;
- een boorbeschrijving aan de hand van ongeroerde monsters in het laboratorium.

De onderste beschrijving is het meest nauwkeurig. In NEN 5104 is voorgeschreven hoe de beschrijving van grondsoorten moet plaatsvinden. Behalve de hoofdnaam wordt bij de grondbeschrijving het bijmengsel genoemd omdat grond vrijwel nooit uit één grondsoort bestaat.

4.4   Laboratoriumonderzoek

Algemeen
Het onderzoek in het terrein wordt aangevuld met een laboratoriumonderzoek op grondmonsters. Het laboratoriumonderzoek richt zich vooral op de eigenschappen of parameters die niet of moeilijk in situ zijn te meten. In het laboratorium kunnen proeven worden gedaan ter bepaling van volumieke massa, het watergehalte, sterkte-, vervorming-, doorlatendheid- en consolidatieparameters van grondmonsters. Van belang zijn ook de laboratoriumproeven waarmee de grond geclassificeerd kan worden.

Voor een beschrijving van de diverse laboratoriumproeven wordt verwezen naar grondmechanicaboeken. Hierna worden alleen de classificatieproeven besproken.

Classificatie van grondsoorten
In Nederland worden allerlei grondsoorten aangetroffen zoals kalksteen, grind, zand, klei, veen, leem en keileem.

Wat betreft de samenstelling moet onderscheid worden gemaakt in:
- losse korrelige afzettingen zoals grind, zand en leem dat uit zeer fijn sediment bestaat;
- klei dat bestaat uit zeer kleine geladen minerale plaatjes die een samenhangend geheel vormen.
- Daarnaast komt veen voor dat bestaat uit afgestorven organisch materiaal samengeperst in horizontale lagen.

Veen en klei worden als slap gekenmerkt vanwege de lage sterkte en stijfheid en zijn matig tot slecht waterdoorlatend. Zand- en grindlagen hebben over het algemeen juist een grote sterkte en stijfheid en een grote waterdoorlatendheid. Zand en grind zijn weinig samenhangend zodat de stabiliteit bij ontgraving of boren onder de grondwaterspiegel een belangrijk punt van aandacht is.

Aan de hand van de classificatie kan een aanduiding van grond gegeven worden, bijvoorbeeld: grof of fijn zand, plastische of vaste klei. De classificatie van grondsoorten vindt plaats op basis van de volgende eigenschappen:
- korrelverdeling;
- consistentie;
- humusgehalte;
- kalkgehalte;
- watergehalte;
- volumiek gewicht.

Bij de geologische classificatie van sedimenten is veen een uitzondering omdat het niet van minerale herkomst is.

De korrelverdeling van een grondmonster wordt bepaald door het monster te zeven op zeeframen of draadzeven. Beginnend bij de grofste zeef wordt gemeten welk gewichtspercentage op iedere zeef achterblijft. Zeving moet geschieden conform NEN 2560 of Ontwerp-NEN 5114.
De grondsoortnamen zijn gebaseerd op een indeling naar fracties volgens de korrelverdeling conform tabel 4.1. De fractiebenaming van sedimentkorrels is ook in tabel 4.1 vermeld.

Tabel 4.1 Benaming van de fracties en fractiemateriaal naar korrelgrootte

korrelgrootte [in mm]		fractie of materiaal	naamgeving als grondsoort	benaming als bijmengsel
van	tot			
	0,002	lutum	klei	kleiig
0,002	0,063	silt	leem	siltig
0,063	2	zand	zand	zandig
2	63	grind	grind	grindig
63	200	stenen		

korrelverdelingsgrafiek

De zandfractie kan verder worden onderverdeeld in gradaties naar korrelgrootte, van uiterst fijn tot uiterst grof. Uit de *korrelverdelingsgrafiek* (zie figuur 4.6) kunnen de korrelgrootten D10 en D60 behorend bij de gewichtspercentages van 10% en 60% van de zandfractie van een monster, worden afgelezen, waarmee de gelijkmatigheid of uniformiteit van de korrelverdeling van het monster kan worden aangegeven. Hoe steiler de curve, des te uniformer is de korrelgrootte van het zand.

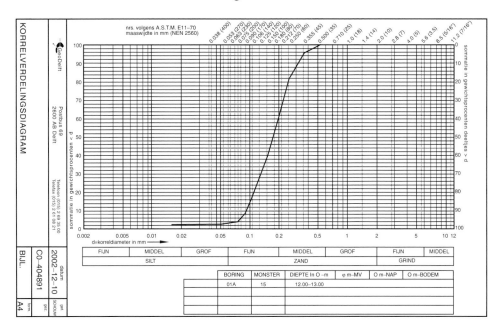

Figuur 4.6 Korrelverdelingsdiagram

doorlatendheid van zand

De *doorlatendheid van zand* kan uit een korrelverdeling worden geschat. Als het gehalte aan fijn materiaal bepaald is, zijn de uitkomsten daarbij het meest betrouwbaar.

bepaling van de consistentie

De *bepaling van de consistentie* is met name voor kleiige gronden van belang omdat dit onder andere een indruk geeft van de invloed van het watergehalte op de verwerkbaarheid. Verder kunnen correlaties met andere eigenschappen worden gelegd die van de betreffende grond verwacht mogen worden. De consistentie van grond verandert met het watergehalte. Bij een laag watergehalte kan kleigrond rul en korrelig zijn en bij toename van het watergehalte vloeibaarder worden. De drie consistentie fasen (vloeibaar, plastisch en vast) gaan geleidelijk in elkaar over.

consistentiegrenzen of Atterbergse grenzen vloeigrens, uitrolgrens plasticiteitsindex

De *consistentiegrenzen of Atterbergse grenzen* zijn de *vloeigrens* en de *uitrolgrens*. Deze geven de watergehalten aan waarbij de consistentie van de grond verandert. De *plasticiteitsindex* is gedefinieerd als het verschil tussen de vloeigrens en de plasticiteitsgrens.

Voor de correlatie van het type grond met geotechnische en geohydrologische eigenschappen kan behalve van de consistentie gebruik worden gemaakt van het volumiek gewicht van de grondsoort en de diepteligging van het sediment. Het volumieke gewicht van de grond kan door middel van weging en volumebepaling worden bepaald met grond uit steekbussen (uit ongeroerde monstername). Na verzadiging van het monster wordt het natte volumieke gewicht (zie tabel 4.2) gevonden. Na droging wordt het droge volumieke gewicht bepaald.

Tabel 4.2 Natte volumieke gewicht van diverse grondsoorten

grondsoort	natte volumieke gewicht [kN/m^3]
keileem	21
zand	20
ziltige/zandige klei	18
klei	16
venige klei	14
veen	11

4.5 Meting van grondwaterstanden en stijghoogten

De ligging van de grondwaterstand en de stijghoogte van het grondwater in de diverse watervoerende grondlagen is van groot belang bij het ontwerp en de uitvoering van leidingprojecten. Van elk watervoerend pakket moet de actuele en zo mogelijk de hoogste en laagste *grondwaterstijghoogte* worden bepaald. Tevens moet worden nagegaan door welke factoren de verschillen in stijghoogte worden beïnvloed.

grondwaterstijghoogte

open peilbuis

De *open peilbuis* is het meest toegepaste meetinstrument om de grondwaterstand en de stijghoogten vast te stellen. Het is een buis, die aan de onderzijde voorzien is van een filter. Dit filter wordt geplaatst in de betreffende watervoerende laag, waarvan de stijghoogte van het grondwater moet worden bepaald. De buis kan worden weggedrukt of in een boorgat worden geplaatst. Daarvoor moet de gelaagdheid van de bodem vooraf bekend zijn of tijdens een boring worden bepaald. Het plaatsen van peilbuizen dient te gebeuren volgens NEN 5120. Bij het plaatsen van filters op verschillende diepten in één boorgat moet aan de uitvoering grote zorg worden besteed. De goede werking van peilbuizen moet na de plaatsing worden vastgesteld. De stijghoogte van het water in de buis correspondeert met de waterspanning op de diepte van het filter.

Het plaatsen van peilbuizen is om verschillende redenen noodzake-lijk:
- voor de bepaling van de uitgangstoestand van grondwaterstanden waar bij ontwerp en uitvoering rekening mee moet worden ge-houden;
- voor de bewaking van de grondwaterstand- of stijghoogtever-laging tijdens de uitvoering;
- voor de monitoring van effecten in de omgeving tijdens bemalin-gen.

getij-analyse

Door het verzamelen van tijdreeksen van waarnemingen kan voor-afgaande aan het werk de mogelijke fluctuatie door neerslag en verdamping worden bepaald. De waarnemingsfrequentie moet mini-maal eens per twee weken zijn. Voor *getij-analyse* zijn tijdreeksen van waarnemingen met kortere intervallen nodig (10 minuten ge-durende minimaal 13 uur).

4.6 Geofysisch onderzoek en obstakeldetectie

Bij een onderzoek op basis van sonderingen en boringen wordt de ondergrond in een aantal discrete punten onderzocht. Een nadeel van een dergelijk onderzoek is dat mogelijke variaties in de ondergrond tussen de punten van onderzoek niet worden gesignaleerd. Ruimte-lijke onderzoekstechnieken zoals geofysisch onderzoek kennen die beperking niet, maar hebben het nadeel dat deze veel minder onderscheidend zijn dan sonderingen en boringen.
Omdat bij ruimtelijke onderzoekstechnieken alleen laagscheidingen worden gedetecteerd en niet de samenstelling van de lagen, dient een ijking door middel van sonderingen en boringen plaats te vinden.

obstakels

Geofysische metingen kunnen ook worden ingezet bij het opsporen van obstakels. *Obstakels* kunnen worden gedefinieerd als: discon-tinuïteiten in de grond, die het boorproces kunnen vertragen of zelfs geheel kunnen stopzetten.

Dit is een heel ruime definitie. De bekende obstakels, zoals grote stenen, funderingsresten, scheepswrakken, vliegtuigbommen, passen hierin. Maar ook de minder bekende zaken, zoals laagscheidingen en grindlagen, kunnen hiermee als obstakel worden opgevat.

Afhankelijk van de wijze waarop een obstakel in de ondergrond is beland, kan een onderverdeling worden gemaakt in obstakels van natuurlijke oorsprong en van niet-natuurlijke oorprong:

natuurlijke oorsprong
- Van *natuurlijke oorsprong* zijn geologische fenomenen zoals zandgeulen, grindlagen, boomstronken en grote stenen.

niet-natuurlijke oorsprong
- Van *niet-natuurlijke oorsprong* zijn materialen die in het ver-leden door menselijk toedoen in de ondergrond zijn beland:

funderingsresten, damwanden, resten van dukdalven, zandpalen, kunststof drains, kabels en leidingen. Door mensenhand plaatselijk sterk verstoorde grondlagen, zoals bijvoorbeeld een opgevulde zinksleuf van een afgezonken tunnel of leiding, behoren ook tot deze categorie.

Ook getrokken palen, damwanden, dukdalven, alsmede oude bemalingsputten kunnen een obstakel vormen. Wanneer deze 'gaten' niet goed worden afgedicht bestaat er kans op overmatig verlies aan boor- of steunvloeistof of lucht. Dit geldt eveneens voor ondeugdelijk afgedichte gaten van conventioneel grondonderzoek.

Obstakels van niet-natuurlijke oorsprong vindt men hoofdzakelijk op geringe diepte (de bovenste 5 à 10 m). Met toenemende diepte wordt de kans op de aanwezigheid van dergelijke obstakels steeds kleiner.

Voorbeelden van geofysische onderzoektechnieken zijn:

seismisch onderzoek
– *seismisch onderzoek*. Hierbij wordt de snelheid gemeten, waarmee trillingen zich in de ondergrond voortplanten. Uit de analyse van de gemeten reflecties kan de indruk worden verkregen van de gelaagdheid en de stijfheid van de ondergrond.

geo-elektrisch onderzoek
– *geo-elektrisch onderzoek* (zie figuur 4.7). Hierbij wordt de elektrische weerstand als maatstaf gebruikt voor het onderscheiden van verschillende typen bodemopbouw. De methode is tot een grote diepte inzetbaar (circa 30 m). Hoe groter de diepte des te kleiner is het onderscheidend vermogen.

electromagnetisch onderzoek
– *electromagnetisch onderzoek* (zie figuur 4.7). Hierbij wordt een in de tijd variërende elektrische stroming in de ondergrond veroorzaakt. Met behulp van de te meten sterkte van de daardoor opgewekte magneetvelden is een tweelagenopbouw te onderscheiden.

grondradar
– *grondradar*. Hierbij wordt een kortdurende elektromagnetische puls de bodem ingestuurd. Uit een analyse van de te meten reflecties worden de gelaagdheid en/of een obstakel gedetecteerd. In droge grond kan een diepte van 3 à 10 m worden bereikt. Onder de grondwaterspiegel wordt het ontvangen van reflecties moeilijk. Ook de aanwezigheid van klei en zout grondwater beperken het dieptebereik sterk.

boorgatonderzoek
Geofysisch onderzoek kan worden uitgevoerd vanuit boorgaten en vanaf maaiveld. *Boorgatonderzoek* maakt gebruik van verticale boringen, zodat dit onderzoek relatief duur is.
Boorgatonderzoek wordt onder meer gebruikt voor het opsporen van zogenaamde 'blindgangers' (niet ontplofte vliegtuigbommen). In het verticale boorgat wordt daarbij seismisch onderzoek of grondradar onderzoek verricht.

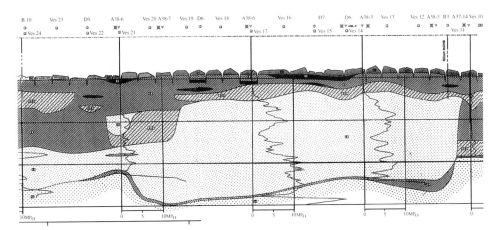

Figuur 4.7 Geotechnisch profiel, opgesteld op basis van geo-elektrisch en elektromagnetisch onderzoek, sonderingen en boringen

5 Historisch onderzoek

In het voorgaande is ingegaan op het detecteren van obstakels in de ondergrond. Voordat echter met het eventueel detecteren wordt begonnen is het uitvoeren van een historisch onderzoek noodzakelijk. Door middel van een historisch onderzoek wordt informatie verkregen over:

– bestaande kabels en leidingen (middels melding bij KLIC en voorgraven).

Veel schade aan kabels en leidingen kan worden voorkomen door bijvoorbeeld vroegtijdig de betrokken kabel- en leidingbeheerders bij de voorbereidingen van het boorproject te betrekken.

Vóór de uitvoering van het boorproject moet worden nagegaan waar kabels en leidingen in de grond liggen. Het *Kabels en Leidingen Informatie Centrum (KLIC)* is de voorbereiders en gravers bij het leggen van contacten met kabel- en leidingbeheerders graag behulpzaam.

Kabels en Leidingen Informatie Centrum (KLIC)

KLIC is een stichting waarin nutsbedrijven, overheden, particuliere bedrijven met ondergrondse belangen en waterschappen deelnemen. Het is er deze bedrijven veel aan gelegen dat hun kabels en leidingen intact blijven. De kabel- en leidingbeheerders, waaraan KLIC de graafmelding doorgeeft, moeten voldoende tijd hebben om hun gegevens te verzamelen. Daarom is het noodzakelijk dat ten minste drie werkdagen voor aanvang van de werkzaamheden het KLIC wordt gebeld. Een nauwkeurige melding over locatie van de voorgenomen werkzaamheden is in ieders voordeel.

- funderingsresten, stenen, etc.;
  Bij de betreffende gemeente (bouw-en woningtoezicht) kan informatie worden verkregen over gebouwen die in het boortracé staan of hebben gestaan.
- oeverbeschermingen (damwanden).
  De beheerders van de eventueel te kruisen watergangen kunnen informatie verschaffen over de aanwezige oeverbescherming.
- oude putten van bronnering;
- oorlogsresten;
- fundering (palen) van de te kruisen constructies;
- oude, weer opgevulde, afgravingen;
- bodemverontreinigingen.

6 Geotechnisch advies

Aan de hand van de resultaten van het geotechnisch onderzoek wordt ten behoeve van het ontwerp en de uitvoering een geotechnische advies opgesteld. Dit advies omvat minimaal:
- Een beschrijving van de aangetroffen grondgesteldheid.
- Informatie over grondwaterstanden en stijghoogten van het grondwater in de watervoerende lagen.
- Randvoorwaarden ten behoeve van ontwerp en uitvoering.

6.1 Beschrijving van de aangetroffen grondgesteldheid en informatie over grondwater

Voor boorprojecten is een beschrijving van de bij het grondonderzoek aangetroffen grondlagen belangrijk. Uit deze beschrijving moet blijken in hoeverre de aangetroffen grondgesteldheid risico's met zich mee brengt voor het boorproces (bijv. aanwezigheid van grind, zeer slappe grondlagen, laagscheidingen, etc.).

Aangezien vaak door watervoerende zandlagen wordt geboord is het van groot belang dat de grondwaterstanden en de stijghoogten van het grondwater in de diepere lagen nauwkeurig bekend zijn.

6.2 Randvoorwaarden ten behoeve van ontwerp en uitvoering

Gegevens voor de sterkteberekening van een leiding
Een leiding in de grond is onderhevig aan allerlei belastingen en heeft andere *stijfheidseigenschappen* dan haar omgeving, waardoor leiding en grond verschillend reageren op belastingen en vervormingen. Bij

stijfheidseigenschappen

een plaatselijke zetting van de ondergrond hangt het bijvoorbeeld van de buigstijfheid van de leiding af in hoeverre deze de zetting kan volgen. Op de ene plaats zal de grond de leiding belasten, maar op andere plaatsen ondersteunen.

Om een goed inzicht te krijgen in het verplaatsingsgedrag van de leiding in de grond, het verloop van de grondreacties en -krachten en de daardoor ontstane spanningen en vervormingen in de buis, zullen sterkteberekeningen moeten worden uitgevoerd. Bij deze berekeningen wordt het grondgedrag meestal geschematiseerd tot een samenstel van veren in verticale, horizontale en axiale richting. De karakteristiek van deze veren is *bilineair* en bestaat uit een vervormingsafhankelijk- en een constant deel na het bereiken van de grenswaarden van de veer (zie figuur 6.1).

bilineair

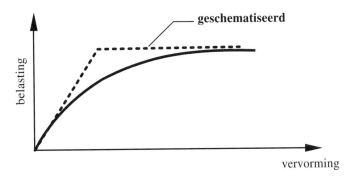

Figuur 6.1 Veerkarakteristiek van een 'grondveer'

Aan de hand van het geotechnisch onderzoek en de gegevens van de aan te leggen leiding kunnen de grondmechanische parameters worden bepaald, waarmee de veerkarakteristieken worden vastgelegd.

De grondmechanische parameters worden bepaald conform NEN 3650 en NEN 3651.

Toetsing diepteligging van leiding bij HDD
Bij de HDD-methode wordt eerst een boorgang gecreëerd, waarna de aan te leggen leiding de boorgang wordt ingetrokken. Bij de verschillende boorfasen wordt *boorvloeistof* onder druk in het boorgat gebracht.

boorvloeistof

Een van de functies van de boorvloeistof is het afvoeren van de afgeboorde grond door het reeds gerealiseerde boorgat naar het

minimaal benodigde boorvloeistofdruk

maaiveld toe. Deze transportfunctie bepaald de *minimaal benodigde boorvloeistofdruk* in het boorgat. Deze druk is in ieder geval groter dan de statische druk door het gewicht van de boorvloeistof.

De overdruk ten opzichte van de statische druk is nodig om de boorvloeistof (inclusief de losgeboorde grond) in het boorgat over een bepaalde afstand te laten stromen. Daarbij moet een wrijvingsweerstand worden overwonnen, die afhankelijk is van de afmetingen van de doorstroomopening, de eigenschappen van de boorvloeistof en het gewenste debiet van de retourstroom.

maximale boorvloeistofdruk

De druk in het boorgat is echter aan een maximum gebonden. Deze *maximale boorvloeistofdruk* wordt hoofdzakelijk bepaald door de sterkte van de grond rondom het boorgat. Naarmate de diepte van het boorgat toeneemt, wordt in het algemeen de sterkte van de grond er omheen groter en kan de grond meer druk weerstaan.

GeoDelft-methode ruimte-expansie-theorie

De maximaal toelaatbare druk wordt voor de relatief diep gelegen leidinggedeelten bepaald met behulp van de *GeoDelft-methode* (Luger, Hergarden, 1988) die gebaseerd is op de *ruimte-expansie-theorie*. Deze rekenmethode is beschreven in NEN 3650. Voor de relatief ondiep gelegen gedeelten (H/D < circa 5) worden ook andere bezwijkmechanismen van de grond in beschouwing genomen.

Wanneer in het ontwerpproces een bepaald verloop van de leiding is gekozen, kan voor alle boorfasen - over de totale boorlengte van de leiding - het verloop van de minimaal benodigde en de maximaal toelaatbare boorvloeistofdruk worden bepaald (zie figuur 6.2). De minimaal benodigde druk dient lager te zijn dan de maximaal toelaatbare druk. Een aanpassing van het ontwerp door een diepere ligging van de leiding is nodig als de minimaal benodigde druk de maximaal toelaatbare waarde overschrijdt.

Beïnvloeding van de omgeving door het boren

Gronddeformatie
Bij boortechnieken wordt grond verwijderd of grond verdrongen. In de Nederlandse geologische omstandigheden impliceert dit, dat hierdoor vervormingen in de ondergrond kunnen worden geïntroduceerd. De aard van de geotechnische problemen voor de omgeving die verwacht kunnen worden, zijn afhankelijk van het soort en de omvang van het werk en het bodemtype en de grondwaterproblematiek. Indien zich in de omgeving constructies bevinden, kunnen deze beïnvloed worden door de optredende vervormingen en spanningsveranderingen in de ondergrond. Dit kan betekenen, dat het draagvermogen van de omliggende grond verandert en dat de zich daarin bevindende infrastructuur of funderingen aan mogelijke vervormingen onderhevig zijn.

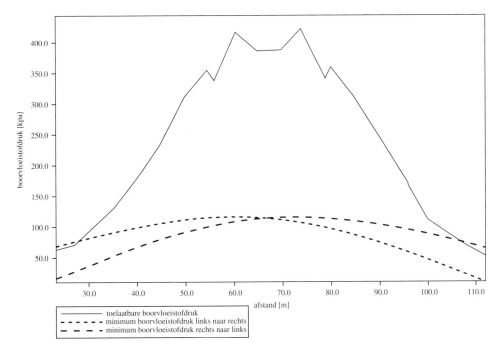

Figuur 6.2 Verloop van de minimaal benodigde en maximaal toelaatbare boorvloeistofdruk over het boortracé bij de pilotboring (computerprogramma MDRILL)

De problemen en de schadeverwachting dienen vooraf te worden geanalyseerd. De lokale bodemopbouw, de te verwachten invloeds-zone en de aard van de bovengrondse infrastructuur spelen hierbij een rol.

Beïnvloeding bij buisdoorpersingen
Het boorproces bij buisdoorpersingen kan globaal als volgt worden onderverdeeld:
- ontgraven van de grond aan de voorkant van het schild;
- ondersteunen van het graaffront;
- oversnijden van de buisdoorsnede (diameter boorgat is groter dan diameter buis);
- bentoniet injectie achter het boorschild en rondom de buizen.

Ten gevolge van deze processen ontstaan in het grondmassief rondom het boorschild en rondom de leidingen erachter, spannings-veranderingen en deformaties. Afhankelijk van de diepte waarop geboord wordt en de eigenschappen van de grondlagen kunnen deze zich aan het maaiveld manifesteren in de vorm van een *zakkingstrog*.

zakkingstrog

Beïnvloeding bij HDD
Tijdens het boorproces varieert de druk in de boorvloeistof sterk. Daarbij is de minimale druk gelijk aan de statische druk van de

aanwezige boorvloeistofkolom. De maximaal optredende druk hangt sterk af van het boorproces. Door het boren wordt de spanningstoestand rondom het boorgat gewijzigd. De spanningsveranderingen in de grond uiten zich in vervormingen van de grond rondom het boorgat.

intrede- en uittredepunt

intrede- of uittredehoek

maaiveldzakkingen

Nabij het *intrede- en uittredepunt* van de boring kan het boorgat instabiel worden doordat niet voldoende boogwerking optreedt. Aan het maaiveld manifesteert dit zich als een zakking. De lengte waarover deze zakking plaatsvindt is afhankelijk van de *intredeof uittredehoek* van de boring en de diameter van het boorgat in relatie met de diepteligging. Ook kunnen *maaiveldzakkingen* optreden als op grotere diepte, bijvoorbeeld bij boorproblemen, een veel groter boorgat wordt gemaakt dan noodzakelijk is voor de leiding.

Behalve maaiveldzakkingen kunnen ook rijzingen van het maaiveld ontstaan, bijvoorbeeld als de druk van het boorgat te groot is. Hierbij kan expansie van het boorgat of uittreding van boorvloeistof optreden. Vooral bij een ondiepe ligging kan dit probleem spelen. Bekend is dat veenlagen nabij het in- en uittredepunt gevoelig zijn voor opdrukken.

Worden deformaties aan het maaiveld verwacht, dan betekent dit eveneens dat op staal gefundeerde constructies dicht bij het boortracé nadelig beïnvloed kunnen worden. Deformaties rondom het boorgat kunnen invloed hebben op de op die diepte aanwezige constructies, zoals paalfunderingen.

Funderingspalen in de nabijheid van de leiding mogen geen nadelige gevolgen ondervinden van de optredende gronddeformaties en het paaldraagvermogen mag niet worden aangetast. Hiertoe dient voorkomen te worden, dat boorvloeistof terechtkomt bij de paalpunt en langs de schacht en dat ontspanning van de grond optreedt nabij de paalpunt.

De invloedszone van de paal reikt tot $4 \times$ de paaldiameter onder en naast de paal. De plastische zone rondom het boorgat moet dus buiten dit gebied blijven om schade aan de paalfundering te voorkomen. Door een grens te stellen aan de plastische zone op deze locaties, wordt ook de berekende maximaal toelaatbare boorvloeistofdruk daarmee aangepast.

Kwelproblematiek bij HDD
Bij de aanleg van leidingen met behulp van de Horizontaal Gestuurde Boormethode wordt veelal door een watervoerend zandpakket geboord.
Het heersende grondwaterstromingspatroon mag door de aanleg en de aanwezigheid van de leiding niet worden verstoord. De van nature

kwelproblematiek

eventueel aanwezige kwel mag niet toenemen door kwel langs de leiding. De *kwelproblematiek* wordt bekeken voor drie situaties:
- tijdens de uitvoering;
- tijdens het maken van de koppelingen met de aansluitende landleidingen;
- voor de lange termijn.

Kwelproblematiek tijdens de uitvoering
Tijdens het boren van de leiding wordt vaak een afdekkende laag op een watervoerend zandpakket doorboord. Tijdens de uitvoering is het boorgat gevuld met een boorvloeistof (een mengsel van water, bentoniet en afgeboorde grond). Aan de onderkant van de afdekkende laag heerst een grondwaterdruk die gelijk is aan de stijghoogte van het grondwater in het diepe zand (zie figuur 6.3). Uitgaande van een boorvloeistof met een bepaald volumegewicht (circa 11 kN/m^3) en een boorgat dat tot aan het maaiveld is gevuld met de boorvloeistof kan de tegendruk worden bepaald en worden vergeleken met de grondwaterdruk.

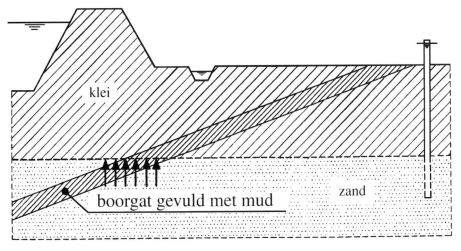

klei

boorgat gevuld met mud   zand

Figuur 6.3 Kwelsituatie tijdens het boren

Bij een gegeven stijghoogte van het grondwater in het diepe watervoerende zandpakket wordt bepaald of tijdens de uitvoering kwel kan worden verwacht door het boorgat. Naast kwel door het boorgat leidt een boorvloeistofdruk die lager is dan de grondwaterdruk ook tot het instorten van het boorgat in de zandlaag. Indien blijkt dat de boorvloeistofdruk lager is dan de stijghoogte in het diepe zand, biedt het maken van terpen ter plaatse van het in- en uittredepunt een oplossing. Het boorgat dient dan gevuld te zijn tot aan de bovenkant van de terpen. Hiermee wordt de tegendruk in het boorgat verhoogd.

Kwelproblematiek tijdens het maken van de aansluitingen

Over het algemeen worden vrij snel na het gereedkomen van een horizontaal gestuurde boring de aansluitingen gemaakt met de landleidingen. Wanneer een dergelijke aansluiting in een droge sleuf moet worden uitgevoerd, is vaak een verlaging van de waterstand in de sleuf noodzakelijk. Door de ontgraving en de verlaging van de waterstand moet de grondwaterdruk tegen de onderkant van de afdekkende laag worden opgenomen door een gereduceerde boorvloeistofdruk, waardoor mogelijk kwel zou kunnen ontstaan langs de leiding (zie figuur 6.4). Voor deze fase is het daarom noodzakelijk om door middel van een peilbuis tijdens het maken van de aansluitingen de werkelijke stijghoogte van het grondwater in het diepe zand te meten. Indien noodzakelijk, kan door middel van een kortstondige spanningsbemaling de waterdruk in het zandpakket ter plaatse van het boorgat worden verlaagd.

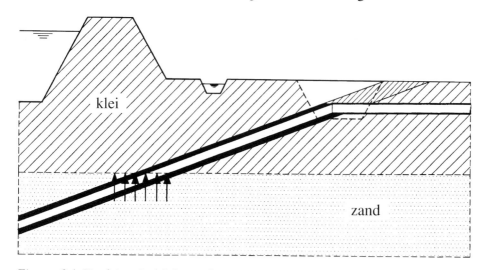

Figuur 6.4 Kwelsituatie bij het maken van de aansluitingen

Lange termijn situatie

Op lange termijn zal het bentoniet-watermengsel dat zich in het boorgat bevindt, gaan consolideren (indikken) waardoor de ruimte tussen de leiding en het boorgat vooral in de opgaande gedeelten van de boring goed opgevuld wordt. Voor het vaststellen van de mogelijke kwelproblemen op de lange termijn wordt gebruik gemaakt van de kwelweg controle zoals aangegeven in NEN 3651. Hierbij wordt

absolute toetsing, relatieve toetsing

zowel de '*absolute toetsing*' als de '*relatieve toetsing*' uitgevoerd. Bij de relatieve toetsing wordt gecontroleerd of de kwelweg langs de leiding niet korter is dan de kortste natuurlijke kwelweg door of onder een waterkering.

piping

Om het ontstaan van *piping* (zandmeevoerende wel) te voorkomen wordt bij de absolute toetsing geëist dat de kwelweg langs de boorgang groter is dan het product van het verval over de waterkering en een factor. Bij het bepalen van het verval moeten maatgevende waterstanden worden verzameld.

Aan de voorwaarden, die bij de relatieve en absolute toetsing worden gesteld, moet zowel aan de intreezijde als de uittreezijde worden voldaan.

7 Literatuur

Berendse, H.J.A., *De vorming van het land: Inleiding in de geologie en de morfologie*, Assen 1996

Gans, W. de, '*Kwartairgeologie van West-Nederland*'. In: Grondboor & Hamer 1991, No. 5/6, pp. 103-114

Zagwijn, W.H., *Nederland in het Holoceen*. Geologie van Nederland, Deel 1: Rijks Geologische Dienst Haarlem Sdu uitgeverij Den Haag 1991

Tol, A.F. van, *Funderingstechnieken en ondergronds bouwen*, Technische Universiteit Delft, Delft 1999

COB Handboek ondergronds bouwen, Deel 1- *Ondergronds bouwen in breed perspectief*, A.A. Balkema Rotterdam 1997

Luger, H.J., Hergarden, H.J.A.M. *Directional drilling in soft soil influence of mudpressure, NO-DIG Conference, 1988*

NEN 5104 Geotechniek, Classificatie van onverharde grondmonsters, 1991

NEN 5119 Geotechniek, Boren en monsterneming in grond, 1991

NEN 5120 Geotechniek, Bepaling van stijghoogten van grondwater door middel van peilbuizen, 1991

NEN 3650-1 Eisen voor buisleidingsystemen-Deel 1: Algemeen
NEN 3650-2 Eisen voor buisleidingsystemen-Deel 2: Staal
NEN 3650-3 Eisen voor buisleidingsystemen-Deel 3: Kunststoffen
NEN 3650-4 Eisen voor buisleidingsystemen-Deel 4: Beton
In de toekomst deel 5/6/7 voor respectievelijk gietijzer/vezelcement/keramiek
NEN 3651 Aanvullende eisen voor leidingen in kruisingen met belangrijke waterstaatswerken

ONTWERPASPECTEN

1 Inleiding

In het ontwerpproces van - met behulp van sleufloze technieken - aan te brengen leidingen ter plaatse van kruisingen met de overige infrastructuur, zoals (spoor-)wegen, wateren inclusief waterkeringen, e.d., kan onderscheid worden gemaakt tussen de voorbereidingsfase en de uitvoeringsfase.

voorbereidingsfase

In de *voorbereidingsfase* is het van belang alternatieven te onderzoeken, waarbij verschillende uitvoeringsmethoden worden vergeleken. Zo wordt voorkomen dat min of meer 'automatisch' voor een uitvoeringsmethode wordt gekozen, terwijl economisch gunstigere oplossingen voorhanden zijn.

uitvoeringsfase

Ligt in de voorbereidingsfase de nadruk op het vergunningentraject, in de *uitvoeringsfase* zijn de specifiek voor de uitvoeringsmethode relevante aspecten van belang. De ontwerpactiviteiten vallen voor het grootste deel in het voorbereidingtraject, waarin de alternatievenkeuze gestalte krijgt. Voor de voorbereiding dient dan ook voldoende tijd te worden uitgetrokken.

In dit hoofdstuk worden voorbereidingsfase en uitvoering integraal beschouwd. Allereerst wordt ingegaan op de materiaalkundige aspecten met hun specifieke toetsingscriteria zoals spanningen en vervormingen. Hierna worden de in- en uitwendige belastingen behandeld, die zowel in de uitvoeringsfase als in de gebruiksfase optreden. Vervolgens wordt besproken welke spanningen daardoor in het leidingmateriaal ontstaan.

De uit te voeren sterkteberekeningen en de wijze waarop de spanningen en vervormingen, welke het resultaat zijn van deze berekeningen, dienen daarna te worden getoetst. Tenslotte wordt de samenhang van de behandelde onderwerpen in het ontwerpproces aangegeven.

2 Materialen

2.1 Staal

Gangbare kwaliteiten
In tabel 2.1 zijn de gangbare staalkwaliteiten samengevat.

Tabel 2.1 Gangbare staalkwaliteiten

EN10208	(DIN17172)
L360MB	St.E.360.7
L415MB	St.E.415.7
L485MB	St.E.480.7
API	
API-5L-grade B / -X52 / -X60 / -X70	
ASTM	
A106	
A333	

Een veel gehanteerde norm – vooral in de gassector - is de EN10208, voortgekomen uit de DIN 17172. De API-kwaliteiten worden eveneens veelvuldig toegepast voor ondergrondse leidingsystemen. Voor bovengrondse systemen bij afsluiterlocaties en op plants wordt de ASTM standaard vaak gehanteerd. Bij lage temperatuurtoepassingen (bovengronds!) bijvoorbeeld ASTM- A333.

De tendens bestaat om steeds hoogwaardiger staalsoorten te gaan toepassen. Dat wordt mede ingegeven door besparing op materiaalkosten (hogere toelaatbare spanning en bijgevolg geringere wanddikten). Bedacht moet echter worden, dat de kenmerkende eigenschap van staal, te weten de mogelijkheid van herverdeling van spanningen bij overschrijding van de rekgrens, geringer wordt.

Toetsingscriteria spanningen

minimum rekgrens ('vloeigrens')

De gegarandeerde *minimum rekgrens ('vloeigrens')* is het primaire toetsingscriterium voor de spanningen. Indien wordt gekozen voor toetsing op toelaatbare spanningen dient bij het bepalen van deze waarde de minimum rekgrens nog gedeeld te worden door een veiligheidsfactor (in het algemeen 1,5).

Aan de verhouding tussen de minimum gegarandeerde rekgrens en de treksterkte worden eveneens eisen gesteld: deze moet kleiner zijn dan 0,85. Hiermee wordt gewaarborgd dat er voldoende marge aanwezig is tussen het moment dat het materiaal gaat vloeien en het bezwijken van het materiaal (zie ook NEN 3650/3651).

Toetsingscriterium vervormingen

deflectie van de buisdoorsnede

Aan de *deflectie van de buisdoorsnede* – de diameterverkleining gedeeld door de oorspronkelijke diameter - wordt als eis gesteld dat deze kleiner is dan 6 [%].

intelligent pig monitoring van de buisleiding

Bij grotere vervormingen is het niet meer mogelijk een *intelligent pig* door de leiding te voeren (*monitoring van de buisleiding*).

2.2   Polyethyleen (PE)

Gangbare kwaliteiten
In toepassingen voor drink- en afvalwater zijn de gangbare kwaliteiten: polyethyleen PE63, PE80 en PE100. Voor het locale gastransport en gasdistributie worden PE80 en PE100 toegepast. In tabel 2.2 zijn de kenmerkende waarden voor de verschillende PE-typen weergegeven.

Tabel 2.2   Kenmerkende waarden voor verschillende PE-typen

type PE	MRS-waarde [MPa]	Γ (veiligheids-coëfficiënt) water / gas	toelaatbaar langeduur*) [MPa] water/gas	toelaatbaar korteduur*) [MPa]
PE63	6,3	1,25 / -	5,0 / -	6,3
PE80	8,0	1,25 / 2,0	6,3 / 4,0	8,0
PE100	10,0	1,25 / 2,0	8,0 / 5,0	10,0

*) (zuivere trek) in axiale en tangentiele richting

Toetsingscriteria spanningen
Bij polyethyleen wordt in verband met het tijdsafhankelijke materiaalgedrag onderscheid gemaakt tussen de toelaatbare *kort durende spanning* en de *lang durende spanning*. Een kort durende belasting mag hoger zijn dan een lang durende belasting.

kort durende spanning
lang durende spanning

Voorbeeld: een kort durende belasting kan een passerend voertuig zijn; zettingen behoren tot de categorie lang durende belasting.

Belastingen waarbij buiging optreedt zijn gunstiger dan een zuivere trekbelasting. Deze mogen daarom worden gereduceerd met de factor 'zuivere trek / buigtrek' welke 0,65 bedraagt.

Toetsingscriterium vervormingen
Het *deflectiecriterium* geldt bij polyethyleenleidingen om 'doorslag' (instabiliteit van de ring) te voorkomen. De deflectie dient kleiner te zijn dan 8 [%].

deflectiecriterium

2.3   Beton

Buistypen
De volgende buistypen worden onderscheiden:
- de ongewapende betonnen buis;
- de gewapende betonnen buis;
- betonnen buis met plaatstalen kern.

De eigenschappen daarvan worden hieronder vermeld (zie figuur 2.1).

Ongewapende betonnen buis
Kenmerk van de ongewapende betonnen buis is dat het materiaalgedrag tot aan het ontstaan van de eerste scheur lineair elastisch is. Vervolgens treedt doorgaande scheurvorming op in de maatgevende doorsnede, waarna bezwijken optreedt. De reserve om na het ontstaan van de eerste scheur nog extra belasting op te nemen is praktisch nihil.

Gewapende betonnen buis
Bij de gewapende betonnen buis is het gedrag tot aan de eerste scheurvorming identiek aan dat bij de ongewapende buis.
Nadat in de maatgevende doorsnede scheurvorming is opgetreden zal herverdeling optreden in de ringdoorsnede; ook op andere plaatsen in de ring treedt scheurvorming gevolgd door scheurgroei op.

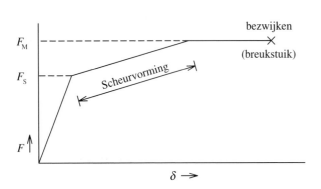
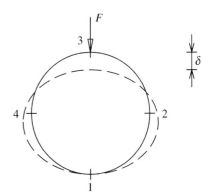

Figuur 2.1

De capaciteit om belasting op te nemen is derhalve groter dan bij de ongewapende buis.
Bezwijken kan optreden door:
– het ontstaan van bezwijkmomenten op meerdere plaatsen van de buisdoorsnede (in het algemeen onder, boven en zijkanten);
– het overschrijden van de dwarskracht in de buiswand;
– het optreden van radiale trekspanningen ten gevolge van de radiaal rondlopende wapening.

Betonnen buis met plaatstalen kern
De betonnen buis met plaatstalen kern wordt gekenmerkt door een ca. 3 mm dikke plaat welke in de doorsnede aanwezig is. Deze plaat wordt ter plaatse van de verbinding met de naastliggende buis doorgelast waardoor een vloeistofdichte constructie ontstaat. De sterkte van de buis wordt verzorgd door de aan weerszijden van de plaat aanwezige beton met wapening in de buitenschil. De

toelaatbare scheurvorming in de gebruiksfase is afhankelijk van het milieu waarin de buis wordt gelegd.

Toetsingscriteria spanningen en vervormingen
De spanningen en vervormingen dienen te worden getoetst aan de grenswaarden. Omdat het in dit kader te ver voert daarop in te gaan wordt verwezen naar NEN 3650-4 en de betonvoorschriften.

2.4 Glasvezel versterkt kunststof

Buizen van met glasvezel versterkte onverzadigde polyester / epoxy worden steeds vaker toegepast. De glasvezels die voor de sterkte zorgen worden ingebed in een harsmassa die ervoor moet zorgen dat de vezels op hun plaats blijven. Voor de volledigheid worden daarom kort enkele eigenschappen aangestipt waardoor sterkte en stijfheid van dit type buis worden beïnvloed.

De sterkte en stijfheid zijn afhankelijk van:
– het toegepaste type harsen;
– het type vezelversterking (continu vezels of weefsels die worden gewikkeld, gesneden vezels welke door middel van spuiten of centrifugaal gieten worden aangebracht);
– de oriëntatie van de vezelversterking; de vezelrichting komt overeen met de richting waarin de grootste belasting kan worden opgenomen;
– de wandopbouw: deze bepaalt de buigstijfheid van de doorsnede, bijvoorbeeld aan de buitenzijde van de wand glasvezels in hars en in de kern (zand-)vulling;
– de vervaardigingswijze (wikkelen, centrifugaal gieten).

3   Belastingen aanlegfase

In de aanlegfase kunnen belastingen optreden ten gevolge van de aanlegmethode, welke maatgevend zijn ten opzichte van de in paragraaf 4 vermelde belastingen veroorzaakt door proces en omgeving.

In paragraaf 5 wordt ingegaan op belastingen tijdens de intrekoperatie van de horizontaal gestuurde boring en op belastingen tijdens het doorpersen.

4   Belastingen bedrijfsfase

In de bedrijfsfase treden belastingen op welke procesgebonden zijn en belastingen vanuit de omgeving van de buis.

Procesgebonden belastingen zijn:
- (inwendige) druk;
- temperatuur.

Belastingen vanuit de omgeving van de buis zijn:
- de bovenbelasting uit het gewicht van de bovenliggende grond en overige permanent aanwezige belastingen (bijvoorbeeld verhardingen);
- verkeersbelasting;
- zettingsbelasting.

Hierna wordt kort aangegeven hoe de spanningen in het buismateriaal ten gevolge van deze belastingen kunnen worden bepaald.

Inwendige druk
Omtrekspanning volgens Lamé
De omtrekspanning ten gevolge van de inwendige druk wordt bepaald met behulp van de formule van Lamé:

$$\sigma_{xt,p} = \frac{D_u^2 + D_i^2}{D_u^2 - D_i^2} \times p$$

waarin:
D_u = de uitwendige diameter van de buis in [mm]
D_i = de inwendige diameter van de buis in [mm]
p = de inwendige druk in [MPa]
$\sigma_{xt,p}$ = tangentiële spanning t.g.v. de inwendige druk in [MPa]

Deze ringspanning is bij een dunwandige doorsnede een gelijkmatig over de wand verdeelde trekspanning.

Langsspanning
Ten gevolge van de verhinderde vervorming in het materiaal treedt onder invloed van de inwendige druk ook een langsspanning op. De grootte van de langsspanning wordt bepaald door de *dwarscontractiecoefficient (constante van Poisson)* en volgt uit: $\sigma_{xx,p} = \upsilon \times \sigma_{xt,p}$
Ter plaatse van het uiteinde van een buis of, wat qua belasting vergelijkbaar is, een haakse bocht bedraagt de langsspanning de helft van de omtrekspanning: $\sigma_{xx,p} = \sigma_{xt,p}/2$.

dwarscontractiecoefficient (constante van Poisson)

Re-rounding effect
Ten gevolge van de inwendige druk zal een buisdoorsnede die ten gevolge van de (boven-)belasting is geovaliseerd terug willen keren naar zijn oorspronkelijke vorm. Dit is te vergelijken met het oppompen van een fietsband.

De factor waarmee de buigspanningen ten gevolge van de (boven-)belasting worden gereduceerd volgt uit:

$$f_{\text{rr}} = \frac{1}{1 + (2 \times p \times r^3 \times k_y)/(1/12 \times E \times t^3)}$$

waarin:
r = de gemiddelde straal van de buisdoorsnede in [mm]
k_y = de flexibiliteitsfactor = $k_y(\alpha, \beta)$
α = de belastingshoek (hoek waarover de belasting op de buisdoorsnede aangrijpt) in [deg]
β = de ondersteuningshoek van de buisdoorsnede in [deg]
E = de elasticiteitsmodulus van het buismateriaal in [MPa]
t = de nominale wanddikte in [mm]

Temperatuur
Vervorming
Materiaal dat verwarmd wordt zet uit; materiaal dat wordt afgekoeld krimpt. De mate waarin verlenging of verkorting optreedt is afhankelijk van de (lineaire) uitzettingscoëfficiënt van het materiaal en van de mogelijkheid die het materiaal heeft om onbeperkt te vervormen.

verhinderde vervorming Indien de vrijheid om te vervormen onvoldoende of in het geheel niet aanwezig is, is sprake van *verhinderde vervorming*. Verhinderde vervorming resulteert in (temperatuur-) spanningen.

Ongestoorde vervorming
Bij ongestoorde vervorming kan de rek worden bepaald uit de verlenging gedeeld door de oorspronkelijke lengte:

$$\varepsilon_{xx} \times (\Delta L / L)$$

De verlenging c.q. verkorting volgt uit:

$$\Delta L = \alpha \times L \times \Delta T$$

waarin:
α = de lineaire uitzettingscoëfficiënt in [mm/mm/°C]
L = de oorspronkelijke lengte in [mm]
ΔT = het temperatuurverschil in [°C]

De resulterende spanning, bij ongestoorde vervorming, is gelijk aan nul ($\sigma_{xx} = 0$ [MPa]).

Verhinderde vervorming:
Bij volledig verhinderde vervorming wordt de temperatuurspanning bepaald door:

$$\sigma_{xx} = E \times \varepsilon_{xx} = E \times (\Delta L/L)$$

$$\Delta L = \alpha \times L \times \Delta T$$

waarin:
α = lineaire uitzettingscoëfficiënt in [mm/mm/°C]
L = oorspronkelijke lengte in [mm]
ΔT = temperatuurverschil in [°C]

Temperatuurspanning:
De temperatuurspanningen kunnen dus worden bepaald uit:
In langsrichting:

$$\sigma_{xx,\Delta T} = (\Delta L/L) \times E = E \times \alpha \times \Delta T$$

In dwarsrichting (bij niet verhinderde vervorming):

$$\sigma_{xt,\Delta T} = \upsilon \times \sigma_{xx,\Delta T}$$

N.B. De combinatie van temperatuur en druk levert een aantal belastinggevallen op, waaruit een maatgevende combinatie kan worden afgeleid

Bovenbelasting

De bovenbelasting op een doorsnede kan in principe op twee manieren naar de ondergrond worden overgedragen: direct of indirect.

directe afdracht

Bij *directe afdracht* wordt de bovenbelasting in dezelfde doorsnede naar de ondergrond afgevoerd.

indirecte afdracht

Bij *indirecte afdracht* is sprake van een niet ondersteunde doorsnede; in die doorsnede treden dan spanningen en vervormingen op behorend bij een zogenaamde passief belaste doorsnede, terwijl de belasting door middel van dwarskracht naar de naast het zettingsgebied liggende wel gesteunde doorsneden wordt afgevoerd.

Een drietal belastingtypen kan worden onderscheiden:
- direct overgedragen belasting;
- passief belaste doorsnede;
- indirect overgedragen belasting.

Hieronder wordt de wijze van spanningsberekening aangegeven.

Direct overgedragen belasting (zie figuur 4.1)

$$\sigma_{xt,qn} = \frac{k_b^n(\alpha, \beta)(QN + PV) \times r}{(1/6)\, t^2}$$

waarin:
$k_b^n(\alpha, \beta)$ = de momentcoëfficiënt voor het direct overdragende ringmodel (afhankelijk van belastings- en ondersteuningshoek)
QN = de neutrale grondbelasting in [kN/m^1]
PV = de verkeersbelasting in [kN/m^1]

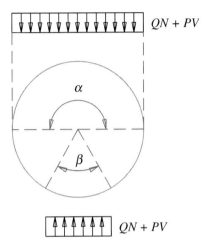

Figuur 4.1

Passief belaste doorsnede (zie figuur 4.2)

$$\sigma_{xt,qp} = \frac{k_b^p(\alpha, \beta)(QP + PV) \times r}{(1/6)\, t^2}$$

waarin:
QP = de passieve grondbelasting in [kN/m^1]
$k_b^p(\alpha, \beta)$ = de momentcoëfficiënt voor het passief belaste ringmodel
(niet ondersteunde doorsnede, belastingshoek α)

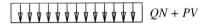

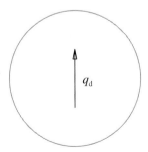

Figuur 4.2

Indirect overgedragen belasting (zie figuur 4.3)

$$\sigma_{xt,qd} = \frac{k_b^1(\alpha,\beta) \times QD \times r}{(1/6)\,t^2}$$

waarin:
QD = de indirect overgedragen belasting in [kN/m^1]
$k_b^1(\alpha,\beta)$ = de momentcoëfficient voor het indirect overdragende ringmodel (dwarskracht in buisdoorsnede, opleghoek β)

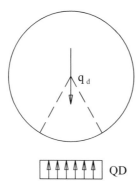

Figuur 4.3

Verkeersbelasting
De verkeersbelasting op een doorsnede kan worden bepaald met behulp van de in NEN 3650-1, bijlage C.5 aangegeven methode. Uitgangspunt daarbij is een realistisch stelsel van aslasten, zoals dat tijdens de levensduur van de leiding kan voorkomen.

De grootte van de verkeersbelasting is afhankelijk van de gronddekking, de diameter van de leiding en de verkeersklasse ('load model 3' resp. 'fatigue model 2' uit de ENV 1991-3: 1995).

De in de genoemde norm vermelde grafiek geeft de verkeersbelasting op buiskruinniveau (belasting per oppervlakte-eenheid). De verkeerslast per lengte-eenheid volgt daaruit door vermenigvuldiging met de uitwendige diameter van de leiding.

Zettingsbelasting (zie figuur 4.4)
Door verschillen in grootte van de zetting langs de leidingas kunnen er plaatsen ontstaan, waar de leiding de zettingen niet kan volgen en derhalve niet wordt gesteund. Hoe dan met de belasting in omtrekrichting moet worden omgegaan is hierboven aangegeven.

langsspanningen
stijfheidsverhouding

Verschil in zettingen geven echter ook aanleiding tot *langsspanningen*. Deze zijn afhankelijk van de *stijfheidsverhouding* tussen de buis en de ondergrond.

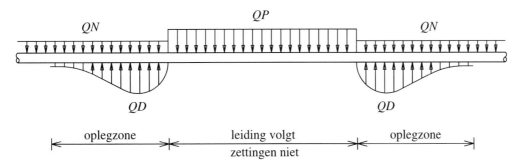

Figuur 4.4

Bij overgangen in uitvoeringsmethodiek, bijvoorbeeld 'geperst-gelegd' of 'geboord-gelegd' is sprake van een zogenaamde sprong-zetting. De overgang zal in het algemeen niet messcherp zijn, maar over een bepaalde lengte optreden.
In de praktijk wordt daar wel globaal de lengte van pers- of ont-vangkuip gehanteerd.

stijfheidsverhouding

Met behulp van de theorie voor elastisch ondersteunde liggers kan worden afgeleid dat voor de *stijfheidsverhouding* tussen buis en grond geldt:

$$\lambda = (k\,D_\mathrm{u}/4EI)^{1/4}$$

waarin:
D_u = de uitwendige diameter van de buis in [mm]
k = de beddingsconstante in [N/mm^3]
EI = de buigstijfheid buis in [Nmm^2]

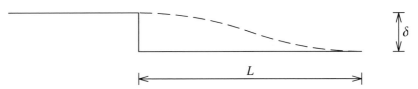

Figuur 4.5

Een maat voor het niet ondersteunde gedeelte (L) volgt dan uit:

$$L = \pi/\lambda$$

In het algemeen geldt: hoe groter de buigstijfheid van de buis is, hoe groter het niet gesteunde gebied zal zijn.

langsspanning

Voor de *langsspanning* kan als vuistregel worden gehanteerd (δ is de grootte van de zettingssprong) (zie figuur 4.5):

$$\sigma_{\mathrm{xx},\Delta z} = \frac{1{,}5\,E \times D_\mathrm{u} \times \delta}{L^2}$$

5 Intrekoperatie HDD

Tijdens de intrekoperatie kan een aantal fasen worden onderscheiden waarin krachten/momenten optreden:
- trekkrachten leiding op rollenbaan en in boorgang;
- langsmomenten door kromming;
- momenten in omtreksrichting door laterale reactiekrachten.

Trekkrachten
Leiding op de rollenbaan
Terwijl de leiding op de rollenbaan ligt, moet de wrijvingsweerstand worden overwonnen. De *wrijvingsweerstand* kan als volgt worden berekend:

wrijvingsweerstand

$$T_1 = f_1 \times L \times q_{e.g.}$$

waarin:
T_1 = de trekkracht in [kN]
f_1 = de wrijvingscoefficient op de rollenbaan = 0,1 (op maaiveld = 0,3)
L = lengte van de leiding op de rollenbaan in [m]
$q_{e.g.}$ = het gewicht van de leiding in [kN/m^1]

Rechte sectie boorgang
In de rechte sectie van de boorgang zijn de volgende wrijvingskrachten werkzaam:
- wrijving tussen de leiding en de boorvloeistof ($f_2 = 0,00005$ [MPa]);
- wrijving tussen de leiding en de wand van de boorgang ($f_3 = 0,2$).

De wrijvingsweerstand kan als volgt worden berekend:

$$T_2 = (\pi \times D_u \times f_2 + q_{eff} \times f_3) L_2$$

waarin:
$q_{eff} = | q_{e.g.} - q_{opw} |$ in [kN/m^1] (effectieve gewicht leiding in boorvloeistof)
L_2 = de leidinglengte in de rechte sectie in [m]

Gebogen sectie boorgang
In de gebogen sectie van de boorgang treedt daarnaast nog wrijving op ten gevolge van de grondreactie in de bochten. (de elastische boog wordt gerealiseerd door een koppel, te leveren door de grond). De berekening hiervan is weergegeven in NEN 3651; het voert te ver daar in dit verband op in te gaan.

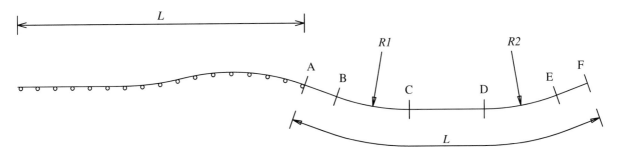

Figuur 5.1

elastische boog

Totale trekkracht
De totale trekkracht kan worden bepaald door het samenstellen van de behandelde componenten. Daarbij moeten de diverse stadia van de intrekoperatie worden beschouwd (zie figuur 5.1).

In het algemeen zal de eindfase, waarbij de leiding praktisch geheel is ingetrokken maatgevend zijn.

Moment in langsrichting
Ten gevolge van de kromming van de leiding op de rollenbaan of van de leiding in de boorgang ontstaat tevens een moment in langsrichting (*'elastische boog'*) dat kan worden bepaald uit:

$$M = (EI/R)$$

waarin:
M = het moment ten gevolge van de kromming in [kNm]
EI = de buigstijfheid van de buis in [kNm^2]
R = de boogstraal in [m]

N.B. Ook in de gebruiksfase moet rekening worden gehouden met de spanningscomponent uit een (blijvende) elastische boog.

Moment in omtreksrichting
Momenten in omtreksrichting ten gevolge van zijdelingse reacties op de rollenbaan en in de boorgang kunnen worden berekend zoals vermeld in paragraaf V. 4, voor de bovenbelasting op de buisdoorsnede.

6   Perskrachten Microtunneling

Vooraf dient een prognose van de te verwachten maximaal benodigde perskrachten voor de gehele doorpersing te worden gemaakt. Daarbij kan als uitgangspunt worden genomen een gelijkmatig oplopende kracht met het vorderen van de persing ten gevolge van een constante gemiddelde specifieke grondwrijving.

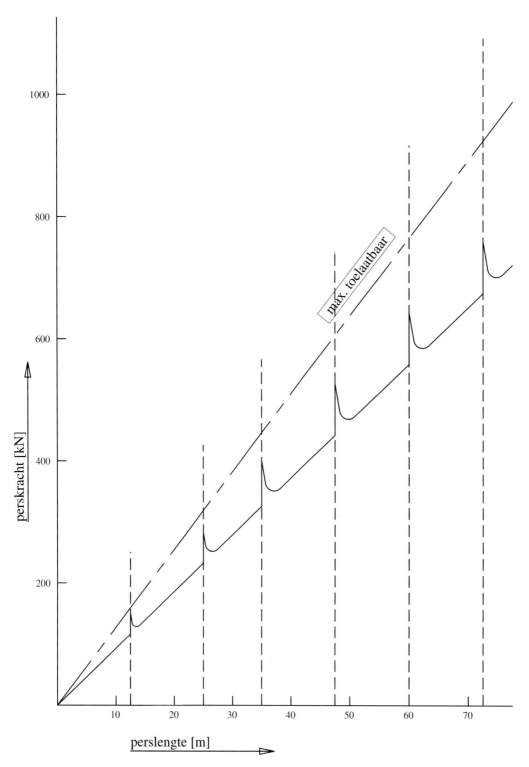

Figuur 6.1

Rekening dient te worden gehouden met een hogere kracht ten gevolge van het begin van beweging na het maken van lassen (onderbreking doorpersproces) (zie figuur 6.1).

In de praktijk blijkt de perskracht redelijk onafhankelijk te zijn van de diepteligging: het betreft in hoofdzaak de eigenschappen van grondlaag waar doorheen wordt geboord en de mate van oversnijden door het boorschild en het aanbrengen van een smeermiddel langs de buisleiding.

De axiale spanningsverdeling kan vervolgens als bij een normaalkracht worden behandeld.

7 Sterkteberekening

In deze paragraaf wordt ingegaan op de typen berekeningen welke kunnen worden onderscheiden en het te hanteren berekeningsmodel. Voorts komt aan de orde hoe de diverse spanningscomponenten dienen te worden samengesteld en hoe de maatgevende vervorming van de doorsnede kan worden berekend.

Typen berekeningen
Een aantal typen berekeningen kan worden onderscheiden. In volgorde van toenemende complexiteit zijn dat:
- handberekening;
- HDD speciale rekenmethode (eenvoudig);
- berekening op basis van NEN 3650;
- uitgebreide sterkteberekening met behulp van een eindige elementen pakket.

Handberekening
Een handberekening kan worden uitgevoerd op basis van gepresenteerde formules en geeft snel een eerste indruk van toe te passen materiaalparameters, bijvoorbeeld ten behoeve van een eerste (ruwe) budgetbegroting.

Vereenvoudigd berekening op basis van NEN 3650
Met behulp van de vereenvoudigde berekening op basis van de NEN 3650 wordt tot een conservatieve (veilige) benadering gekomen; een nadeel van de methode is dat deze minder inzichtelijk is in verband met een groot aantal aannamen/veronderstellingen.

Uitgebreide sterkteberekening met behulp van een eindig elementen pakket
Bij de uitgebreide sterkteberekening wordt onderscheid gemaakt tussen:
- de elastische rekenwijze;

– de plasto-elastische rekenwijze;
– de plastische rekenwijze.

Elastische berekening (alle materialen)
Bij de elastische berekening vindt toetsing plaats op basis van de elasticiteitstheorie.

Plasto-elastische berekening (staal)
Bij de plasto-elastische berekening van staal vindt toetsing plaats aan de hand van de gegarandeerde minimum rekgrens (plastisch gedrag van staal wordt verwerkt in spanningscorrectie factoren). Hierbij worden de belastingen vermenigvuldigd worden met reken-factoren.

Plastische berekening (staal)
Bij de plastische berekening worden het axiale en tangentiele aspect losgekoppeld. In tangentiele zin wordt uitsluitend getoetst of geen doorgaande vervorming van de doorsnede kan optreden ('opblaas-beveiliging').
In axiale zin wordt de stijfheid in het plastische gebied verdisconteerd en wordt de spanningstoets in wezen vervangen door een toets op toelaatbare vloeirek (plastisch scharnier; zeer specialistisch).

Berekeningsmodellen

Algemeen rekenmodel
Een kruising van een pijpleiding met een infrastructureel object, kan in het algemeen worden geschematiseerd tot een driedimensionaal probleem. In principe is het mogelijk met een eindig elementen pakket tot een oplossing van het probleem te komen. In de praktijk is dat echter veelal niet nodig. Er kan in de meeste gevallen een onderverdeling worden gemaakt tussen axiale en tangentiele be-lastingen. Dat betekent, dat een liggerberekening kan worden gemaakt. Hieruit kunnen vervolgens maatgevende elementen worden geselecteerd, die in een doorsnedeberekening worden beschouwd.

Liggerberekening
De liggerberekening wordt uitgevoerd met behulp van de theorie voor een elastisch ondersteunde ligger. In de liggerberekening worden alle systeemkenmerken (geometrie, druk, temperatuur, etc.) en de kenmerken van de ondergrond (grondmechanische rekenpara-meters) ingevoerd.

Uit de liggerberekening volgen in principe alle uitwendige belastin-gen op de leiding en alle inwendige snedekrachten.

Ringberekening
In de ringberekening worden vervolgens voor de maatgevende secties de spanningen en vervormingen bepaald.

Alleen ringberekening
Indien het tangentieel effect overheerst kan worden volstaan met alleen een ringberekening. Dit is het geval, indien:
- geen zettingsverschillen optreden;
- het een zogenaamde 'gelede' leiding betreft;
- er geen grote variaties in de bovenbelasting optreden.

Spanningen
Uit de sterkteberekening volgen per element (zie tabel 7.1):
- axiale spanning;
- tangentiële spanning.

Tabel 7.1 Spanningscomponenten

	axiaal	tangentieel
inwendige druk	$\sigma_{xx,p}$	$\sigma_{xt,p}$
temperatuur	$\sigma_{xx,\Delta T}$	
re-rounding		f_{rr}
bovenbelasting		$\sigma_{xt,q}$
zettingsbelasting	$\sigma_{xx,\Delta Z}$ +	+
totaal	σ_{xx}	σ_{xt}
elastische boog	$\sigma_{xx,R}$	
bochtkracht HDD		$\sigma_{xt,gt}$
trekkracht HDD perskracht	$\sigma_{xx,F}$	

Deze spanningen moeten worden gecombineerd tot (vergelijkings-) spanning:

Von Mises.

$$\sigma_c = \left(\sigma_{xx}^2 + \sigma_{xt}^2 - \sigma_{xx} \times \sigma_{xt} + 3 \times \tau^2\right)^{1/2}$$

Voor hoofdspanningen geldt (schuifspanning $\tau = 0$):

$$\sigma_c = \left(\sigma_1^2 + \sigma_2^2 - \sigma_1 \times \sigma_2\right)^{1/2}$$

(De spanningscomponent loodrecht op de buiswand is verwaarloosbaar; vlakke spanningstoestand).

Tresca.
Als alternatief kan de benadering volgens Tresca worden gevolgd:

$$\tau_{cr} = (\sigma_1 - \sigma_2)/2$$

In het bijzondere geval van warme hogedrukleidingen zal de maatgevende vergelijkingsspanning optreden:

$\sigma_1 = $ 'tangentieel t.g.v. p' > 0
$\sigma_2 = $ 'axiaal t.g.v. $+\Delta T$' < 0

Deze combinatie levert de maximale τ_{cr}.

Vervorming van de ringdoorsnede
Ten aanzien van de vervorming van de ringdoorsnede is de drukloze toestand maatgevend. De deflectie van de ringdoorsnede in drukloze toestand volgt uit:

$$\delta_y = k_y \frac{Q \times r_g^3}{EI_w}$$

waarin:
k_y = de deflectiefactor, bepaald door de belastingshoek en de opleghoek
Q = de bovenbelasting in [kN/m^1]
r_g = de gemiddelde leidingstraal in [mm]
EI_w = de buigstijfheid van de buiswand in [Nmm^2/mm^1]

Indien de horizontale steundruk in rekening wordt gebracht:

$$\delta_y = \frac{D \times k_y \times Q \times r_g^3}{EI_w + 0{,}061 \times k_h \times r_g^4}$$

waarin:
k_h = de horizontale beddingsconstante in [N/mm^3]
D = de kruipfactor i.v.m. zijdelingse consolidatie

8 Toetsing spanningen en vervormingen

Gebiedsafhankelijkheid
De toetsing van spanningen en vervormingen is in het algemeen nog afhankelijk van de ter plaatse geldende voorschriften. In het voorgaande is ten aanzien van de berekeningsuitgangspunten de Nederlandse normenserie toegepast, die is ontstaan uit de Pijpleidingcode die werd uitgegeven door de Provincie Zuid-Holland.

NEN3650-1 Eisen voor buisleidingsystemen-Deel 1: Algemeen
NEN3650-2 Eisen voor buisleidingsystemen-Deel 2: Staal
NEN3650-3 Eisen voor buisleidingsystemen-Deel 3: Kunststoffen
NEN3650-4 Eisen voor buisleidingsystemen-Deel 4: Beton
In de toekomst deel 5/6/7 voor respectievelijk gietijzer/vezelcement/ keramiek
NEN3651 Aanvullende eisen voor leidingen in kruisingen met belangrijke waterstaatswerken
NEN3659 Ondergrondse pijpleidingen; grondslagen voor de sterkteberekening

9 Samenvatting ontwerpproces

Samengevat wordt tijdens het ontwerpproces de volgende cyclus doorlopen:
– *Voorontwerp*.
  • Uitgangspunt is een product dat van A naar B moet worden getransporteerd.
  • Vastgesteld wordt onder welke condities (druk en temperatuur) het transport moet plaatsvinden.
  • Op basis van product en condities wordt een voorlopige materiaalkeuze gemaakt.
  • In overleg met vergunningverleners wordt een tracé vastgesteld.

– *Variantenonderzoek*.
  • Ter plaatse van de knelpunten (in het algemeen kruisingen met infrastructuur) wordt een aantal kruisingsvarianten zover ontwikkeld dat een gefundeerde keuze kan worden gemaakt.

– *Detailontwerp*.
  • Op basis van een voorlopig alignement en uitvoeringsmethode wordt de materiaalkeuze getoetst.

- Geotechnische rekenparameters ten behoeve van de sterkte-berekening worden opgesteld gebaseerd op uitgevoerd grond-onderzoek.
- Uitvoeren sterkteberekening en toetsen van de spanningen c.q. vervormingen.
- Indien niet wordt voldaan aan de eisen dient het proces opnieuw te worden doorlopen; wordt wel voldaan dan kan nog verdere optimalisatie plaatsvinden.
- De specifiek uitvoeringsgerichte aspecten worden verder uitgewerkt; in het algemeen betreft het zaken die de uitvoe-ringsmethode betreffen (hulpconstructies, krachtenspel tij-dens intrekken/boren).

MILIEUASPECTEN VI

1   Inleiding

Bij de uitvoering van sleufloze technieken wordt men geconfronteerd met milieuaspecten. Niet alleen zijn er eisen aan veiligheid en milieu bij de uitvoering die van direct belang zijn voor de mensen op de werklocatie, ook de uitvoering van een sleufloze techniek heeft direct of indirect op korte en lange termijn gevolgen voor het milieu.

Milieuaspecten zijn belangrijk en bepalen in toenemende mate de planning en uitvoering van een sleufloze techniek. Een aantal van die milieuaspecten wordt hier behandeld. Er zal achtereenvolgens ingegaan worden op:
– wetgeving;
– bestanddelen van boorspoeling;
– toepassingen van boorspoeling.

2   Wetgeving

De Nederlandse milieuwet- en regelgeving is complex. Er zijn een twintigtal wetten die regels stellen om het milieu duurzaam te beschermen. Hiervan zijn er negen wetten die op één of meerdere van de onderdelen bij de uitvoering van een sleufloze techniek direct van toepassing kunnen zijn (zie tabel 2.1).

Tabel 2.1 Nederlandse milieuwetten

Wet Milieubeheer
Wet Bodembescherming
Meststoffenwet   Wet Verontreiniging Oppervlaktewateren   Wet Geluidshinder   Wet verontreiniging zeewater   Wet inzake luchtverontreinigingen   Bestrijdingsmiddelenwet   Wet Milieugevaarlijke stoffen

De overige wetten kunnen indirect van toepassing zijn. In dit hoofdstuk zullen aspecten van enige wetten behandeld worden die condities aan de uitvoering opleggen.

De milieuwet- en regelgeving heeft tot doel om de kwaliteit van bodem, water en lucht te beschermen. Het oogmerk van dit stelsel van milieuwet- en regelgeving is, dat een ieder voldoende zorg voor het milieu in acht neemt. Met zorg wordt hier bedoeld, dat een ieder, die weet of redelijkerwijs kan vermoeden, dat door zijn handelen of nalaten nadelige gevolgen voor het milieu kunnen worden veroorzaakt, dit nalaat. Voorzover nadelige gevolgen niet kunnen worden voorkomen, moeten deze zoveel mogelijk beperkt of ongedaan gemaakt worden (Wet Milieubeheer). Dat laatste neemt niet weg, dat je vanzelfsprekend altijd aansprakelijk blijft voor je handelingen. Goede planning en verantwoord vooronderzoek gaan daardoor altijd vooraf aan de uitvoering van een sleufloze techniek, teneinde een conflict met een onderdeel van de milieuwet- en regelgeving te voorkomen.

Vaak vallen bepaalde aspecten van de uitvoering van een sleufloze techniek onder de werkingssfeer van verschillende wetten. De Wet Milieubeheer (Wm), de Wet Geluidhinder (Wgh), de Wet Verontreiniging Oppervlaktewateren (Wvo), de Wet Bodembescherming (Wbb) en/of de Meststoffenwet (Msw) zijn dan vaak aan de orde. Enkele van die milieuaspecten voorkomend uit die wetten worden hier gegeven. Bij de bronvermelding wordt een webpagina vermeld die toegang geeft tot de wetteksten.

Wet Milieubeheer
De Wet Milieubeheer (Wm) regelt bestuursrechtelijke aspecten verbonden aan een verantwoord beheer van het milieu. De Wbb regelt bestuurscolleges zoals de 'Commissie voor de milieu-effectrapportage' en de 'Provinciale milieucommissie'. Internationale aangelegenheden, voor zover die van invloed zijn op de milieukwaliteit, worden via de Wm in de Nederlandse wet- en regelgeving ingebed. Een voorbeeld daarvan zijn de internationale afspraken over het vervoer van afvalstoffen.

Nationale Milieubeleids Plan (NMP)

Milieu-effectrapportage (MER)

Daarnaast worden voorgenomen beleidsplannen via de Wm gereguleerd. Een voorbeeld daarvan is het *Nationale MilieubeleidsPlan (NMP)*. Verder stelt de Wm milieukwaliteitseisen. Een milieukwaliteitseis geldt voor een onderdeel van het milieu, bv. voor de bodem, voor grondwater of uitstoot van gassen. Ook worden milieuzonering en *Milieu-effectrapportage (MER)* door de Wm geregeld. Tenslotte worden zaken rond procedures voor vergunningen en ontheffingen, coördinatie, financiële bepalingen en handhaving via de Wm aangestuurd. Deze wet kan daardoor worden opgevat als een raamwet die andere milieuwetten aanstuurt.

Wetten stellen regels die verder uitgewerkt worden in algemene maatregelen van bestuur (AmvB's), uitvoeringsbesluiten (besluiten), beschikkingen. Ook worden convenanten tussen belanghebbenden afgesloten. Het 'Inrichtingen- en vergunningenbesluit milieubeheer' is een voorbeeld van zo'n uitwerking.

Wet Bodembescherming

De Wet Bodembescherming (Wbb) beoogt de bescherming van alle functionele eigenschappen (multifunctionaliteit) van de bodem voor mens, plant en dier. Met bodem wordt het vaste deel van de aarde met de zich daarin bevindende vloeibare en gasvormige bestanddelen en organismen bedoeld. Door deze definitie worden effecten van menselijk handelen niet louter beperkt tot de bodem, maar ook tot bijvoorbeeld het grondwater. Belangrijk is dat de Wet Bodembescherming de bodem als 'levende eenheid' ziet. Onder de Wbb vallen o.a.

Besluit kwaliteit en gebruik overige organische meststoffen (BOOM) Lozingenbesluit bodembescherming

– Het *Besluit kwaliteit en gebruik overige organische meststoffen (BOOM)*;
– *Lozingenbesluit bodembescherming*.

Het BOOM stelt regels o.a. eisen aan de kwaliteit van zwarte grond. Zwarte grond is een door de mens gemaakte grond. Het BOOM definieert zwarte grond als een mengsel van bodembestanddelen en bewerkte organische afvalstoffen.

Het BOOM geeft samenstellingeisen voor de maximale belasting met de zware metalen cadmium (Cd), chroom (Cr), koper (Cu), kwik (Hg), nikkel (Ni), lood (Pb), zink (Zn) en arseen (As). De maximale toelaatbare belasting is afhankelijk van het lutum- en organische stofgehalte (zie tabel 2.2). *Lutum* is de fractie minerale deeltjes die kleiner zijn dan 2 μm. Naarmate zwarte grond meer klei of organische stof bevat, is de toelaatbare belasting met contaminanten hoger.

lutum

Tabel 2.2 Samenstellingseisen voor zwarte grond in mg per kg drogestof

Cadmium (Cd)	ten hoogste $0,4 + 0,007(L + 3H)$
Chroom (Cr)	ten hoogste $50 + 2L$
Koper (Cu)	ten hoogste $15 + 0,6(L + H)$
Kwik (Hg)	ten hoogste $0,2 + 0,0017(2L + H)$
Nikkel (Ni)	ten hoogste $10 + L$
Lood (Pb)	ten hoogste $50 + L + H$
Zink (Zn)	ten hoogste $50 + 1,5(2L + H)$
Arseen (As)	ten hoogste $15 + 0,4(L + H)$

L = % Lutum,
H = % organische stof, het gehalte mag nooit hoger zijn dan 15%.

Het Lozingenbesluit Bodembescherming regelt toelaatbare belasting van vloeistoffen die op of in de bodem worden gebracht. Die eisen hebben o.a. betrekking op zware metalen en arseen maar ook op

polycyclische aromatische koolstof verbindingen (PAK's) contaminanten

organische microverontreinigingen zoals *polycyclische aromatische koolstof verbindingen (PAK's)* en minerale olie. Verontreinigingen door zware metalen en organische stoffen worden vaak samengevat onder het begrip *contaminanten*. Het Lozingenbesluit Bodembescherming verbiedt om afvalwater in de bodem te brengen. Onder voorwaarden kan een tijdelijke ontheffing worden verleend.

Boorspoeling bevat relatief veel water en een aantal toepassingen kunnen daardoor onder het Lozingenbesluit Bodembescherming vallen. Het Lozingenbesluit Bodembescherming krijgt voor boorspoeling betekenis op ingeval een verwerking tot zwarte grond of tot meststof niet mogelijk blijkt. Bij het ontwateren van boorspoeling komt effluent vrij. Dit effluent kan op of in de bodem wordt gebracht. Provinciale milieuverordeningen zijn dan bepalend voor wat kan en wat niet kan.

Meststoffenwet
Het afzetten van boorspoeling in de landbouw wordt vaak als een oplossing gezien om een grondbalans sluitend te maken. Boorspoeling komt onder de werkingssfeer van de *Meststoffenwet (Msw)* indien het als meststof in de landbouw wordt toegepast.

Meststoffenwet (Msw)

meststof

De Msw stelt o.a. regels aan de deugdelijkheid en aan de handel in meststoffen. Een *meststof* is o.a. een stof die bestemd is om aan de bodem of aan de grond te worden toegevoegd om het productievermogen van de bodem in stand te houden of te verbeteren. Voedingsstoffen voor planten (mineralen), kalk en (organische) bodemverbeterende middelen hebben bij juist gebruik een gunstig effect op het productievermogen van de bodem. Voorbeelden van meststoffen zijn (kunst)meststoffen, kalkmeststoffen, mest en compost.

Een juist gebruik van meststoffen betekent, dat er niet teveel voedingsstoffen, kalk of bodemverbeterend middel aan de bodem wordt toegediend. In het kader van de Msw zijn er dan ook maxima gesteld aan de hoeveelheden aan de voedingstoffen stikstof en fosfaat. In andere regelgeving zoals het BOOM, die onder de Wbb valt, zijn eisen gesteld aan zware metalen en arseen.

De landbouwkundige betekenis van boorspoeling is afhankelijk van de waardegevende bestanddelen en hun aandeel, de dosering en de gebruiksvorm. Tot de waardegevende bestanddelen van bodemverbeterende middelen kunnen onder meer lutum (klei), organische stof (veen, CMC-cellulose, katoenvezels etc.) en kalk worden gerekend. Bepaalde partijen boorspoeling kunnen de bodem verbeteren.

Meststoffen kunnen vrij verhandeld worden als voldaan wordt aan bepaalde eisen en omschrijvingen (Meststoffenbesluit 1977).

Rijkskwaliteitsinstituut voor Land- en Tuinbouwproduct (Rikilt)

Boorspoeling is niet toegelaten als meststof. Het gebruik als meststof is dan per wet verboden. In een aantal situaties kan het aantrekkelijk en verantwoord zijn om boorspoeling toch als meststof in de landbouw af te zetten. Om als meststof te kunnen worden toegelaten dient dan een ontheffing van deze verbodsbepalingen te worden aangevraagd. Per locatie en per situatie zal dan de waarde als meststof worden beoordeeld. Tevens wordt een milieutoets uitgevoerd.

De milieutoets heeft tot doel om de meest gecontamineerde stoffen uit te sluiten van landbouwkundig hergebruik. Een dergelijke aanvraag kan worden ingediend bij het *Rijkskwaliteitsinstituut voor Land- en Tuinbouwproduct (Rikilt)* in Wageningen. De ontheffing heeft alleen voor die specifiek locatie betekenis. De ontheffing is niet overdraagbaar naar andere locaties.

Wet Verontreiniging Oppervlaktewateren

De Wet Verontreiniging Oppervlaktewateren (Wvo) verbiedt het om zonder vergunning afvalstoffen, verontreinigde stoffen of schadelijke stoffen in welke vorm dan ook in oppervlaktewater te brengen. In het algemeen zullen lozingen van boorspoeling op het oppervlaktewater steeds vergunningplichtig zijn. Dat geldt ook als er een zuiveringstrap aanwezig is alvorens op oppervlaktewater wordt geloosd. Provinciale milieuverordeningen zijn hier veelal aan de orde. Vooronderzoek en afstemming met in veel gevallen de provincie of de gemeente is nodig voordat met de uitvoering begonnen wordt.

Wet Geluidhinder

Het doel van de Wet Geluidhinder (Wgh) is het voorkomen en bestrijden van geluidhinder. Om dit doel te bereiken worden:
- eisen gesteld aan potentiële veroorzakers van geluidhinder, bij voorkeur door maatregelen aan de bron;
- maatregelen genomen in het overdrachtsgebied tussen geluidbron en ontvanger (bijv. geluidsscherm);
- maatregelen genomen om bij de ontvanger het geluid te weren.

Bestrijding aan de bron is één element van de Wgh. Het stellen van zones met een verschillende mate van belasting door geluid is een tweede mogelijkheid. In beginsel mag nu de grenswaarde van 50 dB(A) niet worden overschreden. Bestemmingsplannen zijn bij uitstek een middel voor zonering.

3 Bestanddelen van boorspoeling

In hoofdzaak bepaalt de bodemgesteldheid van de locatie, waar een sleufloze techniek wordt uitgevoerd, de samenstelling van boorspoeling. Daarnaast worden aan boorspoeling stoffen (ingrediënten) toegevoegd. Deze verschillen per locatie en soms per bodemlaag. Het aandeel van deze toevoegingen is meestal qua volume gering ten opzichte van het aandeel afgeboorde grond. De afgeboorde grond bepaalt dan ook in hoofdzaak de samenstelling.

3.1 Afgeboorde grond

cuttings

De aard en samenstelling van afgeboorde grond (*cuttings*) worden volledig bepaald door de bodemlagen waarvan deze afkomstig is. Door vooraf een milieutechnisch bodemonderzoek uit te voeren kan inzicht worden verkregen in mogelijke vormen van hergebruik en of er risico is op verontreiniging van afgeboorde grond, grondwater en daardoor van de boorspoeling. Een dergelijk bodemonderzoek kan gebaseerd zijn op reeds beschikbare gegevens (historisch onderzoek) of door nieuwe boringen uit te voeren (indicatief onderzoek).

De milieukwaliteit van de bodem verschilt per locatie en soms per bodemlaag. Het vooronderzoek geeft uitsluitsel of er specifieke maatregelen genomen moeten worden in geval er sprake is van verontreiniging van grondwater en/of afgeboorde grond.

De Nederlandse bodem bestaat uit verschillende bodemtypen. Onderscheiden worden zeeklei, rivierklei, dekzand, zeezand, dalgrond, veen en löss. Het raadplegen van bodemkaarten kan veel informatie geven over wat bij het boren naar boven kan komen. Naar internationale maatstaven gemeten is de Nederlandse bodem in geologisch opzicht erg jong. De ondergrond wordt gekenmerkt door een bonte gelaagdheid. Afgeboorde grond afkomstig van zowel zand-, klei- als veenlagen op een zelfde locatie is dan ook geen uitzondering in bodems van westelijk Nederland.

anaëroob

fytotoxisch

Zand, klei of veen hebben verschillende vormen van hergebruik en (milieu)kwaliteitscriteria. Het maakt daarbij uit of de afgeboorde grond afkomstig is van bodemlagen die voldoende doorlucht zijn of van bodemlagen die *anaëroob* (zuurstofloos) zijn. Boorspoeling van anaërobe bodemlagen vraagt eerst een goede beluchting om gereduceerde verbindingen te oxideren. Gereduceerde verbindingen van bv. ijzer, mangaan en sulfide zijn voor het gewas giftig (*fytotoxisch*). Bepaalde gebieden zoals havens, industrieterreinen, uiterwaarden en zones met kwelwater vragen nadrukkelijk om vooronderzoek omdat het risico van contaminatie met zware metalen en/of arseen en/of organische microverontreinigingen hier groot is in vergelijking met in andere regio's van Nederland.

3.2 Toevoegingen aan boorspoeling

De belasting met contaminanten van afgeboorde grond en grondwater wordt bepaald door de locatie en de bodemgesteldheid. Hieraan kan weinig worden gewijzigd. Indien er sprake is van verontreinigingen, dan zal bij de planning en uitvoering daarvoor specifieke maatregelen voor moeten worden genomen. Daarentegen kunnen verontreinigingen door toevoegingen aan boorspoeling vooraf gecontroleerd worden en zijn daardoor beheersbaar.

Let op: door hergebruik van boorvloeistof op eenzelfde project kan door cumulatie de hoeveelheid verontreinigingen in de boorvloeistof groter worden dan de aanwezige verontreiniging in de grond.

Hulpmiddelen voor regulering van de viscositeit, dichtheid en afdichting

Bentoniet en montmorilloniet
Bentoniet is een van nature voorkomend kleimineraal en dus geen milieuvreemde stof. Bentoniet wordt gevormd uit vulkanische as en behoort tot een groep kleimineralen die *smectieten* worden genoemd. In waterverzadigde bodems wordt een andere smectiet gevormd namelijk *montmorilloniet*. In technische informatiebladen wordt montmorilloniet nog al eens aangeduid als bentoniet. Bentoniet wordt ook wel als een verzamelbegrip gebruikt.

smectieten

montmorilloniet

Bentoniet en montmorilloniet hebben vergelijkbare eigenschappen. Met rivieren zijn deze kleimineralen naar Nederland getransporteerd en zijn in sedimenten afgezet. Beide kleimineralen komen in de Nederlandse kleibodems echter beperkt voor.

illiet
uitwisselingcapaciteit voor kationen (CEC)

De Nederlandse kleibodems bestaan in hoofdzaak uit *illiet*. Bentoniet heeft t.o.v illiet een veel hogere *uitwisselingcapaciteit voor kationen (CEC)*. Dat is immers ook een van de redenen waarom het kleimineraal gebruikt wordt: het houdt de afgeboorde grond in suspensie (of het maakt de boorspoeling viskeus). Deze hoge CEC is voor hergebruik een gunstige eigenschap, omdat onder meer voedingstoffen voor planten beter worden vastgehouden. Verhoging van het kleigehalte van schrale zandgronden resulteert in lagere verliezen van voedingsstoffen door uitspoeling.

Daarnaast heeft het kleimineraal t.o.v illiet de eigenschappen sterker vocht vast te houden en bij variërend vochtgehalte sterker te zwellen of te krimpen. Die laatste eigenschap is ongewenst. Daarom moet worden voorkomen, dat de teeltlaag van akkerbouwland of grasland teveel bentoniet ontvangt.
Door specifieke kwaliteitseisen te stellen aan het product kan de belasting met contaminanten (bijvoorbeeld barium) vooraf worden gecontroleerd.

Attapulgiet
Attapulgiet komt in de Nederlandse bodem vrijwel niet van nature voor. Het mineraal wordt gevormd onder alkalische condities in de

attapulgiet

aanwezigheid van zout en vrij silicium. Het mineraal heeft een met illiet vergelijkbare kationen uitwisselingscapaciteit. Toediening aan de bodem kan bodemverbeterend werken. Aanwezigheid van dit mineraal kan namelijk de porositeit van aggregaten in de bodem (kluiten) verhogen. Milieuaspecten verbonden aan deze kleimineralen komen vooral bij het hergebruik aan de orde. Het mineraal wordt vooral gebruikt bij boring in zoute bodemlagen. De boorspoeling is daardoor zout hetgeen een landbouwkundig hergebruik uitsluit. Er dient tenminste een voorbewerking plaats te vinden die het zout verwijdert.

Kalk

Kalk is een natuurlijke grondstof en wordt gedolven in kalkgroeven. Daarnaast bevatten verschillende bodemsoorten (schelpen)kalk (zeeklei, duinzand en löss). Kalk kan belast zijn met zware metalen. De belasting is afhankelijk van de herkomst en de laag. De gehalten aan zware metalen als Cd, Cr, Cu, Ni en Zn kunnen zo hoog zijn dat een landbouwkundig verantwoord gebruik van de boorspoeling wordt belemmerd. Vooronderzoek naar de mate van belasting is hier dus zinvol.

Klei

textuur

Klei is een verzamelbegrip voor grond met verschillende deeltjesgrootte (*textuur*). De indeling van klei berust op het percentage lutum. Als de klei van Nederlandse herkomst is, dan is illiet het meest voorkomende kleimineraal. Om de dichtheid van boorspoeling te verhogen zal het aandeel van kleideeltjes relatief hoog moeten zijn om effectief te werken. De herkomst van de klei bepaalt de samenstelling, de mate van belasting met contaminanten en de toepassingsmogelijkheden van boorspoeling.

Mica

Mica is een verzamelnaam voor een groep van natuurlijke mineralen. In Nederland is het mineraal in de bodem aanwezig vooral als gevolg van aanvoer met rivieren na verwering van gesteente in de brongebieden. Het mica dat gebruikt wordt om grindlagen af te pleisteren wordt gedolven (mijnbouw). De samenstelling is afhankelijk van de groeve. In de bodem leveren mica's kalium en dragen bij aan het instandhouden van de CEC. Op termijn wordt mica omgezet in kleimineralen bijv. illiet. Micatoediening aan de bodem is daardoor in beginsel niet milieuverstorend. Eventuele belasting met zware metalen kan door zorgvuldige voorselectie uitgesloten worden.

Polymeren

Net als bentoniet (montmorilloniet), attapulgiet, klei en mica worden organische verbindingen toegevoegd om de viscositeit van boorspoeling te sturen. Het aantal mogelijke bruikbare polymeren is groot. De aard van deze polymeren verschilt onderling sterk. Er kan vooraf een selectie gemaakt worden van bruikbare polymeren op basis van hun afbraaksnelheid en toxiciteit. Polymeren op basis van polysacchariden zijn voorbeelden van een milieuvreemde stof die echter makkelijk door de micro-organismen in de bodem worden afgebroken en toxisch is. Daardoor hoeft het gebruik van een polymeer geen ongewenste gevolgen voor het milieu te hebben.

CMC-cellulose en cellofaanvlokken
Ook CMC-cellulose (natrium carboxylmethyl cellulose) en cellofaanvlokken zijn organische verbindingen die aan boorspoeling worden toegevoegd om de viscositeit te verhogen. Van nature komen de verbindingen niet in de bodem voor, het betreffen namelijk industriële producten. CMC-cellulose en cellofaan worden in de bodem makkelijk afgebroken en belasten bij verantwoord gebruik daardoor niet de bodem.

Plantaardige bijproducten
Houtsnippers, katoenvezels, kokosvezels en walnootdoppen worden gebruikt om grindlagen af te pleisteren. De samenstelling en belasting met contaminanten (zowel anorganische als organische verbindingen) verschillen per partij. De samenstelling en belasting kan vooraf worden vastgesteld.

Het hangt van de vorm van hergebruik af, of specifieke aandacht aan resten ervan in de boorspoeling gegeven moet worden. Als de restanten apart kunnen worden verzameld, kunnen die als grondstof voor compost gebruikt worden. Kunnen deze plantaardige restproducten niet apart worden verzameld, dan moet onderzocht worden of zij als bestanddelen van (zwarte) grond gebruikt kunnen worden of kunnen worden gebruikt als organisch bodemverbeterend middel. In het laatste geval zal de hoeveelheid aan organische stof met zo'n reststof bepalend zijn, of er een nuttig hergebruik plaatsvindt. De organische stof van deze plantaardige bijproducten zal deel gaan uitmaken van de koolstofkringloop van de bodem.

De organische stof wordt op termijn gedeeltelijk afgebroken en gedeeltelijk omgevormd tot stabielere vormen van organische stof (humus). Bij dit afbraakproces zijn voedingsstoffen nodig om biomassa in de bodem te onderhouden en te kunnen laten groeien. Toedienen van deze plantaardige restproducten kan daardoor de beschikbaarheid van voedingsstoffen voor gewassen sterk negatief beïnvloeden. Een verantwoord management van deze voedingsstoffen is dan noodzakelijk, om deze negatieve effecten te voorkomen.

Hulpmiddelen ter regulering van de zuurgraad

Citroenzuur
Citroenzuur is een stof die in de bodem snel wordt afgebroken. Als er aanzienlijke hoeveelheden worden toegediend, kan dat een effect hebben op de zuurgraad van de bodem. Contact van citroenzuur met

planten moet worden voorkomen. Belasting met contaminanten kan vooraf worden bepaald.

Kalk
Hierbij geldt hetzelfde als is vermeld bij 'Hulpmiddelen voor regulering van de viscositeit, dichtheid en afdichting'.

Natronloog ('kaustisch soda') en soda
Natronloog ('kaustisch soda') en soda zijn chemische stoffen, die van nature niet in de Nederlandse bodems voorkomen. Toediening ervan aan de bodem in geconcentreerde vorm geeft schade onder andere via een te sterke verhoging van de zuurgraad (pH) en corrosieve werking. Daar deze middelen in sterk verdunde vorm via boorspoeling worden toegediend, zal de schade beperkt zijn. De hulpstoffen bevatten natrium. Grote hoeveelheden van natrium aan kleibodems doet de klei zwellen. De bodemstructuur gaat daardoor (sterk) achteruit. De hoeveelheid aan natrium bepaalt sterk het hergebruik. Bodems die goed de pH bufferen of bodems die te zuur zijn kunnen een alkalische boorspoeling in beperkte hoeveelheden verdragen.

4 Toepassingen van boorspoeling

Boorspoelingen verschillen onderling sterk in samenstelling. Daardoor zijn de mogelijke toepassingen divers. Kleinschalige projecten kennen vaak geen scheiding van afgeboorde grond van boorspoeling; bij grootschalige projecten vindt scheiding plaats. Bovendien kan bij grootschalige projecten makkelijker de grondbalans sluitend gemaakt worden dan bij kleinschalige projecten. Hergebruik van boorspoeling en afgeboorde grond is daardoor bij grootschalige projecten wat eenvoudiger (kostprijsgunstiger) te realiseren dan bij kleinschalige projecten.

Bij de planning van de ruimtelijke ordening kan al rekening gehouden worden met cultuurtechnische werken zoals kunstwerken of geluidswallen. Bij kleinschalige projecten zal grond moeten worden afgevoerd. Vaak wordt dan getracht boorspoeling of afgeboorde grond in de landbouw af te zetten. Mogelijke vormen van hergebruik kunnen dan zijn:
- bodemverbeterend middel om de waterretentie te verbeteren;
- bodemverbeterend middel om uitspoeling te voorkomen;
- bodemverbeterend middel om winderosie te bestrijden;
- draagstof voor het inzaaien van taluds en wegbermen;
- grondstof voor de productie van grond.

Bodems verschillen in de mate waarin water wordt vastgehouden. De hoeveelheid water, die (grof)zandige bodems kunnen vasthouden, is

lutum

lager dan die van een kleigrond. Toediening van klei aan een (grof)zandige bodem zal het water beter vasthouden en daardoor de uitspoeling van voedingsstoffen voor het gewas verlagen. Daarvoor moet het percentage *lutum* flink worden verhoogd. Hiervoor zijn tientallen tot honderden tonnen boorspoeling nodig om voldoende effect te krijgen. Belangrijk is het, dat afgeboorde grond ontwaterd is en er voldoende structuur in de vaste fase is aangebracht. Vernietiging van de structuur van de ontvangende bodem vergt jaren van herstel.

Winderosie vormt een probleem in de veenkoloniën en bij de geestgronden (duinzanden of zeezanden). Om het stuiven van zand tegen te gaan kan boorspoeling gebruikt worden. Waardegevende bestanddelen die de bodemdeeltjes beschermen tegen de eroderende werking van wind zijn klei, CMC-cellulose of bijvoorbeeld katoenvezels. Deze bestanddelen kitten de bodemdeeltjes vast. Een hoge gehalte aan klei, CMC-cellulose of katoenvezels zijn nodig om een voldoende effect te krijgen. Een vloeibaar product maakt het uitrijden makkelijk. Een laagje na indrogen van enkele millimeters volstaat; een beperkte hoeveelheid boorspoeling is al effectief.

hydroseeding

Bij aanleg van taluds en wegbermen wordt nieuwe vegetatie ingezaaid. Een zaaimethode is om zaaizaad te mengen met een draagstof en vervolgens te verspuiten over de in te zaaien oppervlakte. Dit wordt *hydroseeding* genoemd. Boorspoelingen met een hoog CMC-cellulose- of katoenvezelgehalte zouden voor dit doel gebruikt kunnen worden. Ook hier is een laagje na indrogen van enkele millimeters voldoende.

Afgeboorde grond al dan niet verrijkt met bentoniet, mica, CMC en/of kalk is een nuttig bestanddeel om (zwarte) grond te maken. Vooral luchtdroge partijen zijn gewenst; een spoeling is ongewenst omdat toepassing leidt tot verslemping en compactie. Daardoor wordt de bodemkwaliteit negatief beïnvloed. Na ontwatering biedt afgeboorde grond al dan niet verrijkt, met toevoegmiddelen een breed scala aan toepassingsmogelijkheden, mits voldaan wordt aan specifieke samenstellingeisen. Ontwatering kan op diverse wijzen uitgevoerd worden. Vormen van ontwatering zijn:

Mechanische ontwatering
– via zeefpersen;
– centrifuges;
– bezinkbasins;
– menging met vaste bestanddelen.

Fysisch-chemische ontwatering
– toevoeging van gips;
– toevoeging van kalk;
vlokmiddelen (polymeren)   – toevoeging van *vlokmiddelen (polymeren)*.

Deze toevoegingen kunnen incidenteel een oplossing bieden voor hergebruik van boorspoeling. In het algemeen moet terughoudend met dergelijke toevoegingen worden gewerkt. Door gebruik van gips (calciumsulfaat) wordt meer sulfaat in de bodem gebracht dan vanuit het beheer van grondwater ten behoeve van de drinkwaterwinning gewenst is. Elke bodem onder landbouwkundig gebruik heeft kalk nodig; echter de behoefte aan kalk is grondsoortafhankelijk. Teveel aan kalk oefent een negatieve invloed uit op de beschikbaarheid van voedingsstoffen voor het gewas. Vlokmiddelen vragen per product een beoordeling of het milieukundig verantwoord is.

Boorspoeling kan aanleiding geven tot een aantal vormen van belasting van milieu. Toediening aan de bodem leidt tot verslemping en compactie. Vernietiging van de bodemstructuur geeft een slechtere bodemkwaliteit.

Toevoegmiddelen geven bij toediening aan de bodem ontregeling van kringlopen in de bodem. Dit kan optreden, als bijvoorbeeld veel organische stof of veel kalk aan de bodem wordt toegediend. Met name de koolstof-, stikstof- en fosfaatkringlopen raken dan uit balans hetgeen ingrijpen in het management van deze kringlopen noodzakelijk kan maken;

Met de toediening kunnen te hoge vrachten aan contaminanten worden aangevoerd hetgeen leidt tot normoverschrijdende vervuiling.

Mogelijke oplossingen zijn onder meer:
– Ontwatering van boorspoeling is een verantwoorde oplossing om de structuur van de afgeboorde grond te herstellen. Aanvullende grondbewerking of, na indrogen, een vorstperiode bij kleiige afgeboorde grond, kan de structuur verbeteren, waardoor hergebruik als grond of als grondstof voor geluidswallen mogelijk wordt.
– Ontregeling van de kringlopen van koolstof- of voedingsstoffen door hoge hoeveelheden aan organische stof of aan kalk vragen een ander management van mineralen. In deze situatie is het raadzaam om bodemkundigen en bemestingsdeskundigen te raadplegen.

De belasting met contaminanten kan beoordeeld worden aan de hand van de toetsingskaders van de gegeven milieuwet- en regelgeving. De complexiteit van deze wet- en regelgeving vraagt om inbreng van de expertise van milieudeskundigen.

Een voorbeeld van een toetsingskader is gegeven in tabel 2.2 voor zwarte grond. Tabel 4.1 geeft een voorbeeld aan welke eisen grond moet voldoen om als 'schone grond' te worden aangemerkt (schone grondverklaring). De eisen voor schone grond zijn net als die voor zwarte grond afhankelijk van het lutum- en organische stofgehalte; zij berusten op dezelfde grondslag. In tabel 4.1 is uitgegaan van een kleigrond met 25% lutum en 10% organische stof.

Tabel 4.1 Enkele samenstellingswaarden voor schone grond. Bron: Bouwstoffenbesluit bodem- en oppervlaktewaterenbescherming.

stof	CAS-nummer	samenstellingswaarden uitgaande van 25% lutum en 10% humus (mg per kg drogestof)
anorganische stoffen		
arseen (As)	[7440-38-2]	29
barium (Ba)	[7440-39-3]	200
cadmium (Cd)	[7440-43-9]	0.8
chroom (Cr)	[7440-47-3]	100
koper (Cu)	[7440-50-8]	36
kwik (Hg)	[7439-97-6]	0.3
lood (Pb)	[7439-92-1]	85
nikkel (Ni)	[7440-02-0]	35
zink (Zn)	[7440-66-5]	140
organische stoffen		
aromatische stoffen, bijv. benzeen	[71-43-2]	0.05
Polycyclische aromatische koolwaterstofverbindingen (PAK's), som van 10 verbindingen.	diverse	1
gechloreerde koolwaterstoffen	diverse	0.001-0.01
Polychloorbifenylen (PCB's), som van 6 verbindingen	diverse	0.02
overige gechloreerde koolwaterstoffen, bijv EOCL (totaal)	nvt	0.1
bestrijdingsmiddelen	diverse	0.05 μg/kg - 0.01 mg/kg
overige organische stoffen bijv. minerale olie	nvt	50

In het kader van de Wbb zijn richtlijnen gegeven wanneer wel en wanneer niet uitvoerig onderzoek op contaminanten noodzakelijk is. Bij diverse organische verbindingen wordt de aantoonbaarheidsgrens gebruikt. Voor bouwstoffen die niet voldoen aan zijn normen gesteld over de toelaatbare aanvoer van contaminanten (zie Bouwstoffenbesluit).

5   Bronvermelding

Literatuur
Kivits, H.G., R.A.M. Kavsek, en V.P.A.M. Verhoeven (2002). Milieupraktijkboek Agrarische sector. & Sdu Uitgevers bv. Den Haag.
Kuipers, S.F., 1984. Bodemkunde. Educaboek, Culemborg
Rinsema, W.T., 1984. Bemesting en meststoffen. Educaboek, Culemborg.

Handige websites:
Wetten: *http://www.overheid.nl/wetten/index.html*

Feiten en cijfers over natuur en milieu:
http://www.rivm.nl/milieucompendium/

Landbouwkundig en milieukundige onderzoek:
http://www.wageningen-ur.nl/

Bodem:
http://bodem.pagina.nl/
http://www.nieuwekaart.nl/

HORIZONTAAL GESTUURD BOREN

1 Algemeen

Horizontal Directional Drilling

Horizontaal gestuurd boren of HDD (*Horizontal Directional Drilling*) kan gezien worden als een alternatief ten aanzien van conventionele technieken voor het aanleggen van kabels en leidingen. Deze boortechniek stamt uit de USA en komt voort uit de boortechniek van de olieindustrie. Met name de hiervoor nieuw ontwikkelde richtboorsytemen, zoals door boorspoeling aangedreven boormotoren en betrouwbare boorgatmeetinstrumenten, maken het mogelijk een vooraf gepland boortraject gericht te volgen.

pilot boring

Een horizontaal gestuurde boring voor het aanbrengen van een pijpleiding of kabel gaat van start met een *pilot boring*. Een pilot boring (zie tevens subparagraaf VII.5.1) bestaat uit een vooraf ontworpen boortraject waarbij de boring start vanaf het maaiveld voor een te kruisen object (b.v. een rivier) en weer stopt op het maaiveld na het te kruisen object. Door het boren van een combinatie van rechte lijnen en bochtsecties, met een bepaalde radius, wordt het vooraf vastgelegde boortraject zo goed mogelijk gevolgd.

Onderstaande omschrijving geeft een indruk hoe een horizontaal gestuurde boring is opgebouwd (zie tevens subparagraaf VII.5.1 en figuur 5.1).

De boring start van het maaiveld door de boorbuis onder een hoek van bijv. 12° de grond in te boren. Na een rechte sectie van 30 meter onder een neergaande hoek van 12° wordt een bocht met een radius van bijv. 300 meter ingezet zolang totdat de hoek van 12° is terug gebracht tot 0° (horizontaal) daarna volgt een geboorde sectie van bijv. 200 meter waarna een tweede bocht weer met een radius van 300 meter wordt geboord en wel totdat er een opgaande hoek van bijv. 10° is bereikt. Vervolgens wordt de pilot boring voltooid, door een laatste rechte sectie te boren die dan uiteindelijk weer eindigt op het maaiveld.

De exacte intrede- en uittredehoek, bochtstralen en rechte lengte secties worden afgestemd in een ontwerpstudie, waarbij zaken als diepte onder object, buigstraal van de te installeren buis en informatie over de te doorboren grondformaties een grote rol spelen. Uit de ontwerpstudie resulteert onder andere een tekening met het geplande boorprofiel in boven- en zijaanzicht, daarnaast zal vooral de maximaal toelaatbare druk (muddruk) in de boorgang, welke van groot belang is voor evenwicht in de grond, worden berekend. Berekeningswijzen zijn opgenomen in NEN-3651.

Nadat de pilot boring is uitgevoerd, wordt het boorgat tot een grotere diameter opgeboord met behulp van ruimergereedschappen. Zodra deze arbeidsgang is afgesloten wordt een vooraf geprefabriceerde pijpleiding het boorgat ingetrokken. Nadat de leiding is ingetrokken en de kwaliteitstesten zijn uitgevoerd, kan de leiding worden over-gedragen aan de opdrachtgever.

Horizontaal gestuurd boren is een door boorspoeling ondersteund boorsysteem. Dit betekent dat tijdens alle fasen van het boorproject boorspoeling een belangrijke rol speelt. Tijdens alle fasen van de boring zorgt boorspoeling er voor, dat het losgeboorde materiaal uit het boorgat wordt gevoerd, de boorgereedschappen worden gekoeld, het boorgat wordt ondersteund en in zachte formaties via de *nozzle* van een *jetbeitel* de grond wegspuit waardoor er via erosie een boorgat ontstaat.

nozzle, jetbeitel

In gesteenteformaties wordt de boorspoeling ook gebruikt om de boormotor aan te drijven.

2   Basisverloop van een HDD-project

Het basisverloop van een horizontaal gestuurd borenproject (tussen het inzien van een bepaalde noodzaak en oplevering) kan in de volgende tien stappen worden beschreven:

1. **Ontstaan van een bepaalde verzorgingsbehoefte.**
   Verzorgingsleidingen, mediatransport, pijpleiding- of kabel-verbindingen tussen twee verschillende plaatsen vereist.
2. **Taakprecisering.**
   Hoe kan aan deze behoefte bouwtechnisch worden voldaan?
3. **Bouwtechnische variantenvergelijking (verkenningsstudie).**
   Met welke bouwmethoden kan de taak technisch en econo-misch het voordeligst worden gerealiseerd?
   Welke methoden zijn niet mogelijk?
4. **Keuze voor de gestuurde horizontale-boormethode.**
   Bodemverkenningen.
   Opnieuw bekijken van de realiseerbaarheid.
   Realiseerbaarheid afhankelijk van de grondcondities.
5. **Verkrijgen van de vergunningen.**
6. **Planning van het project.**
   Planning van de uitvoering.
   Beschrijving van doelstelling.
7. **Aanbesteding + opdrachtverlening.**
8. **Projectvoorbereiding door de aannemer.**
   Detailplanning.
   Kartering ter plaatse (optioneel).
   Opstellen van de definitieve boorlijn.
9. **Bouwuitvoering.**
10. **Aanvaarding en bestendigheiddocumentatie.**

3 Voorwaarden voor het toepassen van de HDD-techniek

3.1 Opmerkingen vooraf

Het kruisen van rivieren of andere hindernissen wordt in de gehele wereld in toenemende mate met behulp van de gestuurde horizontale boortechniek uitgevoerd. Net als bij ieder ander bouwwerk is het voor de ondernemer belangrijk om van tevoren zoveel mogelijk informatie te vergaren. Alleen op die manier zal hij ertoe in staat zijn om een bindende en concurrerende offerte uit te werken en de boring met succes uit te voeren.

3.2 Keuze van de kruisingslocatie

De eigenlijke uitvoering van het werk begint met de aanvoer van het boorapparaat en de bijbehorende uitrusting naar het voorbereide startpunt van de boring.

Voor het zover is, is voor de keuze van de kruisingslocatie een groot aantal tests, vergelijkingen en overwegingen nodig. Men moet er onder meer op letten dat:
- zware apparatuur naar beide kanten van de boring moet worden gebracht;
- voor deze apparatuur geschikte toegangswegen nodig zijn.

Vaak komt alleen de tracéstrook van de doorgaande buisleiding als toegangsweg in aanmerking.

Net als bij veel andere bouwprojecten is het ook bij de HDD-techniek handig om zoveel mogelijk ruimte te hebben. Hoe groot de ruimte minimaal moet zijn, hangt van de grootte van het boorapparaat en van de vereiste uitrusting af. Standaard is voor een *maxi-rig* voor het intredepunt een oppervlak van ca. 30 × 50 m nodig.

maxi-rig

Veel componenten van de booruitrusting kunnen echter variabel worden ingezet zodat tot op zekere hoogte een aanpassing van de bouwinrichting aan voorhanden verhoudingen mogelijk is.

Optimaal is egaal terrein, een vaste ondergrond en bouwvrijheid boven de grond (bijvoorbeeld dat er geen hoogspanningsleidingen zijn). Aan de uittredekant van de boring moet in de directe verlenging van het boortracé voldoende plaats zijn voor het voorbereiden van de complete leidingstreng. De breedte van deze montagestrook komt overeen met die van de normale werkstrook bij open bouwwijze.

pull-back
tie-in

Het voorbereiden van de leidingstreng tot één lengte moet garanderen dat het intrekken (*pull-back*) zonder onderbreking kan geschieden. Het verbinden (*tie-in*) van verschillende delen van de leidingstreng tijdens het intrekken verhoogt door de daarmee gepaard gaande onderbrekingen de risico's aanzienlijk. Dit moet daarom worden vermeden.

Als begin- en eindpunt van de horizontale boring vaststaan, moet het terrein precies worden opgemeten en moeten detailplannen worden opgesteld.

river-crossings

Bij het meten hoort bij waterkruisingen (*river-crossings*) ook een gedetailleerde peiling van de rivierbodem boven het boortracé. De nauwkeurigheid van de boorlijn met betrekking tot de plaatselijke gesteldheid hangt niet in de laatste plaats af van de nauwkeurigheid van de meetkundige documenten die de aannemer onder ogen krijgt.

hydrant

Voor het boren zijn grote hoeveelheden water nodig voor het mengen van de boorspoeling. De aannemer moet weten of hij dit water bijv. uit de betreffende rivier kan halen en of hiervoor vergunningen zijn verkregen of dat hij water uit een nabijgelegen *hydrant* kan halen. Belangrijk voor het opstellen van een optimale boorspoeling (bentonietsuspensie) is de kennis over het zout- en mineraalgehalte van het water en de pH-waarde ervan.

3.3   Bodemonderzoeken

(Zie tevens hoofdstuk IV Grondonderzoek).

Waarschijnlijk het belangrijkste dat de opdrachtgever de aannemer ter beschikking dient te stellen, zijn de uitgebreide en gedetailleerde geotechnische en geologische bodemonderzoeken over de voorhanden bouwgrond. Zonder deze informatie moeten de aannemers hun offertes 'blind' afgeven, wat ertoe leidt dat met meer eventualiteiten moet worden gerekend, dat grotere risicotoeslagen in rekening worden gebracht en dat de prijs uiteindelijk hoger uitvalt.

Realistische offerteprijzen zijn enkel mogelijk met voldoende informatie over de grond. Hierbij zijn de volgende factoren belangrijk:
- Als de kruisingslocatie is bepaald, dient men eerst informatie over bouwwerken in de buurt (bruggen, damwanden enz.) te verzamelen. De daar gedane grondonderzoeken kunnen een eerste inzicht over de te verwachten grondgesteldheid leveren.
- Ook bij zeer goede informatie uit de directe omgeving kan men niet afzien van doelgericht grondonderzoek in de directe omgeving van het tracé.
- De locaties van de sonderingen en boringen dienen minimaal op 5 m afstand van het boortracé te worden uitgevoerd.

- Aantal en diepte van de sonderingen worden voornamelijk bepaald door de lengte en diepte van de horizontale boring en de te verwachten formatiewisseling langs het boortracé.
- De verzamelde informatie moet voldoende zijn om een geotechnisch lagenprofiel langs de boorlijn op te kunnen stellen.
- De sonderingen moeten bij voorkeur niet verder uit elkaar dan zo'n 100 m worden gedaan. Als dit aantal sonderingen het lagenverloop niet duidelijk genoeg maakt, moet men de afstand tussen de onderzoekspunten verkleinen.
- Het grondonderzoek dient te worden verricht tot een paar meter onder het diepste punt van de geplande boorlijn. Bij ongunstige bodemopbouw moeten de boringen nog dieper gaan zodat gecontroleerd kan worden of er misschien op grotere diepte gunstigere voorwaarden voor de HDD-methode heersen.
- Alle ingewonnen resultaten moeten in een grondmechanisch rapport worden samengevat. Daarin dienen ook de algemene geologische gegevens voor de betreffende regio alsmede de precieze gegevens over de positie van de uitgevoerde verkenningen te staan.
- Het hoe van de monsterneming, de kerndoorsnede en eventuele andere testmethodes (SPT) moeten gedetailleerd worden uitgelegd, de samenstelling van het monstermateriaal moet aan de hand van gestandaardiseerde aanduidingen (NEN-normen) worden beschreven.
- Voor het vaststellen van de korrelsamenstelling dient men bij korrelmateriaal in ieder geval korrelanalyses met behulp van genormeerde zeefinrichtingen te maken.
- De onderzochte monsters moeten hoofdzakelijk uit die diepte worden gehaald, waarop de boorlijn op dat punt volgens plan ligt.

éénaxiale druksterkte

abrasiviteit

- Bij monsters van vast gesteente moet ten minste de *éénaxiale druksterkte*, de graad van natuurlijke gespletenheid en de *abrasiviteit* van het materiaal worden gemeten. Deze waardes geven samen een goede referentiewaarde voor de boorbaarheid van het materiaal.
- De onderzochte monsters moeten ten minste tot het voltooien van de horizontale boring ter inzage worden bewaard.
- Omdat grind en keien de moeilijkst boorbare bodem vormen, moet de positie en dikte ervan zo nauwkeurig mogelijk worden gemeten en aangegeven.
- Als de geologie duidt op het mogelijk optreden van stenen, dan moeten de bodemmonsters in zulke kleine afstanden van elkaar worden genomen dat de aannemer alle noodzakelijke informatie over het voorkomen van stenen krijgt.

3.4   Boorprofiel

Een wezenlijk punt bij planning en uitvoer van een gestuurde horizontale boring is het vastleggen van het boorprofiel.

ruimtekrommes

Met de huidige meettechniek is het mogelijk om driedimensionale boorlijnen, zogenoemde *ruimtekrommes* te maken. In de meeste gevallen zullen boringen onder hindernissen door echter als verticaal gerichte (zonder horizontale bochten), banaanvormige bogen worden gemaakt.

Het boorprofiel is afhankelijk van een groot aantal factoren, zoals:
– de locale omstandigheden;
– de lengte van de boring;
– de diepte van de boring;
– het lagenverloop (grond);
– de vereiste minimale grondbedekking;
– de vereiste afstand tussen hindernissen of andere bouwwerken;
– de positie van andere aanwezige installaties;
– de toegestane buigstraal van de boorbuis;
– de toegestane buigstraal van de productleiding;
– de mogelijke intredehoek;
– de mogelijke uittredehoek.

De straal van de boring wordt bij stalen pijpen normaal gesproken door de toegestane buigstraal ervan bepaald die toeneemt naarmate de pijpdiameter toeneemt. Om boortechnische redenen wordt met name bij grotere nominale diameters de straal zo groot mogelijk gekozen. Bij PE-pijpen is de mogelijke straal van de boring afhankelijk van de toegestane straal van de boorbuis.

De factoren in- en uittredehoek, diepte van de boring en realiseerbare straal zorgen samen voor een geometrisch vereiste minimale lengte van een boring. De intredehoek hangt af van de mogelijkheden van het boorapparaat en ligt ongeveer tussen 8-20°. De uittredehoek wordt voornamelijk bepaald door de soort, de gesteldheid en de manier van intrekken van de productleiding.

Gebruikelijk zijn waardes tussen 5° en 10°, voor stalen leidingen. Voor de PE – buizen kan de uittredehoek oplopen tot 15 à 20°, afhankelijk van de diameter.

3.5 Keuze van het pijpmateriaal

De door de HDD-methode in te trekken pijp ondervindt tijdens de inbouw en in eindtoestand allerlei soorten belastingen.
Een zorgvuldige dimensionering en keuze van de pijp speelt niet alleen een belangrijke rol bij het zonder schade installeren maar vormt ook een beslissende factor in de bruikbaarheid van de gelegde pijp in de toekomst.

In de berekeningen voor de pijpkeuze dient o.a. te staan:
– vaststelling trekkrachten en trekspanningen bij het intrekken;

intrekboog

– vaststelling van de extra spanningen door de buiging van de pijp in het boorgat resp. op het uitgezette pijpleidingtracé (*intrekboog*);
– vaststelling van de uitwendige belasting door de boorvloeistofdruk;
– vaststelling van de uitwendige belasting door de grond;
– vaststelling van de gecombineerde belastinggevallen.

De op deze wijze vastgestelde waardes moeten in overeenstemming worden gebracht met de voor de bedrijfstoestand van de buisleiding vereiste waardes voor:
– nominale druk;
– wanddikte;
– soort materiaal;
– kwaliteit van het materiaal.

Zo'n onderzoek moet principieel gedaan worden, onafhankelijk van het pijpmateriaal en de wijze waarop de pijp later gebruikt wordt.

Wegens de grote mechanische belastbaarheid wordt bij grote kruisingen en bij moeilijke bodemgesteldheden de voorkeur gegeven aan stalen pijpen. Maar ook PE-pijpen van alle afmetingen werden al erg vaak met succes met de HDD-methode gelegd.

coatings

Er bestaan verschillende soorten *coatings* die stalen pijpen beschermen tegen corrosie en die geschikt zijn voor de HDD-methode. Een beslissend criterium is vanwege de methode een goede hechting van de coating aan het pijpoppervlak. Belangrijk is ook de mechanische bestendigheid (tegen wrijven, inkerven) en de oppervlaktegesteldheid van het gebruikte materiaal. Epoxy-systemen en polypropyleen zijn geschikte bekledingsmaterialen. Bij het boren door grind dient extra aandacht aan de coating gegeven te worden.

Wegens de latere ontoegankelijkheid van de pijpleiding verdient het aanbeveling om de lasnaden voor 100% aan een controle te onderwerpen.

Bij installaties van pijpen met de HDD-methode is het aan te raden om twee inwendige druktests uit te voeren, één aan het terreinoppervlak na het lassen van de pijpstreng en een tweede na het intrekken van de pijpleiding.

Bijzondere onderzoeken zijn nodig voor stalen pijpen met een betonnen ommanteling of een cementbekleding, omdat hierdoor in sommige gevallen de belastbaarheid van de pijp (bijv. toegestane buigstraal) wordt verminderd.

Ook pijpen die nog niet standaard met behulp van de HDD-methode worden gelegd, is extra onderzoek nodig. Dit geldt bijvoorbeeld voor gietijzeren leidingen of verschillende pijpleidingen voor stadsver-warming en voor GVK-leidingen.

3.6 Effect op het milieu

cuttings

Het grootste effect op het milieu ontstaat door het opruimen van de gebruikte boorspoeling en het daarmee doordrenkte afgeboorde grond (*cuttings*). Het afvoeren en het verwerken van de boorspoeling is vaak een van de voornaamste kostenposten bij het uitvoeren van een horizontale boring. Opslag en opruimen van de boorspoeling vormen bovendien de grootste potentiële milieuverplichtingen voor de aan-nemer.

Ofschoon er mogelijkheden bestaan om de gebruikte boorspoeling te recycleren, moet aan het eind van de werkzaamheden toch een grote hoeveelheid spoeling en het opgeboorde materiaal (cuttings) worden opgeruimd.

Om het risico en de aansprakelijkheid voor alle betrokkenen zo gering mogelijk te houden, dient men te proberen om de potentiële problemen op dit gebied vroegtijdig te herkennen en bij het inwinnen van de nodige vergunningen voor de omgang met de boorspoeling samen te werken.

Overige vooraf te overwegen probleemgevallen zijn o.a. of de boring onderaardse depots met gevaarlijk materiaal, andere pijplei-dingen, hoofdtoevoerleidingen of kabels kan raken en hoe groot de kans is dat er kwelwegen weg van of naar verontreinigde bereiken ontstaan.

3.7 Samenvatting

Zowel de opdrachtgever als de aannemer hebben er belang bij dat de horizontale boring succesvol en binnen de gestelde termijn wordt voltooid. Uitgebreide aanbestedingsdocumenten en een zorgvuldig opgesteld contract leggen de verantwoordelijkheden van beide par-tijen vast en voorzien de projectleiding van de informatie, die nodig is om de activiteiten gedetailleerd te plannen en op eventuele onvoor-ziene gebeurtenissen te kunnen reageren.

Tijd en kosten die vóór een bouwproject aan het verkrijgen van de nodige informatie en aan de projectplanning worden besteed, zijn nooit tevergeefs en kunnen een veelvoud aan tijd en kosten besparen.

4 Toepassingen

De met behulp van de HDD-methode geïnstalleerde productleidingen dienen o.a. voor het transport van:
- ruwe olie;
- aardgas;
- petrochemische producten;
- raffinaderijproducten;
- water;
- afvalwater;
- stadsverwarming.

Vaak worden ook mantelbuizen voor het verleggen van energie-kabels of glasvezelkabel gelegd.

Belangrijke toepassingsgebieden zijn het onderkruisen van:
- rivieren en ander water;
- alle soorten straten;
- spoorbanen;
- start- en landingsbanen;
- biotopen;
- ontoegankelijk terrein;
- gebieden die bescherming verdienen.

Behalve deze zijn er o.a. de volgende speciale toepassingen:
- horizontale filterputten;
- gesteenteboringen;
- saneringen in depot- en verontreinigingsbereik;
- aanlandingen in kustbereik.

Aanlandingen ter plaatse van de kust, zijn gestuurde horizontale boringen waarmee de onshore en offshore delen van buisleidingen worden verbonden (duindoorkruisingen). Daardoor hoeft een bepaald stuk duin niet gestoord te worden.

TCI-bits

Door de inzet van boormotoren en speciale met hardmetaal beklede rolbeitels (*TCI-bits*) kunnen horizontale boringen ook in massief rotsgesteente met éénaxiale druksterktes van meer dan 200 MPa worden uitgevoerd.

Door een gestuurde horizontale boring is het ook mogelijk om in watervoerende grondlagen met een geringe dikte een heel groot filtertracé te installeren zodat bij dezelfde productiviteit een groot aantal traditionele verticale putten kan worden bespaard.

Met de HDD-techniek werden tot nu toe boorlengtes van meer dan 1800 m bereikt. Buizen met een diameter tot 56″ (DN 1400) werden met succes ingetrokken. Beide cijfers zijn extreme waardes en mogen in combinatie niet als stand van de techniek worden beschouwd.

Pijpleidingen met diameters tussen 36″ (DN 900) en 48″ (DN 1200) werden onder optimale bodemverhoudingen al tot ca. 1000 m lengte aangelegd.

De HDD-methode heeft een groot aantal belangrijke voordelen tegenover traditionele methodes voor het leggen van pijpleidingen:
- minimaal effect van het bouwen zelf op milieu en directe omgeving;
- minimaal openbreken van het terreinoppervlak;
- geen beïnvloeding van het aanwezige scheeps-, trein-, vlieg- of autoverkeer;
- minimale grondwerkzaamheden/bodembewegingen;
- grote gronddekking mogelijk;
- grote afstand tot de te kruisen hindernis mogelijk;
- bescherming van de pijpleiding tegen anker uitwerpen of baggerwerkzaamheden gegarandeerd;
- geen kans op vrijspoelen van de leiding door erosie in het water;
- korte bouwtijd;
- geringe invloed van weersverhoudingen en waterstanden.

In veel gevallen is de Horizontal-Directional-Drilling-methode ook goedkoper dan alternatieve bouwmethodes.

5 Hoofdfasen van een horizontale gestuurde boring

Bij het uitvoeren van horizontaal gestuurde boringen (zie figuur 5.1) wordt feitelijk onderscheid gemaakt tussen drie fasen:
- pilotboring;
- ruimen;
- intrekken.

5.1 Pilotboring

De pilotboring verloopt langs een vooraf geplande boorlijn tussen een intredepunt (voor de hindernis) en een uittredepunt aan de andere kant van de hindernis.

Alle horizontale boringen werden vroeger hoofdzakelijk door coaxiaal boren verricht. Daarbij werd over de eigenlijke pilot boorbuis een

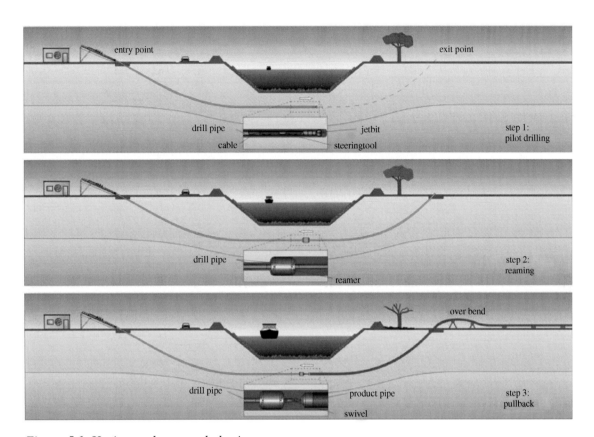

Figuur 5.1 Horizontaal gestuurde boring

washover pipe

zogenaamde *washover pipe* geboord, die deze verstevigde. Deze methode wordt tegenwoordig alleen nog toegepast bij bijzonder lange boringen of boringen in moeilijke grondsoorten, bijvoorbeeld grindlagen.

Tegenwoordig wordt de pilotboring meteen ook met de in de volgende stappen te gebruiken boorbuis verricht.

Boorbeitel

boorbeitel

jet-bit

rock-bit met mud-motor

Het eerste onderdeel van de boorstreng is de *boorbeitel*. Deze heeft als taak om de voorliggende bodem los te maken. Al naargelang de bodemsoort wordt hetzij een nozzlebeitel (*jet-bit*, zie figuur 5.2) voor met name hydraulisch losmaakwerk of een steenbeitel met boormotor (*rock-bit met mud-motor*, zie figuur 5.3) voor hydraulisch-mechanisch losmaakwerk ingezet. Beide beiteltypes hebben een diameter die een klein beetje groter is dan de pijp die volgt.

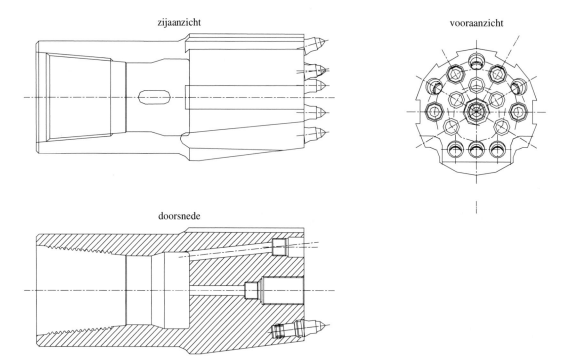

Figuur 5.2 Jet-bit

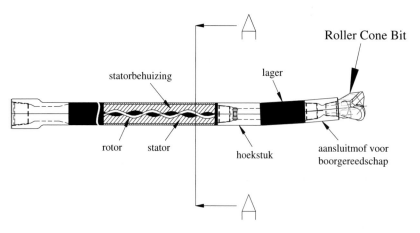

Figuur 5.3 Mudmotor

hoekstuk (bent-sub)

tool-face

Hoekstuk

Na de boorbeitel komt een *hoekstuk (bent-sub)*. Daarbij gaat het om een met een gedefinieerde hoek (ca. 0,5° - 2,5°) gebogen stuk boorbuis. Dit hoekstuk heeft als taak om de werkrichting van de boorbeitel (*tool-face*) te veranderen. Dit gebeurt door vanuit het boven de grond opgestelde boorapparaat door middel van de pilot boorbuis het hoekstuk met kleine beetjes te draaien. Wanneer de boorbuis daarna verder de grond in wordt geduwd, werkt de beitel in de richting van de nieuwe tool-face. Door de pilot boorstreng te draaien kan men dus alle werkrichtingen instellen.

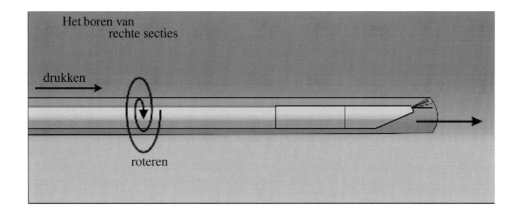

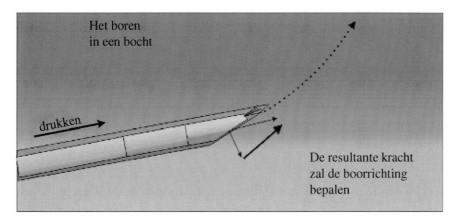

Figuur 5.4

Om met het boorgereedschap een geplande boorlijn te kunnen volgen, is het nodig om altijd de precieze positie van de boorkop in de ondergrond te kennen. Hiertoe zijn speciale meetsondes achter het knikstuk geïnstalleerd. Aangezien deze meetsondes voor een deel afhankelijk zijn van een ongestoorde meting van het aardemagneetveld, is het nodig om deze sondes in te bouwen in niet-magnetische boorpijpen (bijvoorbeeld roestvast staal).

pilot boorbuis
joints

API-specificaties

bottem hole assembly

Pilot boorbuis
Als laatste belangrijke onderdeel van de pilot boorstreng moet de
pilot boorbuis zelf worden genoemd. Deze bestaat uit losse buizen
(*joints*) die bij de grotere boormachines, gebruikt bij de de gestuurde
grondboortechniek, een lengte hebben van circa 9.0 mtr.
Het betreft dezelfde buizen die ook in de olieboorindustrie gebruikt
worden, ze zijn van hoogwaardig staal en volgens *API-specificaties*
(API = American Petroleum Institute) gebouwd.
Bij de kleinere boormachines worden andere lengtes (3-4½ - 6 meter)
en specificaties toegepast en worden de boorbuizen als onderdeel van
de boormachine meegeleverd.
Deze buisconstructie dient voor de overdracht van de door de
boorinstallatie geleverde drukkrachten, trekkrachten en draaimomen-
ten en voor de toevoer van de met hoge druk verpompte boorspoeling
naar de nozzles van de boorbeitel. Bovendien loopt in het binnenste
van de pilot boorpijp de van de meetsonde naar boven de grond
lopende kabel, voor het doorgeven van de meetwaardes.

Het proces van een pilotboring ziet er als volgt uit:
– Aan het begin van een pilot boring wordt het eerste stuk van de
  boorstreng, (*bottem hole assembly*, zie figuur 5.5) bestaande uit
  boorbeitel, knikstuk en niet-magnetische boorpijpen, samenge-
  schroefd en wordt de meetsonde geïnstalleerd en gekalibreerd.

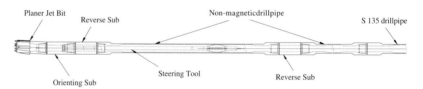

Figuur 5.5 Jetbit Bottom Hole Assembly (BHA)

– Vervolgens zet men er een boorpijp aan en wordt deze eerste
  sectie door de boorinstallatie in de grond gedrukt. Daarbij wordt
  de boorspoeling, die meestal bestaat uit een bentonietsuspensie,
  door de buisconstructie naar de beitelnozzles gepompt en treedt
  daar onder hoge druk naar buiten door de jetbeitel om de grond
  los te spoelen.
– Als een mudmotor moet worden gebruikt drijft de boorspoeling
  eerst de boormotor aan, waarbij een groot deel van de in de
  boorspoeling aanwezige energie benodigd is, om de roterende
  boorbeitel aan te drijven. Uiteindelijk komt ook hier de boorspoeling via de nozzles van de roterende beitel in contact met de
  grondformatie en vermengd zich met de door de beitel los-
  gewerkte gronddelen.

annulus
annulaire ruimte

- De diameter van de gekozen boorbeitel is groter dan de diameter van de erachter gemonteerde boorbuizen waardoor tijdens het boren achter de beitel een loze ruimte ontstaat, de *annulus*. Door deze *annulaire ruimte* vindt de boorspoeling vermengd met losgeboorde gronddelen zijn weg terug naar het intredepunt.
- Hier wordt de boorspoeling naar een recyclingunit gepompt, zodat de spoeling na behandeling voor verder gebruik tijdens de boring beschikbaar is.
- Tijdens de pilotboring vergaart het meetsysteem continue informatie. De meetwaardes van de sonde worden via een in het binnenste van de boorpijp gelegde kabel naar de besturing gezonden en daar met behulp van computers geëvalueerd.
- Wanneer de eerste boorpijp op die manier de grond in is geboord, volgt een tweede boorpijp en wordt de meetkabel verlengd.

werkelijke waarde
gewenste waarde

- Na het inboren van elke boorbuis wordt precies bepaald waar de boorkop zich bevindt en deze *werkelijke waarde* wordt in de computer opgeslagen en met de *gewenste waarde* vergeleken. Al naargelang het resultaat krijgt de boormeester nu richtwaardes voor de volgende boorbuis.
- Tijdens het boorproces worden voortdurend meetwaardes van de sonde naar de besturing gezonden en daar weergegeven. Op die manier kan de boormeester te allen tijde bijsturen om de vereiste eindwaardes na elke boorpijp te bereiken (volgens het principe van veelhoekmeting).

TruTracker systeem

- Voor controlemetingen wordt tijdens de pilotboring indien mogelijk het zg. *TruTracker systeem* ingezet, waarbij aan het terreinoppervlak boven de boorlijn een kabellus wordt gelegd.

kalibrering

- Op de kabel wordt na precieze *kalibrering* van zijn positie een elektrische stroom gezet die een magnetisch veld opwekt. De sterkte van het magnetische veld kan gemeten worden door de meetsonde in de boorkop en maakt een precieze bepaling van zijn actuele positie mogelijk.

steering-tool

- Het door het systeem gecreëerde magneetveld interfereert met het natuurlijke magneetveld van de aarde en kunnen daarom meetfouten, die bij metingen met het *steering-tool* door storingen van het magneetveld van de aarde kunnen ontstaan, voorkomen.
- Controlemetingen met het TruTracker-systeem worden normaal gesproken na elke in de grond geboorde boorstang uitgevoerd. Met dit systeem kan driedimensionaal de positie van de boorkop t.o.v. een referentielijn worden vastgesteld.
- In uitzonderingsgevallen kan de pilotboring ook met een gyrokompas worden gemeten. Aan deze systemen zijn hoge kosten verbonden en worden met name dan ingezet wanneer men sterke storingen in het aardemagneetveld verwacht, bijv. door stukken staal, stroomgeleidende kabels in de grond en wanneer de gesteldheid van het aardoppervlak het TruTracker-systeem onmogelijk maakt.

– De pilotboring gaat net zolang door tot de boorbeitel het geplande uittredepunt aan het grondoppervlak heeft bereikt.

5.2   Ruimen

pre-reaming

ruimer, reamer

barrel reamer
fly-cutter
hole-opener

De tweede stap bij het uitvoeren van een bestuurbare horizontale boring is het ruimen van het door de pilotboring verkregen boorgat (*pre-reaming*). Daartoe monteert men aan de boorstreng die zich nog in het boorgat bevindt, aan de uittredekant van de boring een speciaal boorgereedschap (*ruimer* of *reamer*).

Al naargelang de bodemgesteldheid gaat het om een *barrel reamer* (meestal voor zachte bodem) zie figuur 5.6, *fly-cutter* (meestal voor middelstevige bodem) zie figuur 5.7 of *hole-opener* (meestal voor gesteente bodem) zie figuren 5.8 en 5.9.

Figuur 5.6 Barrel Reamer

Figuur 5.7 Fly Cutter

Figuur 5.8 Hole Opener

Figuur 5.9 Hole Opener

Het proces van ruimen ziet er als volgt uit:
– De met de boorstreng verbonden ruimer wordt draaiend door de grond naar de boorinstallatie getrokken en vergroot daarbij door middel van zijn grotere buitendiameter het boorgat tot een nieuwe diameter.
– Ter ondersteuning van het mechanische loswerken door de op de ruimer aangebrachte tanden wordt wederom door de boorstreng spoelvloeistof onder hoge druk gepompt, die uit de in de reamer aangebrachte nozzles komt.
– Daardoor wordt het loswerken hydraulisch ondersteund door een jetstraal, die met name in zachte bodems soms wel het leeuwendeel van het complete loswerken op zich neemt.
– Nog een belangrijke taak van de boorspoeling is het naar het maaiveld brengen van de afgeboorde grond uit het boorgat en een stabilisering van de ontstane holle ruimte tegen heropvulling of instorten.
– Voor elke bij de boorinstallatie gedemonteerde boorbuis wordt bij het uittredepunt meteen een nieuwe boorbuis gemonteerd. Daardoor bevindt zich voortdurend een complete boorstreng in het boorgat, onafhankelijk van de positie van de ruimer.
– Met het boven de grond komen van de ruimer bij de boorinstallatie is de eerste ruimstap afgesloten. Al naar gelang de doorsnede van de pijpleiding die erin moet worden getrokken, volgen nu meer ruimstappen met grotere ruimers tot de vereiste einddiameter van het boorkanaal is bereikt.
– Normaal gesproken wordt de boorgatdiameter ongeveer met een factor 1,3 tot 1,5 groter dan de diameter van de in te trekken pijpleiding gekozen.
– Het verwijden kan onder gunstige voorwaarden ook vanuit de boormachine richting eindpunt van de boring geschieden. Hierbij wordt het ruimgereedschap vanaf het boorapparaat door het boorgat bewogen. De boormachine dient in die gevallen in eerste instantie voor het opwekken van het vereiste draaimoment, de vereiste voortstuwende kracht wordt door gecontroleerd trekken

pipe-site   van de boorstreng vanuit het eindpunt (*pipe-site*) opgewekt.
– Deze werkwijze heeft als voordeel dat ook bij het ruimen de boorspoeling terugloopt richting boormachine en daardoor het terugpompen resp. terugtransporteren van de boorspoeling van

rig-site   eindpunt (pipe-site) naar startpunt (*rig-site*) overbodig is.

5.3   Intrekken

Als laatste stap bij het uitvoeren van een bestuurbare horizontale boring wordt de gereed liggende productleiding in het volledig
pull-back   geruimde boorgat getrokken (*pull-back*).

Als eerste deel van het intrekgarnituur wordt een ruimer aan de boor-
swivel   streng in het boorgat geschroefd. Daarop volgt een wartel (*swivel*),

zie figuren 5.10 en 5.11, die de rotatie van de productleiding voorkomt. De swivel wordt via hoogwaardige verbindings D-sluitingen (schakels) met de trekkop verbonden.

pullhead

Bij de trekkop (*pullhead*) gaat het om een eindverbinding aan de pijpleiding die moet worden ingetrokken. De trekkop wordt aan de pijpleiding vastgelast en heeft aan de voorkant een bevestigingsmogelijkheid voor de verbindingsschakels.

Figuur 5.10 Wartel (swivel)

Figuur 5.11 Wartel (swivel)

Om de pijpleiding in het voorbereide boorgat te trekken wordt de boorstreng draaiend teruggetrokken naar de boorinstallatie en daar boorbuis voor boorbuis gedemonteerd. Door de tussengeschakelde swivel wordt voorkomen dat de draaiingen van de boorbuisstreng overgaan op de productpijp.

Ook bij deze stap wordt boorspoeling door de boorstreng gepompt en komt er bij de ruimer door de nozzles uit. De boorspoeling transporteert daarbij afgeboorde grond uit het boorgat en vermindert tevens de wrijving tussen pijpleiding en de wand van het boorgat. In een boorgat dat af is, kan niet alleen een enkele pijp worden getrokken, maar kunnen ook leidingbundels worden getrokken met leidingen van verschillende diameters of materialen.

5.4 Afwijkingen van de belangrijkste fasen bij het werk

De voornoemde hoofdfasen geven de standaardfasen weer en kunnen al naargelang de methode in de praktijk er heel anders uitzien. Afhankelijk van de eisen van een project worden de afzonderlijke fasen aangepast, gewijzigd of door andere fasen vervangen dan wel aangevuld.
Voor elk project moet daarom een eigen werkbeschrijving worden opgesteld, die aan de specifieke randvoorwaarden is aangepast.

6 Protocollering en documentatie

Naast de reeds genoemde gegevens bij het verloop van de pilotboring worden tijdens de afzonderlijke stappen voortdurend de volgende waardes gemeten, geprotocolleerd en gecontroleerd:
- trek- en drukkrachten op de boorbuis;
- aantal en nummer van de boorbuizen;
- toerental van de boormotor;
- draaimoment voor het draaien van de boorstreng;
- boorspoelingsdruk (pompdruk);
- boorspoelingsvolume (pompvolume);
- tijd;
- dichtheid van de boorspoeling;
marsh-funnel   - plastische viscositeit van de boorspoeling (*marsh-funnel*).

Na voltooien van de werkzaamheden worden de volgende gegevens verzameld:
- situatie (bovenaanzicht) met werkelijke/gewenste verloop van de boorlijn;
- lengtedoorsnede van het terrein met werkelijke/gewenste verloop van de boorlijn.

7   Beschrijving van de meetmethode

7.1   Algemeen

De exacte opmeting van het verloop van een gestuurde boring, tijdens de pilotboring, wordt gedaan m.b.v. een drie-dimensionale positie bepaling van de boorkop. Op basis van de verkregen gegevens is het mogelijk de boring langs de geplande, twee- of drie-dimensionale boorlijn te sturen.

Teneinde een afwijking van de geplande boorlijn zo gering mogelijk te houden, moet een positie bepaling van de boorkop tijdens de pilot boring continu en op iedere positie mogelijk zijn.

Bij het gestuurd boren onderscheidt men twee principiële meet-methoden:
Wire-Line methode
Walk-Over methode
– *Wire-Line methode*;
– *Walk-Over methode* (zonder kabels).

Bovendien zijn er dan nog de verschillende speciale meetmethoden waar bijzondere eisen gevraagd worden. Opmeten van de pilotboring m.b.v. een gyro kompas is één van deze speciale meetmethoden.

In de meeste gevallen wordt gebruik gemaakt van een combinatie van systemen bestaande uit een Tensor Steering Tool en de Tru-Tracker methode. Het principe van het Steeringtool komt uit de in de verticale boortechniek gebruikte meetmethode. Het TruTracker systeem is een speciale aanvulling hierop, aangepast aan de eisen van de in de nabijheid van het maaiveld ingezette gestuurde boor-techniek.

7.2   Steeringtool

Met behulp van het Steeringtool systeem kunnen de volgende meet-waarden vastgelegd worden:
azimuth
– *Azimuth* (richting in het horizontale vlak van de boorkop t.o.v. het magnetisch noorden);
inclination
toolface
– *Inclination* (hellingshoek van de boorkop);
– *Toolface* (richtingsoriëntatie van de boorkop, hellingshoek).

Het systeem maakt bij het bepalen van de richting gebruik van het natuurlijke magneetveld van de aarde. De bepaling van de hellings-hoek en de berekening van de toolface worden gedaan aan de hand van de zwaartekracht van de aarde. Naast de genoemde meetwaarden wordt ook de meting van de temperatuur van de meetsonde via de kabel bovengronds overgebracht.

De meetunit bestaat uit de hoofdcomponenten sonde (probe) met de opnemers, interface-unit, computer en display (zie figuur 7.1 en 7.3).

Figuur 7.1 Bovengronds Steeringtool apparaat

De sonde wordt in de boorpijp direct achter de boorkop geplaatst. Teneinde verstoringen bij het verzamelen van de meetgegevens uit te sluiten, zijn de eerste boorpijpen uit niet – magnetisch materiaal gemaakt (zie figuur 7.2).

De door de sonde geregistreerde gegevens worden via de kabel naar de computer van de meetdeskundige gestuurd. Met behulp van een speciaal programma wordt dan de exacte positie van de boorkop berekend. De door de boorpijp lopende kabel is van een speciaal fabrikaat (ca. 6 mm^2) en moet na iedere geboorde boorbuis verlengd worden.

magnetometersysteem

Het meten gebeurt d.m.v. de in de sonde geïnstalleerde magnetometers en inklinometers. Het drie-assige *magnetometersysteem* reageert op de veldsterkte van het magneetveld van de aarde en stelt de richtingsafwijking van de sonde vast t.o.v. de magnetische noordpool.

inklinometer

De op de zwaartekracht van de aarde reagerende *inklinometer* bestaat uit drie orthogonale op elkaar afgestemde accelerometers en meten de hoek van de sonde t.o.v. de richting van de zwaartekracht.

Figuur 7.2 Ondergronds Steeringtool gereedschap

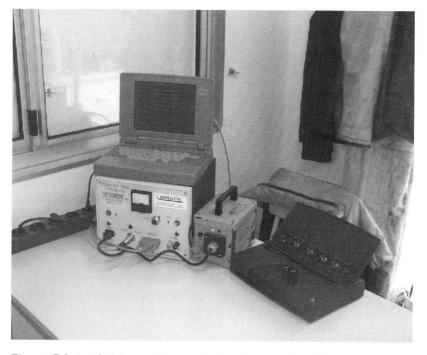

Figuur 7.3 Werkplek van de meetdeskundige met interface, computer en printer

Figuur 7.4 Informatiepaneel voor de boormeester (Driller's Console)

7.3   TruTracker

Voorzover het oppervlak boven het boortracé toegankelijk is, wordt de meetnauwkeurigheid verhoogd door het TruTracker systeem in te zetten. Dit systeem ziet er als volgt uit:
–   Op het maaiveld wordt een kabellus uitgelegd waar gelijkstroom doorheen wordt gevoerd om op die manier een kunstmatig magneetveld op te wekken.
–   Dit magneetveld overlapt het bestaande magneetveld van de aarde en is daarmee de meeteenheid voor de magnetometer in de sonde.
–   Om een voldoende sterk magneetveld op te wekken is een relatief hoge stroomsterkte nodig. Deze is afhankelijk van de diepte van de boring onder het maaiveld en wordt over het algemeen opgewekt met een lasgenerator.
–   Het TruTracker systeem kan alleen in combinatie met het Steeringtool systeem worden gebruikt.
–   De controlemetingen met TruTracker worden in het algemeen na iedere geboorde boorpijp uitgevoerd.

Systeemspecificaties

Specificaties van het Steeringtoolsysteem

Driller's Console (zie figuur 7.4)

Omgevingstemperatuur:	−10°C tot + 70°C
Afmetingen:	23 × 20 × 11,5 cm
Gewicht:	4,5 kg
Waterdichte kast	
Instrument:	Inklination: digitaal, +/−90°, schaal: 0,1°
	Azimuth: digitaal, 360°, schaal: 0,1°
	Toolface: analoog, 360°, schaal: 1,5°
Stroomtoevoer:	via Interface

Steering Tool Interface (STI)

Omgevingstemperatuur:	−40°C to +70°C
Afmetingen:	20 × 28 × 28 cm
Gewicht:	5,4 kg
Kapaciteit:	60 W, 50/60 Hz

Sonde (ST 75-1750 Probe)

Omgevingstemperatuur:	0°C tot 75°C (max. 90°C)
Afmetingen:	lengte: 1,22 m
Diameter: Spec	44,45 mm
Drukkast:	Beryllium-Koper
Toelaatbare druk:	830 bar
Stroomvoorziening:	kabel, controle laadtoestand

Specificaties van het TruTracker systeem

De onderstaande gegevens zijn een aanvulling op de gegevens van het Steeringtool systeem.

lasgenerator:	100 – 300 A
magneetveld:	ca. 1000 – 5000 nT (Nano Tesla)
antennekabel:	10 – 16 mm² doorsnede
benodigde stroomsterkte:	ca. 10 A per diepte in meter van de boring onder maaiveld
oppervlakte t.b.v. de kabel:	lang: optimaal is ca. 100 – 150 m breed: ca. 1 – 1,5 × de diepte in meters van de booraslijn.

7.4 Het Walk-over systeem

Het Walk-over systeem wordt meestal bij de kleinere boormachines gebruikt. Dit systeem ziet er als volgt uit:

- De bij dit systeem gebruikte componenten zijn een zender en ontvanger. Van de zender worden electromagnetische impulsen als signaal aan de omgeving afgegeven.
- De daarbij ontstane electromagnetische golven hebben een vooraf gedefinieerde frequentie. De bovengrondse ontvanger aan de oppervlakte ontvangt en verwerkt de informatie verkregen van de ondergrondse zender.
- Door middel van signaalsterkte metingen kan de operator de betreffende locatie en diepte bepalen. Tevens wordt informatie verstrekt over de actuele inclinatie, beitelstand (toolface) en batterijconditie.

De voordelen van het systeem zijn:
- Aangezien de zender en ontvanger door batterijen gevoed worden is een kabel verbinding niet noodzakelijk.
- Het ontbreken van tijdrovende kabelverbindingen zorgt ervoor dat er sneller kan worden gewerkt.
- Dit systeem is een relatief goedkoop meetsysteem en door zijn eenvoud snel inzetbaar zonder langdurige training.

De nadelen van het systeem zijn:
- Als potentieel probleem bij deze vorm van signaal overdracht kunnen storingen van electromagnetische aard uit de omgeving zijn. Hierdoor kunnen meetwaarden negatief beïnvloed worden.
- Ook door dempingseffecten van de verschillende grondsoorten beperkt de inzet van dergelijke meetsystemen zich tot een diepte van ongeveer 15 meter.
- Daarbij komt het probleem van de beperkte levensduur van de toegepaste batterijen.
- Bij een terrein met grote hoogteverschillen en grote water-kruisingen is de nauwkeurigheid niet altijd te garanderen.

Het walk-over meetsysteem is goed te gebruiken in goed begaanbaar gebied.

'Walk over' Meetinstrument (zie figuur 7.5)
De fabrikant is: Radiodetection
Dit meetinstrument geeft informatie betreffende:

- lokatie;	- kompaskoers;
- diepte;	- uitlezing in centimeters of inches;
- hellingshoek;	- baken batterij status;
- toolface;	- baken temperatuur.
- links / rechts;	

DrillTrack DataView

RD385 Long Range DataSonde

Figuur 7.5 'Walk over' meetinstrument

8 Bentoniet boorspoeling

8.1 Functies

boorspoeling

Met *boorspoeling* worden alle tijdens een boorproces in het boorgat circulerende vloeistoffen bedoeld. Bij het horizontaal gestuurd boren zijn dit suspensies, waarvan samenstelling en eigenschappen moeten worden aangepast aan de geologische en boortechnische omstandigheden.

suspensie

Een *suspensie* is een fijne verdeling van vastestofdeeltjes in een vloeistof. Betreffen het zeer kleine deeltjes dan spreekt men van colloïden. Bij kleimineralen wordt de grens bij 2 μm gelegd.

Boorspoeling wordt veelal aangepast door toevoeging van bentoniet.

bentoniet-suspensie

De *bentoniet-suspensie* dient de volgende functies.
- hydraulisch losspoelen van het grondmateriaal d.m.v. nozzles (waterstraal);
- aandrijving van boormotoren (toevoer van hydraulisch energie);
- afdichting en stabilisering (steunen) van het boorgat door een hydrostatische tegendruk op de boorgatwand op te wekken;
- transporteren van het afgeboorde grondmateriaal naar het oppervlak;
- voorkomen van het afzetten van afgeboorde grond (cuttings) bij onderbrekingen van de circulatie;
- vermindering van de wrijving.

Om deze primaire taken te vervullen, moet de boorspoeling een aantal speciale eigenschappen hebben. In de meeste gevallen is bentoniet in staat om de suspensie de nodige eigenschappen te verlenen om aan de beoogde taken te kunnen uitoefenen. Bij extreem moeilijke boortechnische omstandigheden zullen aan de bentoniet-suspensie nog meer (natuurlijke) stoffen (additieven) worden toegevoegd, bijvoorbeeld polymeren of middelen die de viscositeit of pH-waarde regelen.

Bij het boren worden op de bouwplaats de volgende parameters van de spoeling in de gaten gehouden:
– dichtheid
– viscositeit (uitlooptijden Marsh-trechter)
– waterafgifte, filterkoekdikte
– pH-waarde/zoutgehalte

rotatie-viscometer

Met een *rotatie-viscometer* kan bovendien in het laboratorium (of op de bouwplaats) voor elke boorspoeling de viscositeit met behulp van een zogenaamde elasticiteitskromme worden achterhaald resp. gecontroleerd.

9 Boorspoeling recycling

9.1 Algemeen

Om de volgende redenen is, ook op het terrein van het gestuurd boren, steeds vaker het hergebruik van de gebruikte boorvloeistof vereist:
– verbeterde en strengere milieuwetten,
– de steeds groter wordende boorgat inhoud
– de stijgende kosten voor het aanmaken van de boorspoelingen met hogere kwaliteit en het lozen daarvan.

Een belangrijk punt waaraan een kwalitatief en aan de gestelde eisen aangepast hergebruik moet voldoen is het bovengronds verwijderen van alle vaste stoffen uit de boorvloeistof. *Ongewenste vaste stoffen in de boorspoeling* zijn alle bestanddelen boven een bepaalde korrelgrootte. Het betreft hier het tijdens het boorproces vrijgekomen grondmateriaal uit de aarde.

ongewenste vaste stoffen in de boorspoeling

Alleen als het lukt, deze vaste stoffen bovengronds uit de boorspoeling te verwijderen, bevat deze boorspoeling opnieuw de voor hergebruik noodzakelijke *rheologische eigenschappen*.
Met name bij grote gestuurde boringen kan vandaag de dag, vanwege de aanzienlijke circulatie hoeveelheden, nog nauwelijks zonder hergebruik van de boorspoeling gewerkt worden.

rheologische eigenschappen

De installaties voor hergebruik komen van oorsprong uit de olie-industrie. Vanwege de deels gewijzigde eisen aan dit materieel voor gebruik bij het gestuurd boren, met name het verwerken van een procentueel zeer hoog aandeel vaste stoffen in de boorspoeling, was het echter nodig een paar wijzigingen aan het systeem aan te brengen. Moderne recyclinginstallaties zijn vandaag de dag in staat spoelvolumes van meer dan 2500 l/min. te verwerken.

9.2 Boorspoelingskringloop

Bij het gebruik van een recyclinginstallatie vindt de spoelkringloop in een *gesloten systeem* plaats. Dit systeem bestaat uit de volgende stappen:

gesloten systeem

– Uit bentoniet + water wordt in een menginstallatie eerst de benodigde aanvangshoeveelheid aan boorspoeling samengesteld.

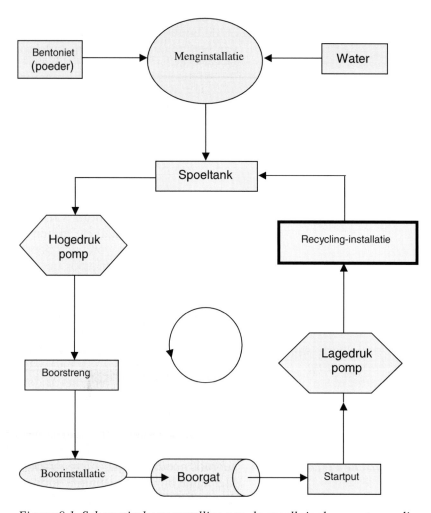

Figuur 9.1 Schematische voorstelling van de spoelkringloop met recycling

- Vervolgens wordt deze voor gebruik gereed zijnde substantie in een spoelingtank overgepompt, waaraan de zuigzijde van de hogedrukpomp is gekoppeld.
- Deze hogedrukpomp pompt de boorspoeling via de boorstreng naar de boorkop.

nozzles

- Nadat de spoeling via *nozzles* uit de boorkop is gekomen, neemt deze op verschillende manieren de losgespoelde grond op en vervoert deze via de ruimte tussen boorstreng en boorgatwand terug naar de put aan het beginpunt van de boring.

cuttings

- De met afgeboorde grond (*cuttings*) verzadigde boorspoeling wordt dan door een lagedruk pomp naar de recycle-installatie teruggepompt.

In figuur 9.1 is een schematische voorstelling te vinden van dit proces.

9.3 Recyclinginstallatie

In een recyclinginstallatie (zie figuren 9.2, 9.3 en 9.4) zijn verschillende apparaten voor de controle op vaste stoffen in de vorm van een reinigingsketen geïntegreerd. De afzonderlijke apparaten scheiden korrels uit een bepaalde korrelfractie af, waarbij de grootste fracties als eerste afgescheiden worden.

De volgorde van de afzonderlijke apparaten is meestal als volgt:
- trilzeef;
- zandverwijderaar;
- ontzilting $\rightarrow$ mudreiniging (optioneel).

Figuur 9.2 Recycling-installatie van een Maxi-boorinstallatie

Trilzeef

Trilzeven zijn enkele of boven elkaar opgestelde vlakke zeven voor het afscheiden van de grovere bestanddelen. De zeef wordt door middel van een aandrijfmotor aan het trillen gebracht, waarbij rechtlijnige-, eliptische- of cirkelvormige bewegingen mogelijk zijn. De hoeveelheid spoelvloeistof wordt over de zeef geleid. Afhankelijk van de gekozen zeefgatgrootte, blijven de vaste stoffen achter. Door de trilling van de zeef worden ze in relatief droge toestand afgescheiden.

Het rendement van de trilzeven is afhankelijk van verschillende factoren, bijv. de zeefgat grootte, de opstelling van de zeven, de hellingshoek, de zeefbeweging en de zeefamplitude.

Zandverwijderaar

ontzandings-hydrocyclonen

hydrocyclonen

De tweede stap in de reinigingsketen zijn de *ontzandings-hydrocyclonen*. Als zandverwijderaar worden over het algemeen de grotere *hydrocyclonen* met diameters tussen de 12″ en 8″ (standaars 10″) aangeduid. Met behulp van deze apparaten kunnen vaste stoffen > 60 µm verwijderd worden.

Een zandverwijderingseenheid bestaat uit meerdere hydrocyclonen en een pompinstallatie. De vanonder de trilzeef komende boorspoeling wordt door een pomp met een bepaalde voordruk in de hydrocyclonen geperst en daar middels de ontstane centrifugaalkrachten van vaste stoffen > 60 µm ontdaan.

Figuur 9.3 Bentonitmeng- en recycle-installatie

Een hydrocycloon bestaat uit de volgende hoofdonderdelen:
- een cilindrische inloop kamer aan de bovenkant van de cycloon met tangentiaal geïntegreerde inloop aansluiting en uittrede opening van de overloop
- een conisch middengedeelte, waarin de scheiding van de vaste stoffen wordt uitgevoerd
- een cilindrisch benedenstuk met uitstroom opening

Ontzilting

ontzilting
zandverwijdering
hydrocyclonen

De opbouw en werking van *ontzilting* en *zandverwijdering* is identiek. Het verschil zit hem in de diameter van gebruikte *hydrocyclonen*. Ontzilters hebben normaal gesproken een diameter tussen de 3″ en 6″ (standaard 4″).

De kleinere diameter en de gedeeltelijke toepassing van een nozzle bij de inloop van de cycloon veroorzaken een hogere centrifugaalkracht en maken het daardoor mogelijk vaste stoffen tot ongeveer 25 μm af te scheiden.

De uitloop van de ontziltingsbatterij wordt gedeeltelijk over bijzonder fijne trilzeven gevoerd en ontwaterd. Deze combinatie wordt ook wel als mudreiniger aangeduid.

Figuur 9.4 Gecombineerde meng- en recycle-installatie

9.4 Samenvatting

Een belangrijke voorwaarde voor een optimale scheiding van de vaste stoffen (controle) is de optimale afstemming tussen de afzonderlijke apparaten onderling. Dit betekent dat door de afzonderlijke onderdelen van de controleketen van de vaste stoffen alle korrelfracties verwijderd moeten kunnen worden. De apparatuur moet dan ook zo geconfigureerd zijn dat ze de geplande korrelgrootte en hoeveelheid ook bij de maximale volumestroom verwijderen kunnen.

De doorstroomcapaciteit van ieder afzonderlijk onderdeel van de reinigingketen ligt ongeveer tussen de 20%–30% boven het maximale circuleringsvolume, waardoor zeker gesteld is dat ieder deel van de spoelvloeistof een bewerking ondergaat.

De reinigingsketen wordt normaal gesproken steeds aangepast aan de aangetroffen grond en de gebruikte spoelvloeistof.

Het goed functioneren van de vaste stoffenafscheiding is niet alleen voor het herstellen van de kwalitatieve eigenschappen van de boorspoeling van groot belang, maar ook voor de levensduur van de gebruikte hogedruk pompen. Het rendement van de installatie wordt bepaald door het meten van de hoeveelheid zand aan het einde van de reinigingsketen.

MICROTUNNELING

1   Algemeen

Met de opkomst van machinale technieken voor tunnelbouw, vanaf het midden van de 20ste eeuw, ontstond tevens de vraag naar de sleufloze aanleg van leidingen, kabels en andere nutsvoorzieningen, die onder bestaande wegen, rivieren of andere nutsvoorzieningen moesten worden aangelegd.

boorschilden
boorrad
boorkamer
gesloten
front (boor)techniek
tunnelbekleding

Voor de 'grote tunnelbouw' werden de eerste *boorschilden* gebouwd. Een ronddraaiend *boorrad* ontgraaft hierbij de grond. Het boorrad bevindt zich in het voorste gedeelte van het boorschild, ook wel *boorkamer* genoemd. De boorkamer is afsluitbaar: men spreekt van de *gesloten front (boor)techniek*. Het boorschild ondersteunt de gegraven tunnel. Achter het boorschild wordt de *tunnelbekleding* aangebracht.

Men kan hierbij opmerken dat er een vrijwel gescheiden ontwikkeling plaatsvindt van:
- enerzijds de boorschilden voor 'zachte' ondergronden zoals terug te vinden in de ons omringende landen (en ook in Japan);
- anderzijds boorschilden voor gesteente in landen zoals Oostenrijk, Zwitserland en Canada.

microtunneling

Een belangrijk aspect bij de opbouw van de definitie van *microtunneling* is de diameter van de tunnel. Voor dit soort ondergrondse infrastructuur varieert de diameter van enkele cm's tot maximaal ca. 3 m. Een diameter van 5.0 m wordt ook genoemd. Dit is namelijk ongeveer de maximale afmeting van een buiselement, die nog met normaal transport over de weg vervoerd kan worden naar de bouwplaats.

De definitie van microtunneling die we hierna zullen aanhouden luidt als volgt:
Microtunneling is het geheel van machinale boortechnieken met gesloten front(schild)boringen, dat wordt gebruikt voor de sleufloze aanleg van ondergrondse infrastructuur tot een diameter van ca. 3,5 m.

De verschillende gebruikte technieken in de 'grote tunnelbouw', zoals snijtanden, steenbreekinstallaties, injectietechnieken, worden vandaag de dag ook toegepast in de microtunneling. Een sterke ontwikkeling in beide disciplines heeft los van elkaar plaatsgevonden sinds de jaren '80. Maar het is ook te zien dat allerlei technieken naar elkaar zijn gegroeid en hebben geresulteerd in gecombineerde toepassingsmogelijkheden.

Een aantal boorsystemen, zoals toegepast voor microtunneling, zullen nu verder toegelicht worden.

2 Boorsystemen met gesloten front - microtunneling

2.1 Inleiding

De indeling van de in de microtunneling gebruikte boorschilden gebeurt op basis van de wijze van ondersteuning van het boorfront. Het *boorfront* (ook vaak *ontgravingsfront* genoemd) is het gedeelte helemaal vooraan in de tunnel, dit wil zeggen de zone waar de ontgraving gebeurt.

boorfront, ontgravingsfront

Bij het ontgraven moet men er op letten dat er niet te veel grond wordt weggenomen. Dit zou aanleiding geven tot ontspanning van de grond juist voor het boorschild, met gevaar voor verzakkingen aan het maaiveld, wat tot gevaarlijke situaties voor de omgeving kan leiden. De grond die zich vlak voor het boorschild bevindt mag daarom niets ondervinden van het ontgravingsproces. Dit kan enkel en alleen als deze grond door het boorschild en/of het boorrad degelijk wordt ondersteund.

Er zijn hiervoor verschillende methoden beschikbaar:
- de aanwending van lucht onder druk (perslucht): de zogenaamde *luchtdruk(balans) schilden*
- de aanwending van een vloeistof onder druk: de zogenaamde *vloeistof(druk)schilden*
- het samendrukken van de reeds weggeboorde grond in de boorkamer: de zogenaamde *gronddruk(balans)schilden*

luchtdruk(balans) schilden

vloeistof(druk)schilden

gronddruk(balans)schilden

In de volgende subparagrafen zullen deze verschillende typen van boorschilden behandeld worden.

2.2 Luchtdruk(balans)schilden

Luchtdruk(balans)schilden (zie figuur 2.1) worden in Nederland niet gebruikt, alleen als er problemen zijn.

Het werkingsprincipe is als volgt: een verhoogde luchtdruk in de vorm van perslucht aangebracht in de boorkamer voorkomt het

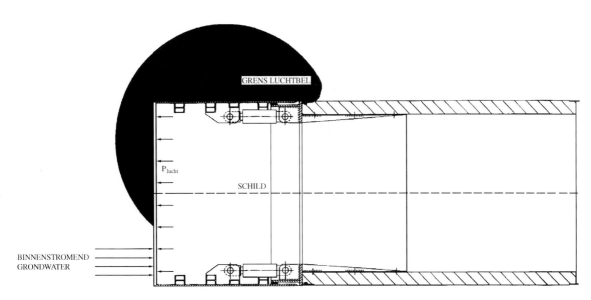

Figuur 2.1 Luchtdrukbalansschilden

grondwaterspanning

binnenstromen van grondwater in de tunnel. De lucht dringt in de grondporiën tot een evenwicht wordt bereikt tussen de aanwezige *grondwaterspanning* en de aangebrachte luchtdruk. Deze techniek werd vooral in het verleden veel toegepast bij open front (handmatige) ontgraving van het boorfront.

De nadelen van deze techniek zijn als volgt:

hyperbare omstandigheden
caissonziekte

– De mensen dienen te werken onder *hyperbare omstandigheden*, hetgeen risico's inhoud voor de gezondheid (bijvoorbeeld *caissonziekte* en allerlei spier- en gewrichtsaandoeningen).

in- en uitsluistijden
verblijftijden

– Eveneens treedt bij deze techniek een zeker productieverlies op omwille van (wettelijk vastgelegde) *in- en uitsluistijden* en *verblijftijden* die dienen te worden gerespecteerd. Een gedeeltelijke oplossing hiervoor wordt geboden door enkel de boorkamer onder luchtdruk te brengen waarbij de mensen voor bediening van het boorschild onder normale atmosferische omstandigheden kunnen blijven werken.

heterogene gronden
gronddekking
blow-outs

– Een ander nadeel van deze techniek is het moeilijk regelbaar en controleerbaar zijn van de ondersteuning van het boorfront. Vaak treden bij *heterogene gronden*, bij gronden met hoge doorlaatbaarheid en bij kleine *gronddekking* problemen op in de vorm van *blow-outs* van lucht. Hierdoor kan de luchtdruk niet gehandhaafd blijven waardoor instortingen aan het boorfront kunnen optreden.

Men kan stellen dat deze techniek quasi tot het verleden behoort. Hij dient echter voor de volledigheid te worden vernoemd, mede omdat het gebruik ervan nog steeds voorkomt. Dit gebeurt dan eerder op afzonderlijke basis, bij onderhouds- en/of reparatiewerken of bij het verwijderen van niet-fractioneerbare hindernissen voor het boorfront van de boorschilden die verder zullen worden besproken in de subparagrafen VIII.2.3 en VIII.2.4.

2.3   De vloeistof(druk)schilden

hydroschilden

Vloeistof(druk)schilden (zie figuur 2.2) worden vaak ook *hydro-schilden* genoemd. Het werkingsprincipe is als volgt te omschrijven:

steunvloeistof
bentonietsuspensie

– Het boorrad bevindt zich in een met een *steunvloeistof* gevulde boorkamer. De steunvloeistof, meestal een *bentonietsuspensie* al dan niet qua eigenschappen verbeterd door toevoeging van

additieven
bentoniet

  additieven, ondersteunt het boorfront.
– *Bentoniet* is een kleisoort die in onder andere in Griekenland en de V.S. wordt gewonnen. Na de ontginning wordt het bentoniet gedroogd en fijn gemalen, waarna het kan worden verpakt in bijvoorbeeld big-bags voor transport.

menginstallatie

– Op het werk wordt bentoniet in een speciale *menginstallatie* vermengd met water volgens een bepaalde mengverhouding. Er

thixotrope vloeistof

  ontstaat een zogenaamde *thixotrope vloeistof*.
– De vloeistof wordt vervolgens naar de boorkamer verpompt.

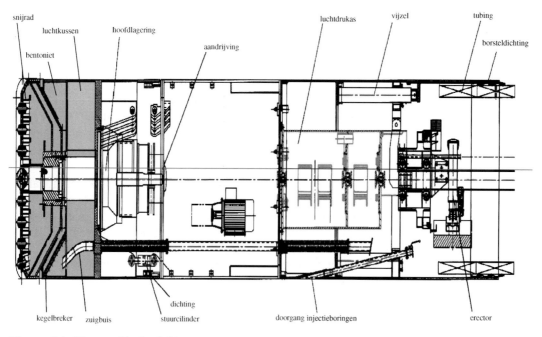

Figuur 2.2 Vloeistofdrukschilden

- Een luchtkussen in de achterliggende ruimte zorgt via een zelf-regulerend systeem voor het opvangen van drukstoten in de steunvloeistof.
- De eigenschappen van de bentonietsuspensie moeten voortdurend gecontroleerd worden, aangezien het aanwezige grondwater deze eigenschappen zal beïnvloeden. Ook de grond heeft zijn invloed op deze eigenschappen. Zeer fijne deeltjes (bijvoorbeeld in klei-, leem- of veengronden) worden tijdens het boren in de suspensie opgenomen.
- Dit hoeft echter niet altijd nadelig te zijn; het bentonietverbruik kan daardoor in sommige gevallen gevoelig worden gereduceerd.

restvloeistof

Een groot nadeel van de vloeistofdrukschilden is de grote hoeveelheden aan *restvloeistof*, dit wil zeggen niet meer bruikbare suspensie, die naar een stortplaats dienen te worden gebracht. Tegenwoordig tracht men hiervoor andere oplossingen te vinden, bijvoorbeeld voor aanwending bij *landscaping*. Men gaat de bentonietsuspensie vermengen met aanleggronden, waardoor deze betere eigenschappen verkrijgen voor wat betreft wateropnamecapaciteit. Dit kan omdat bentoniet als natuurlijke kleisoort helemaal niet schadelijk is voor het milieu.

landscaping

2.4   De grondruk(balans)schilden

EPB-schilden

De gronddruk(balans)schilden (zie figuur 2.3) worden vaak ook *EPB-schilden* genoemd. EPB staat daarbij voor Earth Pressure Balanced.

Bij dit type van boorschilden voor microtunneling wordt de ondersteunende functie aan het boorfront verkregen door het gecontroleerd onder druk houden van de reeds afgeboorde grond zelf. Dit vereist een zekere samendrukbaarheid en *cohesie* van de grond. Een in een buis aangebrachte spiraalschroef zorgt voor een gecontroleerde *drukgradiënt* tussen de boorkamer en de in de tunnel heersende atmosferische omstandigheden.

cohesie
drukgradiënt

Als de grond uit zichzelf geen samendrukking toelaat, worden chemische additieven toegepast. Door een juiste keuze en dosering van dit additief kan opnieuw een gecontroleerde drukval worden verkregen van P_{steun} naar P_{atm} over de volledige lengte van de transportschroef. Een druksensor in de boorkamer samen met het geregistreerde *draaimoment* op het boorrad zijn maatgevend voor het grondevenwicht in de boorkamer.

draaimoment

Verder wordt het EPB-schild gekenmerkt door een tamelijk 'gesloten' boorrad ('full-face') voor een bijkomende garantie op een goede ondersteuning van het boorfront.

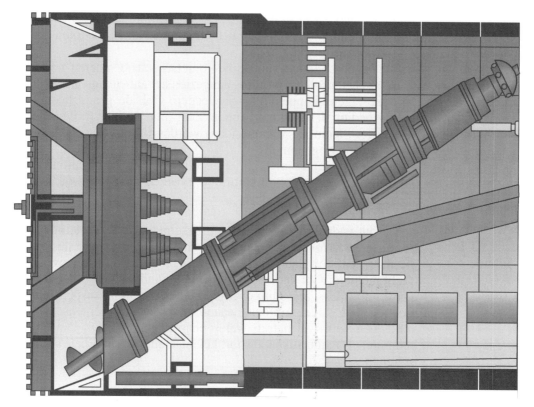

Figuur 2.3 Gronddruk(balans)schilden

2.5   Enkele in de praktijk gebruikte boorschilden

Er zullen nu enkele voorbeelden gegeven worden van de bij micro-tunneling gebruikte boorschilden. Eerst is het echter belangrijk om te vermelden dat er de laatste jaren een tendens is waar te nemen in de richting van meer *universele boorschilden*. Hierbij worden de drie manieren van boorfrontondersteuning (luchtdruk, vloeistofdruk en gronddruk) vaak gecombineerd in één boorschild. Er kan dan, naargelang de grondgesteldheid, overgeschakeld worden van het ene werkingsprincipe naar het andere.

universele boorschilden

Er zijn dus gronddrukschilden die kunnen omschakelen naar vloei-stofdrukwerking of waarbij, bijvoorbeeld voor onderhoud of re-paraties aan het boorrad, tijdelijk luchtdrukondersteuning kan plaatsvinden.

Een voorbeeld van een boorschild vindt men aan de hand van figuur 2.4.

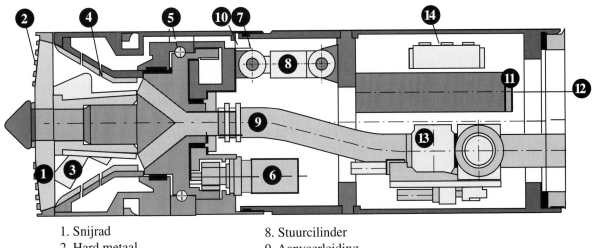

1. Snijrad   8. Stuurcilinder
2. Hard metaal   9. Aanvoerleiding
3. Breekruimte   10. Afvoerleiding
4. Injectie-opening   11. Target
5. Aandrijving   12. Laserstraal
6. Aandrijving rad   13. Bypass
7. Scharnierpunt   14. Ventielblok

Figuur 2.4 Voorbeeld van een boorschild

Het werkingsprincipe van een boorschild is als volgt:

– Het boorschild bestaat uit twee delen : een beweegbaar deel en een vast deel.

hydraulische stuurvijzels
– Tussen deze twee delen bevinden zich drie *hydraulische stuurvijzels*. Dit systeem maakt het mogelijk om in een bocht te boren. Het boorschild is dus bestuurbaar.

– Om bij elke hoekverdaaiing de waterdichtheid te garanderen tussen het vaste en het beweegbare deel is een speciale dichting aangebracht.

breekruimte
– Het voorste, beweegbare, deel bestaat uit het boorrad, dat ingebouwd is in een conische *breekruimte*. Deze laatste is steeds gevuld met in samengedrukte toestand gebrachte grond. Het boorrad is voorzien van snijtanden om harde insluitsels in de ondergrond te kunnen verbrijzelen. De snijtanden zijn uitwisselbaar bij slijtage. Men kan het type van snijtanden wijzigen naargelang de bodemgesteldheid. Dit gebeurt meestal vooraf aan de hand van het uitgevoerde grondonderzoek.

gecalibreerd
– In de breekruimte worden de aangeboorde hindernissen en harde insluitsels gebroken en *gecalibreerd*.

debieten van aan- en afvoer

– Via de aanvoeropeningen wordt de boorvloeistof met de grond-specie vermengd, zodat een verpompbaar geheel ontstaat.
– De evenwichtstoestand aan het boorfront (de ondersteuning van het boorfront) wordt geïnterpreteerd aan de hand van het aan-drijfkoppel van het boorrad en de *debieten van aan- en afvoer* van de boorvloeistof.

bypass-installatie
electronische target

– In het vaste gedeelte van het boorschild bevindt zich de hydrau-lische aandrijfmotor van het boorrad, de *bypass-installatie* en de *electronische target*. Bij stilstand wordt door middel van de bypass-installatie de aan- en afvoerleiding in het vaste gedeelte van het boorschild afgesloten, zodat het boorfront ondersteund blijft door de in de boorkamer aanwezige samengedrukte grond-specie. Buiten de werkuren of tijdens het monteren van een buiselement is het bijgevolg niet nodig de apparatuur te laten draaien om het boorfront te ondersteunen.

centrifugaalpompen

– Tijdens het boren wordt de afgeboorde grond vermengd met de boorvloeistof door middel van snelheidsgeregelde *centrifugaal-pompen* naar het oppervlak gepompt. Na ontzanding of bezinking in een bezinkbassin wordt de geregenereerde boorvloeistof terug naar het boorschild verpompt.
– Het bestaande elektriciteitsnet of een stroomaggregaat levert de nodige electrische stroom voor de machine.

Conclusie: men kan hier stellen dat de ondersteunende functie in de boorkamer wordt verkregen door een regeling van aan- en afvoer-debieten van boorvloeistof in de boorkamer. Het systeem is dus afgeleid van een vloeistof(druk)schild. Het luchtkussen ontbreekt hier echter en als boorvloeistof wordt meestal gewoonweg water gebruikt in plaats van bentoniet. Wanneer echter in *niet-cohesieve gronden* wordt geboord kan men eventueel overschakelen op bento-niet. Typisch voor dit systeem is de conische boorkamer die tegelijk fungeert als breekruimte. In feite kan men aan de hand van het schema ook stellen dat de boorkamer het gronddrukschild is.

niet-cohesieve gronden

Figuur 2.5 toont een ander type boorschild.

Het werkingsprincipe van dit type boorschild (zie figuur 2.5) is als volgt:
– Dit type boorschild bestaat eveneens uit een beweegbaar deel en een vast deel.
– Tussen deze twee delen bevinden zich nu vier hydraulische stuurvijzels. Om tijdens het boren in bochten bij elke hoek-verdraaiing de waterdichtheid te garanderen tussen het vaste en het beweegbare deel, is ook weer een speciale afdichting aangebracht.
– Het voorste, beweegbare, deel bestaat ook hier weer uit de boor-kamer, die steeds gevuld is met afgeboorde samengedrukte grond-specie.

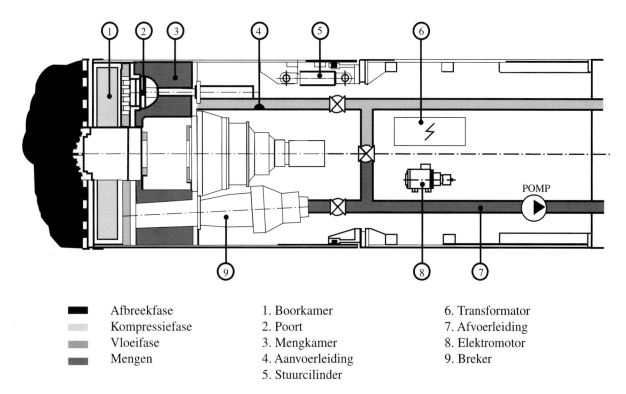

Afbreekfase	1. Boorkamer	6. Transformator
Kompressiefase	2. Poort	7. Afvoerleiding
Vloeifase	3. Mengkamer	8. Elektromotor
Mengen	4. Aanvoerleiding	9. Breker
	5. Stuurcilinder	

Figuur 2.5 Voorbeeld van een boorschild

boorkamer
debieten van aan- en afvoer

mengkamer

breek(en calibreer)installatie

– In de boorkamer draait het boorrad dat is voorzien van snijtanden. Het type snijtanden kan in functie van de grond vooraf worden gekozen. Eventueel wordt water of bentoniet toegevoegd in de boorkamer om de grondspecie voldoende cohesief te maken. De evenwichtstoestand in de *boorkamer* wordt geinterpreteerd aan de hand van het aandrijfkoppel van het boorrad en de *debieten van aan- en afvoer.*

– Achter de boorkamer bevindt zich de zogenaamde *mengkamer.*
– Boorkamer en mengkamer zijn met elkaar verbonden via een doorstroomopening of regelpoort. Deze regelpoort is volledig afsluitbaar en het doorstroomdebiet is regelbaar.
– In de mengkamer wordt de transportvloeistof aangevoerd via de aanvoerleiding. Deze vloeistof wordt er gemengd met de grond-specie.
– Onderaan in de mengkamer bevindt zich een *breek(en calibreer)-installatie,* waarin eventuele harde insluitsels die zich in de boorspecie bevinden, gebroken worden.
– Het mengsel met de boorspecie wordt via de afvoerleiding en een centrifugaalpomp tot aan het oppervlak gepompt.

decantatie
- Na ontzanding of *decantatie* in een bezinkbassin wordt een gedeelte van de geregenereerde transportvloeistof terug naar het boorschild verpompt voor hergebruik.
- Bij stilstand is de regelpoort tussen boorkamer en mengkamer gesloten en blijft, zoals steeds, de boorkamer volledig gevuld met de samengedrukte grondspecie.
- Buiten de werkuren of tijdens het monteren van de buiselementen is het bijgevolg niet nodig apparatuur te laten draaien om het boorfront te ondersteunen.

Conclusie: We spreken hier van een gronddruk(balans)schild. Er is echter geen spiraalschroef (avegaar) aanwezig. Een gecontroleerde drukgradiënt wordt gerealiseerd door de achter de boorkamer liggende mengkamer in combinatie met het hydraulisch aan- en afvoersysteem. In de boorkamer bevindt zich grond in gecomprimeerde toestand die de ondersteunende functie bewerkstelligd.

Een aantal voordelen van dit systeem zijn:
- De grondinname wordt gecontroleerd door exacte regeling van poortopening en mengkamerdruk.
- De injectie van bentoniet, al dan niet qua eigenschappen verbeterd door additieven, kan worden aangewend in niet-cohesieve gronden. Er kan dus worden overgeschakeld op het vloeistofdrukprincipe.

cutterdiscs (rolbeitels)
- Het boorrad, alsmede de snijtanden, zijn uitwisselbaar gemaakt. Bij aanwending in rotsformaties kunnen eveneens *cutterdiscs (rolbeitels)* worden aangebracht.

perifere aandrijving
- De toegankelijkheid van het boorfront kan (bij de grotere diameters) worden voorzien door een *perifere aandrijving* in plaats van een centrale aandrijving.
- De boorkamer kan eveneens in conische vorm zijn uitgevoerd, waardoor betere eigenschappen worden bekomen in niet-cohesieve gronden.

3 Boorbuizen en tunnelsegmenten

3.1 Inleiding

In paragraaf 2 is het boorschild besproken, en de wijze van ondersteuning van het boorfront. In deze paragraaf wordt dieper ingegaan op de werkwijzen en materialen die worden gebruikt voor de tunnelwanden of - als het gaat om de aanleg van een leiding - de leidingwanden.

boorbuizen, doorpersbuizen
tunnelsegmenten, tubings
In de microtunneling is er sprake van twee grote groepen van wandbekleding, nl. de *boorbuizen* (ook *doorpersbuizen* genoemd) en de *tunnelsegmenten* (ook *tubings* genoemd).

In ongeveer 80% van de gevallen zal in de microtunneling gebruik gemaakt worden van boorbuizen. Er is echter de laatste jaren een tendens waarneembaar waarbij het gebruik van tunnelsegmenten, oorspronkelijk enkel van toepassing in de grote tunnelbouw, ook zijn intrede heeft gedaan in de microtunneling. Echter, omwille van logistieke redenen, is, zoals we verder zullen zien, het gebruik ervan enkel mogelijk vanaf een diameter van ca. 2 m en groter.

3.2   Doorpersingen en boorbuizen

Algemeen

Boorbuizen

Boorbuizen worden het meeste toegepast in de microtunneling. Meestal gaat het dan om betonnen boorbuizen die op de markt beschikbaar zijn in diameters variërend tussen 60 cm en 3,20 m inwendig. Andere materialen zijn mogelijk, bijvoorbeeld staal, GVK, en grès. Vroeger werd ook asbestcement als buismateriaal gebruikt. Omwille van het gevaar voor de gezondheid van dit materiaal, is het gebruik ervan tegenwoordig verboden.

(buis)doorpersing

De standaardlengte van een boorbuis ligt om en nabij de 3 m. Boorbuizen worden gebruikt wanneer er sprake is van een *(buis)- doorpersing*. Figuur 3.1 toont het principe van een buisdoorpersing.

Figuur 3.1 Principe van een buisdoorpersing

De doorpersing wordt gekenmerkt door volgende items:
- boorschild;
- persinstallatie of hoofdpersstation met dodenbed;
- stuurunit;
- ontzandingsunit;
- boorbuizen en tussendrukstations;
- montagekraan;
- stroomvoorziening;
- bentonietinstallatie;
- meet- en rekenapparatuur;
- randapparatuur (pompen, leidingen, kabels, communicatiemiddelen,...).

Werking van doorpersingen en boorbuizen
De werking van doorpersingen en boorbuizen is als volgt:
- Het boorschild 'boort zich een weg' van punt A: de persput (zie figuur 3.2) naar punt B: de ontvangput (zie figuur 3.3) volgens een vooraf in coördinaten vastgelegd tracé. (Voor het werkingsprincipe van het boorschild, zie paragraaf VIII.2).
- De voortgang van het boorschild wordt verkregen door het uitduwen van de hydraulische vijzels (*persvijzels*) die onderdeel uitmaken van de persinstallatie opgesteld in de persput.
- De persvijzels vinden hun reactiekracht in het dodenbed achteraan in de persput. Ze produceren een kracht (de *perskracht* of *persdruk*) voldoende voor het voor zich uit duwen van het boorschild inclusief de volledige tunnellengte.
- Telkens als de persvijzels het eind van hun slaglengte hebben bereikt, worden ze opnieuw ingetrokken. Hierna laat men een nieuwe boorbuis in de persput zakken, waarna het boorproces kan verder gaan.

Omwille van de tunnellengte is het interessant om de perskrachten zoveel mogelijk te beperken. Dit kan bereikt worden door de wrijving tussen de boorbuis en de omgeving (de grond) zo laag mogelijk te houden. Men gebruikt hiervoor bentonietsmering in combinatie met een *oversize-ring* op het boorschild. De diameter van het boorschild is net iets groter dan de uitwendige diameter van de boorbuizen.

Op deze wijze ontstaat een soort van ringruimte rondom de tunnel- of leidingwand die vervolgens wordt opgevuld met *bentoniet*. Dit bentoniet zal door zijn specifieke moleculaire structuur de wrijving tussen buiswand en boorgatwand aanzienlijk verminderen. Het bentonietmengsel wordt via de injectiegaten in de buiswand rondom de buis aangebracht.

In theorie is er geen beperking aan de tunnellengte wanneer wordt gewerkt volgens het *doorpersprincipe*, op voorwaarde echter dat de boorbuizen geen beperkingen kennen en de benodigde reactiekracht

persvijzels

perskracht
persdruk

oversize-ring

bentoniet

doorpersprincipe

Figuur 3.2 Persput

Figuur 3.3 Ontvangput

in de persput kan worden geleverd. Jammer genoeg zijn de boorbuizen in de praktijk beperkt voor wat betreft de druksterkte. Tot op
heden werden reeds doorpersingen uitgevoerd met een lengte van
ongeveer 1500 m. Het is de druksterkte van het gebruikte materiaal
van de buizen die uiteindelijk de maximaal toelaatbare perskracht, en
daarmee ook de totale lengte van de tunnel, zal bepalen.

Figuur 3.4 toont een aantal betonnen boorbuizen.

Figuur 3.4 Betonnen boorbuizen

We onderscheiden bij boorbuizen de volgende onderdelen (zie tevens
figuur 3.5).
- mofeind;
- spie-eind;
- injectiegaten;
- stootvlak;
- (rubber)dichting;
- houten drukverdeelring.

Belastingen op de boorbuis
Wanneer men de belastingen op de boorbuis gaat beschouwen, moet
een onderscheid gemaakt worden tussen tijdelijke belastingen en
definitieve belastingen.

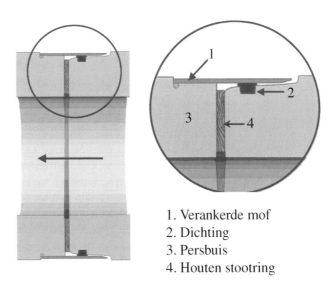

1. Verankerde mof
2. Dichting
3. Persbuis
4. Houten stootring

Figuur 3.5 Onderdelen van een betonnen boorbuis

tijdelijke belastingen

De *tijdelijke belastingen* op de boorbuis zijn enkel werkzaam in de fase van de doorperswerkzaamheden, dus tijdens het aanlegproces van de tunnel of de leiding. In paragraaf VIII.4 wordt een voorbeeld gegeven van hoe de te verwachten perskracht wordt bepaald.

definitieve belastingen

De *definitieve belastingen* blijven aanwezig gedurende de volledige levensduur van de tunnel of leiding. De perskracht vormt een tijdelijke axiale belasting op de boorbuis. Als definitieve belastingen kan men onderscheiden:
– grondbelasting;
– grondwaterdruk;
– bijkomende bovenbelastingen (woningen, wegverkeer, spoorwegverkeer, vliegtuigverkeer,...);
– in het geval van een leiding: de druk en de temperatuur van de aanwezige vloeistof of gas, alsook de variatie van druk en temperatuur.

axiaal, radiaal

Al deze belastingen geven aanleiding tot spanningen in de wand van de boorbuis, dit zowel *axiaal* als *radiaal*. De boorbuis dient hierop te worden berekend.

ATV-norm

De sterkteberekening van boorbuizen gebeurt volgens bepaalde normen. Meestal worden hiervoor de Duitse *ATV-norm* gebruikt: 'Arbeitsblatt ATV-A161 Statische Berechnung von Vortriebsrohren' die speciaal voor boorbuizen werd opgesteld.

Bepaling diameter en wanddikte
In theorie kan men de benodigde diameter en wanddikte van de boorbuizen aan de hand van de sterkteberekening bepalen. In de

praktijk is het echter zo, dat boorbuizen worden vervaardigd volgens bepaalde min of meer standaard diameters en wanddikte. Er zijn echter wel kleine verschillen merkbaar, al naar gelang het land van herkomst.

spie-eind

mofeind

Zoals al is vermeld, is het van belang dat de diameter van de boorbuis en de diameter van het boorschild op elkaar zijn afgestemd. Het *spie-eind* van de boorbuis, voorzien van een rubber dichtingsprofiel dient te zijn afgestemd op het *mofeind* van het boorschild en omgekeerd. De maatvastheid van de buitendiameter is van zeer groot belang. Wanneer de buitendiameter van de boorbuizen te veel afwijkingen vertoont, dan geeft dit aanleiding tot extra wrijving tijdens het doorpersen, waardoor de persdruk snel zal oplopen.

De maatvastheid van mof en spie-eind van de boorbuizen is eveneens van cruciaal belang. Het rubberen dichtingsprofiel dient de juiste samendrukking te krijgen, om de afdichting ter hoogte van de buisvoegen te verzekeren. Zoniet zal er grondwater en/of grond door de voegen naar binnen lekken.

drukverdeelringen

Om de perskrachten over te brengen van boorbuis naar boorbuis, worden in de voeg ter plaatse van het stootvlak, zachthouten *drukverdeelringen* aangebracht. Aangezien het betonnen kopvlak nooit perfect vlak is, zouden er, indien geen gebruik werd gemaakt van deze houten drukverdeelringen, locale puntbelastingen ontstaan tijdens het doorpersen. Hierdoor zou het beton plaatselijk heel zwaar belast worden met scheuren en afsplijten tot gevolg.

Ook bij het boren in bochten, is het gebruik van deze houten drukverdeelringen zeer essentieel, aangezien de buizen ook in dit geval niet gelijkmatig over het stootvlak zullen worden belast (zie figuur 3.6).

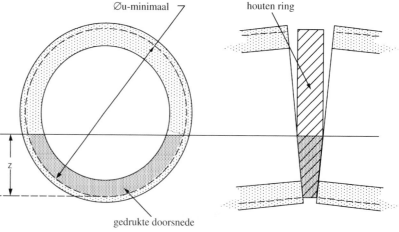

Figuur 3.6 Toepassing van houten drukverdeelringen

bentonietsmering

doorperslengte

tussen(druk)station

Tussen(druk)station

Zoals is vermeld, wordt *bentonietsmering* toegepast om de wrijving tussen buiswand en boorgatwand zoveel mogelijk te reduceren. Door een efficiënte smering kan de *doorperslengte* worden vergroot, immers het duurt dan veel langer vooral eer de toelaatbare perskracht op de boorbuis wordt bereikt. Er is echter nog een middel om de doorperslengte te vergroten: namelijk de inzet van een *tussen(druk)-station*. Voor een afbeelding hiervan, zie figuur 3.7.

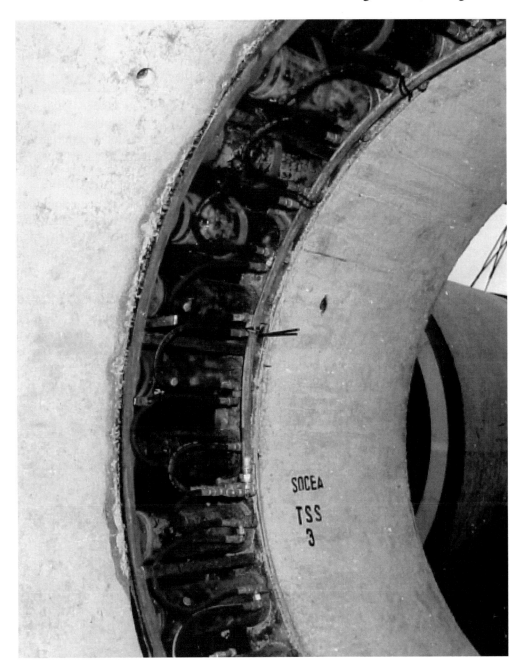

Figuur 3.7 Tussen(druk)station

We onderscheiden bij het tussen(druk)station de volgende delen:
- het voorloopdeel dat voorzien van een lange mof;
- het naloopdeel dat voorzien van een lang spie-eind;
- de tussenstationvijzels;
- het dichtingsprofiel.

De werking van een tussen(druk)station is als volgt:
- Eén of meerdere tussendrukstations worden op vooraf berekende locaties in de tunnel aangebracht.
- Wanneer tijdens het persen de maximaal toelaatbare perskracht op de boorbuis door het hoofdpersstation wordt bereikt, zal men een tussen(druk)station inschakelen.
- De tussen(druk)stations verdelen de totale tunnellengte in een aantal deellengten.
- Door het hoofdpersstation te vergrendelen kan zo één deellengte van de tunnel afzonderlijk worden voortbewogen.
- De persvijzels van het eerste tussen(druk)station worden uitgeduwd, waardoor de voorliggende deellengte van de tunnel in beweging komt, dit totdat deze persvijzels het einde van hun slaglengte hebben bereikt.
- Hierna wordt met een volgend tussen(druk)station een volgende deellengte verder geduwd. Het eerste tussen(druk)station wordt daarbij opnieuw dichtgeduwd. Het verder duwen in deellengten vergt uiteraard minder perskracht dan het verder duwen van de volledige tunnel. De tunnelvoortgang is als het ware vergelijkbaar met de voortbeweging van een rups.
- Nadat de tunnel volledig klaar is, worden de tussen(druk)stationvijzels uitgebouwd. Men krijgt op deze plaats een gewone voegverbinding, net als tussen twee normale doorpersbuizen.

Het principe van het tussen(druk)station wordt getoond in figuur 3.8.

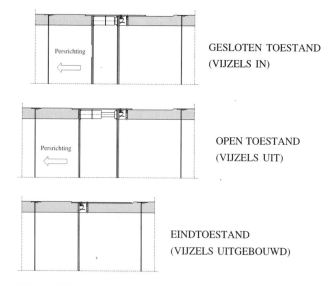

GESLOTEN TOESTAND
(VIJZELS IN)

OPEN TOESTAND
(VIJZELS UIT)

EINDTOESTAND
(VIJZELS UITGEBOUWD)

Figuur 3.8 Principe van een tussen(druk)station

Door het reeds eerder aangehaald principe van voegverbinding, is het bij betonnen boorbuizen mogelijk om tunnels of leidingen in een bocht aan te leggen. De voegverbinding laat een zekere hoekverdraaiing toe. In de praktijk bedraagt deze 0,3° à 0,5°, uiteraard in functie van de lengte en de diameter van de boorbuis. Men kan op deze wijze bochtstralen krijgen met een minimale bochtstraal (radius) van ca. 250 m. Tijdens het doorpersen zorgen de houten drukverdeelringen voor een gelijkmatige verdeling van de perskrachten over het stootvlak.

Stalen buizen

coatings

Stalen buizen worden vaak gebruikt voor de aanleg van waterleidingen en gasleidingen. Ze kunnen zijn voorzien van allerlei *coatings* (buisbekledingen), zowel inwendig als uitwendig. Vaak wordt als uitwendige coating (gesinterd) PE (poly-ethyleen) aangebracht. Bij waterleidingen heeft men inwendig vaak een cementbekleding.

stalen doorpersbuizen

Het nadeel van *stalen doorpersbuizen* is dat ze telkens moeten worden gelast ter hoogte van de voegverbinding. Wanneer deze lassen moeten worden geïnspecteerd door middel van 'niet-destructief onderzoek (NDO)' en wanneer de coating ter hoogte van de voegen na het lassen hersteld moet worden, ontstaat al snel een grote vertraging in het boorproces.

Men tracht dan ook te werken met langere boorbuizen, bijvoorbeeld van 6 m, 12 m tot zelfs 18 m. Hierdoor kan men het aantal voegverbindingen reduceren. Een nadeel is wel dat hierdoor de lengte van de persput wordt vergroot.

Een ander nadeel van stalen boorbuizen is dat, omwille van het doorlassen ervan, de leiding één star geheel vormt. Een hoekverdraaiing ter hoogte van de voegverbindingen is bijgevolg niet meer mogelijk. Er kan niet in een bocht worden doorgeperst (behalve de elastische bocht). Ook is de constructie van een tussendrukstation niet evident. Aangezien de wanddikte van een stalen buis veel kleiner is, is er niet eenvoudigweg een stootvlak ter beschikking voor het aangrijpen van de perskracht van de tussenstationvijzels. Ondanks al deze nadelen, worden de stalen doorpersbuizen veel toegepast.

Buizen van GVK (Glasvezel Versterkt Kunststof)

composietmateriaal

GVK is een *composietmateriaal* samengesteld uit twee componenten : glasvezel en hars. De meest voorkomende harstypes zijn polyester, vinylester en epoxy. Door een zeer specifiek productieproces, worden boorbuizen gemaakt met een hoge weerstand tegen chemische aantasting en tevens met een hoge sterkte-eigenschappen, dit in combinatie met een zeer laag soortelijk gewicht.

Deze buizen worden vaak gebruikt als leidingmateriaal voor het transport van aggressieve afvalwaterstoffen en vloeistoffen bij hogere temperaturen.

ovalisatie

Door hun sterkte hebben deze buizen als algemeen voordeel, dat de wanddikte gevoelig kan worden gereduceerd ten opzichte van betonnen buizen. Dit vormt echter vaak een nadeel bij het gebruik ervan als boorbuis. Het stootvlak is veel kleiner en de buizen hebben een veel lagere ringstijfheid, waardoor *ovalisatie* kan optreden. Hierdoor ontstaat het gevaar dat ze bij hogere perkrachten de neiging hebben om in elkaar te worden geduwd, zeker wanneer in een bocht wordt geperst. Een ander nadeel van deze buizen is vaak de kostprijs.
Toch worden deze buizen reeds veelvuldig toegepast in diameters van 0,6 m tot 1,6 m inwendig.

3.3   Tunnelsegmenten

tubings

Zoals reeds is vermeld, heeft het gebruik van tunnelsegmenten of *tubings* ook in de microtunnelingtechniek zijn intrede gedaan. Daar waar het gebruik ervan oorspronkelijk enkel in de grote tunnelbouw (>3,5 m) van toepassing was, ziet men deze tunnelsegmenten tegenwoordig ook verschijnen bij de aanleg van kleinere tunnels. Een minimale inwendige diameter van ca. 2,0 m is echter nog steeds een vereiste.

Figuur 3.9 Toont het principe van microtunneling met tubings.

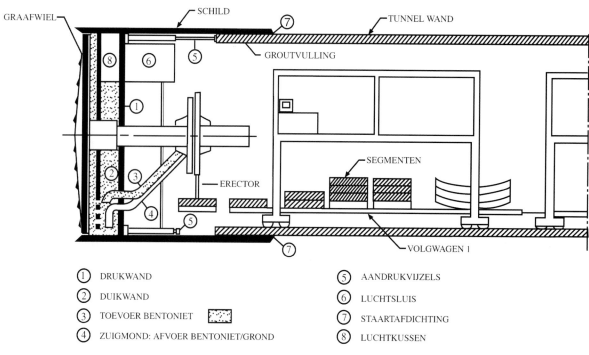

Figuur *3.9 Principe van microtunneling met tubings*

Bij dit principe zijn de volgende elementen te onderscheiden
- het boorschild;
- de hydraulische persvijzels;
- de transportloco;
- de erector;
- de personensluis;
- de ontzandingsunit;
- de tunnelsegmenten;
- de montagekraan;
- de stroomvoorziening;
- de mortelinstallatie;
- de meet- en rekenapparatuur;
- de randapparatuur (pompen, leidingen, kabels, communicatie-middelen,...).

De werking is als volgt:
- Het boorschild 'boort zich een weg' van punt A (de startschacht) naar punt B (de eindschacht) volgens een vooraf in coördinaten vastgelegd tracé. (Voor het werkingsprincipe van het boorschild, zie paragraaf VIII.2).

persvijzels

de vijzelkracht

- De voortgang van het boorschild wordt verkregen door het uitduwen van de hydraulische vijzels (*persvijzels*) die nu onderdeel uitmaken van het boorschild zelf. De persvijzels vinden hun reactiekracht op het reeds aangelegde tunneldeel. Ze produceren een kracht (*de vijzelkracht*) voldoende voor het voortbewegen van het boorschild. De tunnel zelf blijft daarbij op zijn plaats.

transportloco
erector

- Wanneer de persvijzels het eind van hun slaglengte hebben bereikt, worden ze opnieuw ingetrokken. De *transportloco* brengt een set van tunnelsegmenten tot aan de *erector*. De erector bouwt in het boorschild deze segmenten samen tot een nieuwe tunnelring.
- De persvijzels kunnen zich nu weer afzetten op de nieuw gebouwde tunnelring en het boorschild maakt opnieuw voortgang. Aangezien niet de volledige tunnel dient te worden voortbewogen, is de wrijving en dus ook de benodigde vijzelkracht min of meer een constante. Overigens dient er geen bentoniet te worden gebruikt voor het reduceren van de wrijving.
- Toch is ook hier weer de diameter van het boorschild groter dan de diameter van de uit tunnelsegmenten samengestelde tunnelring. Dit komt omdat de segmenten gebouwd worden binnen de staartmantel van het boorschild. De ruimte tussen de tunnelring

groutvulling

staartvoegdichting

en de grond wordt vol grout geïnjecteerd (*groutvulling*). Er is een afdichting voorzien tussen de staartmantel van het boorschild en de buitenzijde van de tunnel (de *staartvoegdichting*). Deze voorkomt lekkage van grond en grondwater in de tunnel.

Wanneer volgens deze methode wordt gewerkt is er geen enkele beperking meer aan de tunnellengte. In de praktijk werden op deze wijze al tunnels geboord van enkele kilometers lang.

Figuur 3.10 toont het principe van een tunnel samengesteld uit segmenten.

Figuur 3.10 Tunnel samengesteld uit segmenten

We onderscheiden bij dit systeem achtereenvolgens:
- de segmenten;
- de sluitsteen;
- de deuvels of verbindingsbouten;
- de dichting;
- de hijsvoorzieningen.

Wanneer men de belastingen op de buissegmenten gaat beschouwen, moet ook hier weer een onderscheid gemaakt worden tussen tijdelijke belastingen en definitieve belastingen:

tijdelijke belastingen
- De *tijdelijke belastingen* op de tunnelring zijn enkel werkzaam in de fase van het boren, dus tijdens het aanlegproces van de tunnel of de leiding.

definitieve belastingen
- De *definitieve belastingen* blijven aanwezig gedurende de volledige levensduur van de tunnel of leiding.

De vijzelkracht vormt een tijdelijke axiale belasting op de tunnelring. Ook de tijdens de montage van de tunnelring optredende krachten zijn van tijdelijke aard.

Als definitieve belastingen kan men onderscheiden:
– de grondbelasting;
– de grondwaterdruk;
– bijkomende bovenbelastingen (woningen, wegverkeer, spoorwegverkeer, vliegtuigverkeer,...);
– inwendige belastingen op de tunnelsegmenten.

3-D eindige elementen methoden

Al deze belastingen geven aanleiding tot spanningen in de wand van tunnel, dit zowel axiaal als radiaal. De segmenten en de verbindingsbouten dienen hierop te worden berekend. Hiervoor gebruikt men soms *3-D eindige elementen methoden*. De tunnelsegmenten worden in een zogenaamd halfsteensverband geplaatst. De langs- en ringvoegen tussen de segmenten zorgen voor de overdracht van krachten en momenten (zie figuur 3.11).

Figuur 3.11 Langs- en ringvoegen in de segmenten

voegplaatjes

kaubit

De krachtenoverdracht in een langsvoeg vindt meestal plaats door een vlak contact. De krachtenoverdracht in een ringvoeg vindt plaats enerzijds door wrijving (torsie) en wordt anderzijds geconcentreerd via *voegplaatjes* voor de overdracht van de vijzelkracht. Als materiaal voor de voegplaatjes gebruikt men hout onder de vorm van triplex. Een ander materiaal dat wordt gebruikt is zogenaamde *kaubit*, een bitumineus product. De nokken hebben meestal enkel een montagefunctie. Vaak worden de montagebouten na verloop van tijd verwijderd, dit wil zeggen dat ze geen invloed hebben op de definitieve stabiliteit van de tunnel.

tubings

Ook wanneer men met tunnelsegmenten werkt, zijn boringen in bocht mogelijk. Men kan werken met niet-cilindrische *tubings*. Door ze een bepaalde oriëntatie te geven, kan zo een bocht gemaakt worden. Een computerprogramma berekent de juiste oriëntatie van de tunnelsegmenten.

4 Berekening van de te verwachten perskrachten bij de uitvoering van een buisdoorpersing

We keren terug naar de buisdoorpersing. Hoe berekent men nu de te verwachten perskrachten? De totale te verwachten perskracht is samengesteld uit de volgende componenten:

mantelwrijving
frontdruk

- de *mantelwrijving* F_m;
- de druk op het boorfront of de *frontdruk* F_b.

4.1 Mantelwrijving

bentonietsmering

Voor de berekening van de mantelwrijving wordt verondersteld dat *bentonietsmering* kan worden toegepast. De nederlandse richtlijnen geven een waarde voor de wrijving van 10 kN/m². Dit is een waarde die voldoende veiligheid biedt op voorwaarde dat bentonietsmering wordt toegepast. Wanneer hiermee wordt gerekend, kan de doorpersing ook zonder problemen worden stilgelegd tijdens de nacht of in het weekend.

In de praktijk zijn lagere wrijvingswaarden mogelijk indien bijvoorbeeld volcontinu wordt gewerkt, indien de grondeigenschappen in combinatie met bentonietsmering bijzonder gunstig zijn of als additieven aan het bentoniet worden toegevoegd. Toch moet men rekening houden met onvoorziene omstandigheden, bijvoorbeeld bij een defect aan de apparatuur of het doorboren van een obstakel. Door dergelijk onvoorzien oponthoud kan de wrijving oplopen tot wel 20 kN/m². We zullen dus steeds met minimaal 10 kN/m² rekenen.

4.2 Frontdruk

De resulterende frontkracht F_b is samengesteld uit :
- F_g : resulterende kracht van de horizontale korreldruk (σ_h) en grondwaterdruk (p) op het boorfront
- F_r : indringkracht van het boorrad in de grond
- F_s : indringkracht van het snijmes in de grond

De horizontale korreldruk σ_h is een functie van de hoeveelheid grond die zich boven het boorschild bevindt, dus van de diepteligging. De verticale korreldruk σ_v (ook: vertikale korrelspanning) wordt verkregen door het hoogteverschil tussen maaiveld en as van de tunnel te vermenigvuldigen met het volumegewicht γ van de grond.

Het volumegewicht van de grond varieert in functie van de grondsoort. Veen heeft bijvoorbeeld een heeft een lager volumegewicht dan zand. Ook de aanwezigheid van grondwater heeft zijn invloed op het volumegewicht van de grond. Men spreekt daarom van enerzijds het 'droge' volumegewicht γ_d en anderzijds het 'natte' volumegewicht γ_n van de grond. Het effectieve volumegewicht γ' van het gedeelte van de grond onder het grondwaterniveau wordt als volgt verkregen: $\gamma' = \gamma_n - \gamma_w$, waarbij γ_w volumegewicht van water voorstelt. De horizontale korreldruk σ_h (ook: horizontale korrelspanning) wordt verkregen door de vericale korrelspanning te vermenigvuldigen met de coëfficiënt λ (Griekse letter 'lambda'), de coëfficiënt van horizontale korreldruk, m.a.w. $\sigma_h = \sigma_v \times \lambda$. In de regel komt zogenaamde neutrale gronddruk overeen met $\lambda = 0,3$.

De grondwaterdruk p op het boorfront wordt verkregen door de hydrostatische druk van het grondwater ter plaatse van de as van de tunnel te berekenen ($p = \gamma_w \times h$). De indringweerstand I_r van het boorrad wordt proefondervindelijk bepaald. In de praktijk zijn de waarden ca. $I_r = 50$ kN/m^2, afhandelijk van het type boorrad dat op het boorschild is aangebracht. Een open boorrad met spaken geeft een lagere waarde voor de indringweerstand dan een gesloten boorrad. Door vermenigvuldiging van deze indringweerstand met de oppervlakte van het boorfront wordt de indringkracht F_r van het boorrad in de grond berekend.

Eenzelfde redenering wordt gevolgd voor de indringweerstand I_s van het snijmes. Onder snijmes wordt de rand van de schildmantel verstaan. Wanneer echter een boorrad aanwezig is, dan zullen de snijtanden van het snijmes draaien, waardoor de indringing van het snijmes komt te vervallen, met andere woorden: $I_s = 0$ kN/m^2.

Het snijmes ondervindt geen weerstand van de grond aangezien de grond voor het snijmes reeds is verwijderd door het boorrad.

De som van horizontale gronddruk, de grondwaterdruk, de indringingsweerstand van het boorrad en indringingsweerstand van het snijmes geeft de totale druk σ_{tot} op het boorfront: $\sigma_{tot} = \sigma_h + p + I_r + I_s$. Wanneer deze waarden achtereenvolgens vermenigvuldigd worden met de oppervlakte van het boorfront is de resulterende frontkracht $F_b = F_g + F_r + F_s$. Het is deze resulterende frontkracht die, samen met de resulterende wrijvingskracht moet kunnen opgebracht worden door de geïnstalleerde persvijzels.

In subparagraaf VIII.4.5 wordt een voorbeeld van een berekening gegeven.

4.3   Tussendrukstations

Uitgaande van de berekening van de te verwachten perskracht, kan het aantal in te zetten tussendrukstations worden bepaald. De in totaal te installeren perskracht is de som van de individuele perscapaciteit van het hoofdpersstation en de tussendrukstations. Deze moet groter steeds groter zijn dan de te verwachten perskracht, waarbij per individueel station de toelaatbare perskracht op de boorbuis niet mag overschreden worden. Een voorbeeld vinden we in subparagraaf 4.5.

4.4   Bochtboringen

formules van Scherle

Bij het uitvoeren van bochtboringen kan, in functie van de bochtstraal, in bepaalde gevallen de perskracht slechts over een gedeelte van de buiswandsectie worden overgebracht. Met de hierna opgegeven formule (*formules van Scherle*, tevens opgenomen in ATV-A161) kan men de minimale bochtstraal berekenen waarbij er, rekening houdend met de dikte en de houtsoort van de houten drukverdeelringen, nog sprake is van een krachtoverbrenging over de volledige sectie van de boorbuis.

$$R_{min} = \frac{L \times z/D_a \times D_a}{\sigma_{max}/\sigma_o} \times \frac{E_h}{a}$$

waarbij:
L = de lengte van de boorbuis
D_a = de uitwendige diameter van de boorbuis
σ_o = de toelaatbare drukspanning in het beton, rekening houdend met een veiligheidsfactor voor scheurvorming
E_h = de elasticiteitsmodulus van de houten drukverdeelring
a = de dikte van de houten drukverdeelring
z = de hoogte van de gedrukte zone

Als randvoorwaarde voor volledig gecentreerde druk stellen we $z/D_a = 1$ als $\sigma_{max}/\sigma_o = 2$. Wanneer we op deze wijze R_{min} hebben bepaald, dan kunnen we gaan bepalen of al dan niet een reductiefactor dient te worden toegepast op de toelaatbare perskracht. Dit resulteert mogelijk in de inzet van een extra tussendrukstation.

Voorzichtigheid bij toepassing van deze formule is geboden daar een regelmatige hoekverdraaiing per buis aan wordt genomen.

4.5 Voorbeeld van een perskrachtberekening

We beschouwen als voorbeeld een doorpersing met een inwendige diameter $\varnothing_u$ 1.000 mm en een lengte $L = 50$ m. Er is geen bocht voorzien, met andere woorden: $R = \infty$. Voor de berekening van de nodige perskracht wordt steeds uitgegaan van de meest nadelige grondbelastingen, d.w.z. op het diepste punt van de leiding.

Uitgangspunten
Gegevens doorpersing:

maaiveld op peil	+ 25,22 N.A.P.
grondwaterpeil op	+ 23,20 N.A.P.
binnen onderkant van de buis op	+ 18,98 N.A.P.
bovenkant buis op	+ 20,09 N.A.P.
onderkant buis op	+ 18,87 N.A.P.
hartlijn boring op	+ 19,48 N.A.P.
totale lengte van de persing (L_{tot})	50,0 m

Gegevens boorbuis:
inwendige diameter ($\varnothing_i$) 1,000 m
uitwendige diameter ($\varnothing_e$) 1,216 m
toegelaten perskracht (F_{max}) zie fabricant 4200 kN

Aanname aanwezige grond:

– γ_d	17,0 kN/m³
– γ_n	20,0 kN/m³
– γ' (= 20,0 kN/m³ – 10,0 kN/m³)	10,0 kN/m³

Type boorschild:
gesloten boorschild type gronddrukschild

Theoretische berekening van de perskracht
De totale perskracht (F) noodzakelijk voor de uitvoering van de buisdoorpersing bestaat uit:
– de resulterende frontkracht F_b
– de mantelwrijving F_m

waarbij $F = F_b + F_m$

Berekening van de persdrukken op het boorfront: F_b
De resulterende frontkracht bestaat uit :

$$F_b = F_g + F_r + F_s$$

waarin:
$F_g =$ resulterende horizontale korrel- en grondwaterdruk op het boorfront
$F_r =$ indringkracht snijmateriaal op het boorrad in de grond
$F_s =$ indringkracht van het snijmes in de grond

Berekening van de grond- en waterdruk op het boorfront: F_g (zie figuur 4.1)
aanname: $\lambda = \sim 0{,}2$
$\lambda = \sim 0{,}2$, afhankelijk van de grondsoort kan λ een andere waarde hebben ($\lambda =$ actieve horizontale gronddrukcoëfficiënt).

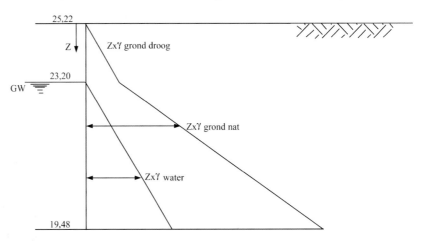

Figuur 4.1 Gronddrukdiagram

grondspanning ter hoogte van de hartlijn van de boring:
$$\sigma_v = (25{,}22 \text{ m} - 23{,}20 \text{ m}) \times \gamma_d + (23{,}20 \text{ m} - 19{,}48 \text{ m}) \times \gamma_n$$
$$= 2{,}02 \text{ m} \times 17{,}0 \text{ kN/m}^3 + 3{,}72 \text{ m} \times 20{,}0 \text{ kN/m}^3$$
$$= 108{,}74 \text{ kN/m}^2$$

korrelspanning ter hoogte van de hartlijn van de boring:
$$\sigma'_v = (25{,}22 \text{ m} - 23{,}20 \text{ m}) \times \gamma_d + (23{,}20 \text{ m} - 19{,}48 \text{ m}) \times (\gamma_n - \gamma_w)$$
$$= 2{,}02 \text{ m} \times 17{,}0 \text{ kN/m}^3 + 3{,}72 \text{ m} \times 10{,}0 \text{ kN/m}^3$$
$$= 71{,}54 \text{ kN/m}^2$$

grondwaterdruk ter hoogte van de hartlijn van de boring:
$$p = (23{,}20 \text{ m} - 19{,}48 \text{ m}) \times 10{,}0 \text{ kN/m}^3$$
$$= 37{,}20 \text{ kN/m}^2$$

resultante horizontale kracht:

$$F_g = \frac{\pi \times \phi_e^2}{4} \times (\sigma'_v \times \lambda_a + \sigma_w)$$

$$= \frac{\pi \times (1{,}216 \text{ m})^2}{4} \times (71{,}54 \text{ kN/m}^2 \times 0{,}2 + 37{,}20 \text{ kN/m}^2)$$

$$= 1{,}161 \text{ m}^2 \times 51{,}51 \text{ kN/m}^2$$

$$= 59{,}80 \text{ kN (resultaat niet zo relevant voor de perskracht)}$$

indringingsweerstand

Berekening van de indringingskracht van het boorrad: F_r

De *indringingsweerstand* (I_r) van het snijmateriaal op het boorrad werd proefondervindelijk voor een gesloten boorschild in gelijkaardige gronden bepaald.

aanname : $I_r = 50{,}00$ kN/m^2

indringingskracht:

$$F_r = \frac{\pi \times \phi_e^2}{4} \times I_r$$

$$= \frac{\pi \times (1{,}216 \text{ m})^2}{4} \times 50{,}00 \text{ kN/m}^2$$

$$= 1{,}161 \text{ m}^2 \times 50{,}00 \text{ kN/m}^2$$

$$= 58{,}05 \text{ kN}$$

Berekening van de indringkracht van het snijmes: F_s

Gezien hier een boorschild met boorrad wordt gebruikt, waarvan de snijtanden vóór het snijmes draaien, vervalt deze indringingsweerstand I_s. De indringkracht is bijgevolg nul.

$$F_s = 0{,}00 \text{ kN}$$

Resulterende Frontkracht op het boorfront: F_b

$$F_b = F_g + F_r + F_s$$
$$= 59{,}80 \text{ kN} + 58{,}05 \text{ kN} + 0{,}00 \text{ kN}$$
$$= 117{,}85 \text{ kN}$$

Mantelwrijving: F_m

Voor de berekening van de totale resulterende mantelwrijving (F_m) wordt verondersteld dat bentonietsmering wordt toegepast, zodat de mantelwrijving (W) kan gereduceerd worden.

aanname : $W = 8{,}00$ kN/m^2

$$F_m = \pi \times \varnothing_e \times L_{tot} \times W$$
$$= \pi \times 1{,}216 \text{ m} \times 50{,}0 \text{ m} \times 8{,}00 \text{ kN/m}^2$$
$$= 1528{,}07 \text{ kN (bij hogere aanname: 10 kN/m}^2 \text{ een hoger resultaat)}$$

Totale benodigde perskracht: F

$$F = F_b + F_m$$
$$= 117,85 \text{ kN} + 1528,07 \text{ kN}$$
$$= 1645,92 \text{ kN}$$

Toegelaten perskrachten op de boorbuis:
Voor een rechtlijnige persing gelden de maximale waarden opgegeven door de fabrikant:

$$F_{max} = 4200 \text{ kN}$$

Conclusie:
De maximaal verwachte perskracht voor deze buisdoorpersing bedraagt 1645,92 kN.
De toegelaten maximale perskracht op de boorbuizen bedraagt 4200 kN.
De boorbuizen voldoen aan de benodigde perskrachten.

5   Toelaatbare boorvloeistofdrukken

In de Nederlandse slappe bodem zijn de boorvloeistofdrukken zeer essentieel dit i.v.m. zettingen (bij te lage minimale druk) en "blow outs" aan de bovenzijde (bij te hoge minimale druk).
De berekeningen als in paragraaf VIII.4, zijn voor de onderzijde van de boring, de maximale druk aan de bovenzijde berekenen via een evenwichtsberekening met verticale gronddruk.

6   Realisaties en toekomstperspectieven

Het belang dat wordt gehecht aan sleufloze aanleg van leidingen, kabels en andere ondergrondse infrastructuur wordt steeds groter. Doeltreffende technieken zijn hiervoor voorhanden, met name de microtunneling. Er werden sinds de jaren 1980 reeds een groot aantal zeer opzienbarende projecten verwezenlijkt met behulp van microtunneling. Toch zijn er nog steeds nieuwe uitdagingen aan te gaan. Zo is er bijvoorbeeld nog steeds geen eenvoudige methode gevonden voor het boren in grindformaties. Organisaties zoals bijvoorbeeld het NSTT (Nederlandse Vereniging voor Sleufloze Technieken en Toepassingen) steunen allerlei onderzoek naar verschillende boormethoden en boortoepassingen.

Ten gevolge van de dichtslibbing van ons wegennet, rijst de vraag of niet moet worden gezocht naar de toepassing van microtunneling voor allerlei ondergrondse transportsystemen. Naast het reeds bestaande traditionele transport van vloeistoffen en gassen door lei-dingsystemen kan men bijvoorbeeld denken aan het transport van stukgoederen via een ondergronds tunnelstelsel. Het zou een perfecte aanvulling kunnen zijn op de huidig bestaande transportsystemen in bijvoorbeeld de dichtbevolkte steden.

We hebben reeds een belangrijke weg afgelegd in het beheersen van de risico' s aangaande het boren. Toch is het einde nog niet bereikt. De eisen die men aan microtunneling gaat stellen, liggen steeds hoger. De te boren tracés worden steeds ingewikkelder voor wat betreft de aanlegdiepte, de lengte en de bochtstralen. Door een doeltreffende samenwerking tussen opdrachtgevers, ingenieursbu-reaus en uiteraard de boorbedrijven zal ook in de toekomst de microtunnelingtechniek allerlei uitkomsten bieden, waar de meer traditionele methoden te kort zullen schieten.

OVERIGE BOORTECHNIEKEN

1   Inleiding

Naast de in de vorige hoofdstukken genoemde aanlegtechnieken, die vooral in de laatste tientallen jaren sterk ontwikkeld zijn, zijn er ook een aantal technieken die hun oorsprong al vele jaren eerder kennen. Het zijn eenvoudige methoden die geen grote technische ontwikkeling hebben doorgemaakt. Ook zijn sommige methoden beperkt in hun mogelijkheden, maar daarom niet minder geschikt om onder bepaalde omstandigheden toe te passen.

We denken hierbij aan de overige sleufloze technieken, zoals: de open front boortechniek, de pneumatisch boortechniek, het maken van boogzinkers, oeverboringen en de inspuittechniek.

Kort omschreven:

open front boortechniek
- De *open front boortechniek* is een doorpersmethode, waarbij met hydraulische vijzels een buis wordt aangebracht die aan de voorzijde open is. Het boorfront staat direct in contact met de binnenkant van de buis.

pneumatisch boren
- *Pneumatisch boren* is het installeren van een kabelmantelbuis of leiding door gebruik te maken van een slaghamer. Dit wordt ook wel raketten genoemd.

boogzinker
- Het uitvoeren van een *boogzinker* is een methode, waarmee met een gebogen spuitlans een kruising van een sloot of weg wordt uitgevoerd.

oeverboren
- *Oeverboren* is een uitvoeringsmethode, die vooral wordt toegepast bij het kruisen van kanalen met een oeverbescherming van damwand of kademuur.

inspuittechniek
- Bij de *inspuittechniek* worden, nagenoeg sleufloos, met waterdruk kabels of leidingen in de bodem ingespoten. Dit gebeurt met name bij bredere waterwegen.

2   Open front boortechnieken

2.1   *Algemeen*

Het kenmerk van de open front boortechniek is de methode, waarbij met een open voorkant en door middel van hydraulische vijzels een buis wordt geïnstalleerd. Aan de voorzijde van de te installeren buis

snijrand, startput
persput
bevindt zich een *snijrand*. Vanuit de *startput*, die ook wel *persput* wordt genoemd, wordt een buiselement de grond ingedrukt. Wanneer het buiselement is weggeperst worden de vijzels teruggetrokken en kan een nieuw element aangekoppeld en weggeperst worden.

De open front boortechniek is in het algemeen minder bestuurbaar. Tijdens het persen kunnen gemakkelijk afwijkingen ontstaan, omdat de snijrand de weg van de minste weerstand zoekt. De belangrijkste eis bij het uitvoeren van dit soort boringen is, dat de grondwaterstand zich ruim onder de te persen buis bevindt. Is de grondwaterstand te hoog dan moet deze worden verlaagd. Dit is noodzakelijk vanwege de open verbinding die bestaat met de ongeroerde grond en het grondwater aan de voorzijde van de snijrand, waardoor water en zand, als 'loopzand', ongecontroleerd naar binnen kunnen lopen.

Een onderverdeling van het systeem kan gemaakt worden naar de wijze van het verwijderen van de grond. Deze kan worden ontgraven door middel van handontgraving of met mechanische kracht, een avegaar.

2.2 Handontgraving

De term handontgraving spreekt voor zich. Deze methode is dan ook alleen mogelijk bij menstoegankelijke diameters, vanaf ca. 800 mm. Zie figuur 2.1.

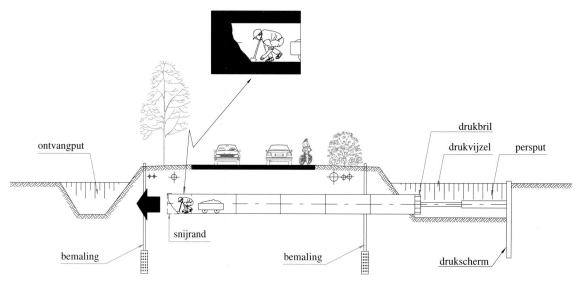

Figuur 2.1 Doorpersing met handontgraving

Om het afkalven van de grond bij het boorfront te voorkomen kan de snijrand worden voorzien van een vakverdeling. Het afvoeren van de grond gebeurt met behulp van karretjes, waarmee de afgegraven grond naar de persput wordt getransporteerd. Indien grotere diameters worden geboord, bestaat de mogelijkheid om gebruik te maken van lichte graafmachines of andere apparatuur. Bij het systeem van menstoegankelijke boringen kunnen met stuurvijzels achter de snijrand beperkte stuurcorrecties worden uitgevoerd. Als een doorpersing eventueel een veenpakket kruist, dan moet rekening worden gehouden met de eventuele aanwezigheid van moerasgas.

2.3   Avegaar

Bij de avegaar boormethode gebeurt de afvoer van grond, vanaf de snijrand naar de persput, met een grondboor ofwel avegaar. Zie figuur 2.2.

avegaar

Een *avegaar* is een soort schroefvijzel die wordt aangedreven door een boormotor in de persput. De voorkant van de avegaar, waarmee ook de grond wordt losgewoeld, bevindt zich direct achter de snijrand. Bij deze techniek is het niet nodig dat er iemand de buis in gaat. Dat betekent dat deze methode geschikt is voor kleinere diameters. Stuurcorrecties zijn daarbij niet mogelijk.

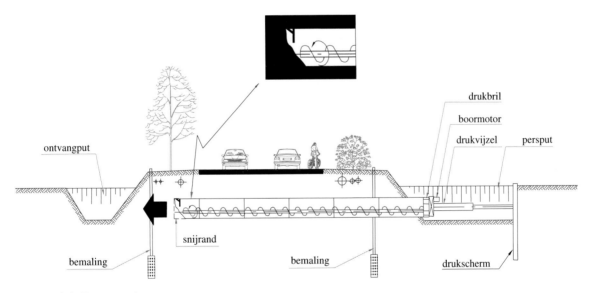

Figuur 2.2 Doorpersing met avegaar

De avegaar boormethode is vooral ontwikkeld in de jaren na 1950, toen de markt vroeg om kruisingen van gas- en olieleidingen met wegen en spoorbanen. De methode van avegaarboren is ook nu nog in ontwikkeling. Er zijn inmiddels fabrikanten die variaties hebben gevonden, waarbij het wel mogelijk is om kleine stuurcorrecties te doen. Dit kan door te meten via een holle as van de avegaar in combinatie met een stuurmogelijkheid bij de voorkant ervan.

2.4 Toepassingen

De methode van de open front boortechniek vindt regelmatig zijn toepassing. Standaard lengtes en diameters zijn niet bepaald. Gedacht moet worden aan een minimale diameter van 150 mm met een maximale lengte van ca. 150 m, tot een gebruikelijke maximale diameter van 1500 mm met een lengte van 100 m. Ook grotere diameters tot ca. 3 m zijn onder bepaalde omstandigheden mogelijk. Alleen zullen daarbij altijd kortere lengtes aan de orde zijn.

De methode wordt vooral gebruikt bij het kruisen van wegen, spoorbanen en bestaande ondergrondse obstakels. Het kunnen mantelbuizen zijn voor kabels en leidingen. Ook is het mogelijk dat direct een mediumvoerende buis wordt geïnstalleerd voor gas of water.

Aandachtspunten en/of randvoorwaarden die van toepassing zijn:
– Het te boren tracé moet vrij zijn van grondwater. Onder Nederlandse omstandigheden betekent dat, dat in veel gevallen een bemaling moet worden aangebracht om de grondwaterstand te verlagen.
– De techniek is in principe geschikt voor alle in Nederland voorkomende grondsoorten.
– De perskrachten die nodig zijn om de boring door te duwen worden veroorzaakt door de wrijving tussen de leiding en de grond. Hoe langer de boring is en hoe groter de diameter van de leiding hoe groter de benodigde perskracht. Deze moet kunnen worden overgebracht, via een drukscherm achter in de persput, naar de bodem.
– Doorpersbuizen bestaan in de regel uit staal, beton of glasvezelversterkt kunststof.
– Alleen rechte tracé's kunnen worden geperst. De nauwkeurigheid van een doorpersing neemt af naarmate de lengte groter wordt.
– Stuurcorrecties zijn in de meeste gevallen niet mogelijk. Door de stijfheid van de persbuis, met name wanneer die in staal is uitgevoerd, kunnen de afwijkingen redelijk worden beperkt. Hoe groter de diameter hoe stijver de buis, hoe minder kans op afwijking.
– De dimensionering van de persbuis moet zodanig zijn dat deze is berekend op de gronddekking, de eventuele verkeersbelasting en de te verwachten doorperskrachten.

2.5 Ontwikkeling avegaarboren

Als gevolg van de hierboven genoemde aandachtspunten en randvoorwaarden heeft de ontwikkeling van avegaarboren in het begin van deze eeuw zijn toepassingen verbreed. Middels een theodoliet en een camera met monitor kan door de holle boorbuis de positie van de boorkop worden gecontroleerd en eventueel worden gecorrigeerd (zie figuur 2.3 fase a). Als bij dit systeem van de mogelijkheid gebruik gemaakt wordt om een soort waterslot in te bouwen, dan kan ook onder het grondwaterniveau worden geboord.

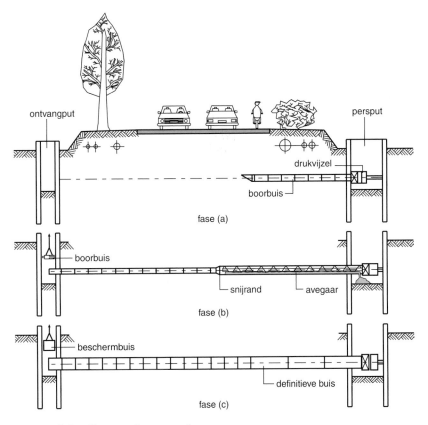

Figuur 2.3   Gestuurd avegaarboren

Bij cohesieve grond wordt gebruik gemaakt van een dubbelwandige boorbuis. De wrijvingsweerstand die de buitenbuis ondervindt staat dan los van de kopweerstand van de boorkop. Binnen- en buitenbuis kunnen afzonderlijk worden doorgedrukt.

De holle boorbuis wordt vanaf een persput naar de ontvangstput geperst. Tijdens dit persen kunnen richting en helling met behulp van de theodoliet permanent worden bewaakt. Als de boorbuis in de ontvangput is aangekomen wordt deze gebruikt als geleiding om een stalen beschermingsbuis aan te brengen, ook in de richting van pers- naar ontvangput. De diameter hiervan is gelijk aan de diameter van de te installeren leiding (zie figuur 2.3 fase b)

De holle boorbuis wordt verwijderd en de stalen beschermingsbuis wordt doorgedrukt met eraan vastgekoppeld de te installeren definitieve, meestal kunststof, buis (zie figuur 2.3 fase c).

3 Pneumatische boortechnieken

3.1 Algemeen

bodempersluchtraket

Het kenmerk van de pneumatische boortechniek is dat een kruising wordt uitgevoerd door middel van een horizontaal 'heiblok'. Hierbij wordt gebruik gemaakt van een *bodempersluchtraket*. De raket kan een leiding voor zich uit in de grond heien of achter zich aan trekken.

De raket bestaat uit een stalen cilinder in de vorm van een torpedo waarin een pneumatisch beweegbare zuiger past. De zuiger slaat met kracht tegen een aambeeld voor in de cilinder. Door de stootkracht van de zuiger schiet de raket een stukje naar voren. Daarbij wordt de wrijving tussen de raket en de leiding even overwonnen. Vervolgens beweegt de zuiger zich naar achteren en herhaalt zich het proces. Tijdens deze achterwaartse beweging, zonder stoot aan het einde van zijn retourweg, blijft de raket op zijn plaats, omdat de wrijving tussen de grond en de cilinder niet wordt overwonnen.

Tijdens het boren op deze manier kan geen besturing plaatsvinden. De kans op afwijkingen door verstoringen in het tracé; is dus aanzienlijk. Deze methode van kruisen kan alleen recht worden uitgevoerd. Kenmerkend voor deze methode is de verdringingstechniek, waarbij een buis al trillend de grond wordt ingedrukt of getrokken. Er treedt grondverdringing op in combinatie met trillingen.

Bij het werken met een persluchtraket worden twee systemen onderscheiden:
– Impact Ramming;
– Impact Moling.

De eerste patentaanvragen dateren al van meer dan 90 jaar geleden. De ontwikkeling van de hierboven genoemde systemen heeft vooral plaatsgevonden in Oost Europese landen rond de jaren 1960.

3.2 Impact Ramming

Impact Ramming

Bij *Impact Ramming* wordt de raket achter de productleiding bevestigd, zodat deze de leiding voor zich uit door de grond slaat. Zie figuur 3.1.

De leiding kan aan de voorzijde geopend of gesloten zijn. Wanneer de voorzijde open is wordt na het doorvoeren van de leiding de grond uit de buis verwijderd, bijvoorbeeld met behulp van een avegaar,

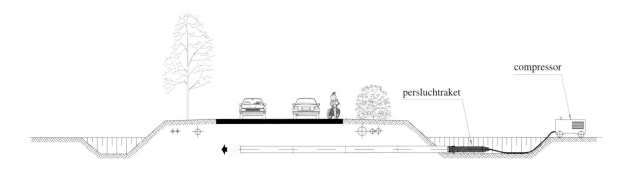

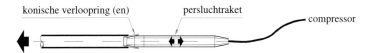

Figuur 3.1 Impact Ramming

perslucht of spoelen. Bij een gesloten voorkant wordt de buis volledig grondverdringend ingevoerd.

De productleiding kan in zijn geheel of als gekoppelde elementen worden ingevoerd. Als de leiding uit gekoppelde elementen bestaat wordt na het invoeren van het element de raket afgekoppeld en een nieuw element tussengevoegd. Sturen is bij deze techniek niet mogelijk. Als er obstakels verwacht worden kan deze methode niet zonder extra maatregelen worden toegepast. In het geval van obstakels kan een klein gat worden voorgeboord met een 'Impact Moling' systeem.

3.3   Impact Moling

Impact Moling

Bij *Impact Moling* wordt de raket aan de voorzijde van de productleiding bevestigd. Zie figuur 3.2.

Het boorgat wordt door de raket volledig grondverdringend gemaakt. Als er obstakels verwacht worden kan de Impact Moling techniek ook gebruikt worden om voor te boren. Een persluchthamer is het meest geschikt om voor te boren.

Als de productleiding uit een trekvast materiaal bestaat kan de raket aan de voorkant van de leiding bevestigd worden en wordt de leiding achter de raket aangetrokken. Als de productleiding uit een niet trekvast materiaal bestaat wordt een staalkabel vanaf de raket door de

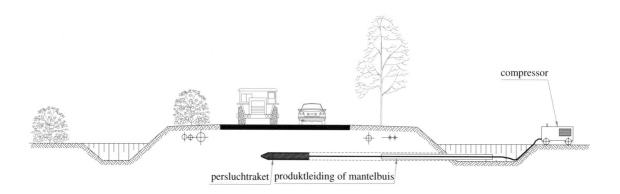

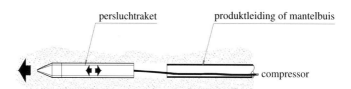

Figuur 3.2 Impact Moling

leiding getrokken en aan de achterkant van de leiding vastgemaakt.
De leiding wordt dan als het ware achter de raket aangeduwd. Deze
boortechniek is niet bestuurbaar en in vergelijking met Impact Ramming gevoeliger voor afwijkingen. Deze methode dringt wel gemakkelijker door obstakels heen. Impact Moling wordt slechts op
beperkte schaal toegepast.

3.4   Toepassingen

De methode van raketboringen, met name Impact Ramming, wordt
veel toegepast. De diameters en lengtes die met deze methode kunnen
worden gehaald hangen sterk af van de locale omstandigheden.
Standaard moet gedacht worden aan diameters tot ca. 400 mm en
lengtes tot ca. 40 m. Echter met zwaar equipement zijn diameters tot
1200 mm en lengtes tot 100 m bereikbaar.

De volgende aandachtspunten en/of randvoorwaarden zijn daarbij
van toepassing:
– De methode wordt vooral gebruikt voor wegkruisingen als mantelbuizen moeten worden aangebracht ten behoeve van kabels en
   leidingen.
– De methode is niet toepasbaar voor spoorkruisingen. Vanwege
   trillingen kunnen ongewenste zettingen ontstaan die voor het
   spoor onacceptabel zijn.

- Niet de grootst mogelijke nauwkeurigheid moet worden vereist met betrekking tot de afwijkingen van het te boren tracé; het systeem is niet bestuurbaar.
- Hierdoor kunnen alleen rechte tracés worden geboord.
- Impact Moling is gevoeliger voor afwijkingen dan Impact Ramming. Dit komt doordat bij Impact Moling de raket zich als losse eenheid een weg moet banen door de grond. Bij Impact Ramming heeft de raket steun aan de stalen buis die voortgeduwd wordt.
- De grond moet samendrukbaar zijn.
- De voorkeur bij Impact Ramming gaat uit naar een open voorkant, zodat de grond aan de voorzijde zo weinig mogelijk wordt opgedrukt. Met een oversized ring of snijrand aan de voorkant wordt de wrijving rondom de buis verminderd.
- Het te installeren materiaal kan voor Impact Ramming alleen bestaan uit een stalen buis, vanwege de slagkracht die moet worden overgebracht. Voor het Impact Moling systeem zijn materialen als GVK, PVC, en PE ook mogelijk. Hierbij wordt de leiding in het geboorde gat getrokken of geduwd.
- In het te boren tracé mogen geen obstakels te verwachten zijn.
- Diameter en lengte zijn gelimiteerd.

De genoemde systemen zijn redelijk eenvoudig te bedienen, vragen kleine werkterreinen voor de uitvoering en zijn relatief goedkoop ten opzichte van andere uitvoeringsmethoden.

4   Boogzinkers

4.1   Algemeen

boogzinker

Het kenmerk van een *boogzinker* is een installatietechniek waarbij met een voorgevormde spuitlans een verbinding wordt gespoten onder een te kruisen obstakel. Zie figuur 4.1.

De richting die de spuitlans volgt wordt bepaald door de vorm daarvan. Meestal is dit een cirkelvorm met een bepaalde straal. Deze kan variëren tussen drie en vijf meter.

Het systeem is niet bestuurbaar. De stalen spuitlans heeft een diameter van ca. 50 mm en is aan de voorzijde voorzien van een spuitkop. Aan de achterzijde wordt een slang bevestigd, waardoor onder hoge druk water wordt gepompt. Door het bewegen van de spuitlans in de richting van de spuitkop wordt een gat gespoten waardoor een verbinding wordt gemaakt met de overzijde van het te kruisen obstakel. Door aan de uittredezijde een koppeling te maken met de te installeren kabel(s) en/of leiding(en) kan wanneer de

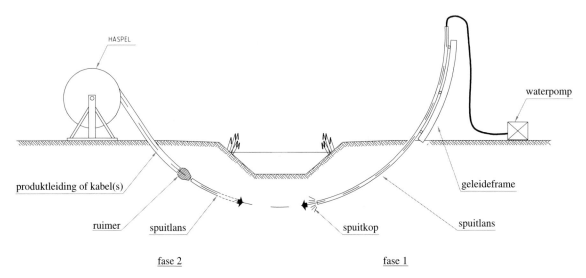

Figuur 4.1 Boogzinker

spuitlans al dan niet spuitend wordt teruggetrokken een verbinding worden gemaakt.

4.2 Toepassingen

De methode van boogzinkers wordt niet zo veel toegepast. De toepasbaarheid ligt vooral bij kleinere kruisingen, zoals bijvoorbeeld bij het maken van huisaansluitingen voor nutsvoorzieningen. De diameters en lengtes die kunnen worden gehaald hangen sterk af van de geleideconstructie van de spuitlans. Standaard moet worden gedacht aan lengtes van 6 m tot maximaal 10 m en een diameter van de te installeren kunststof leiding tot maximaal 160 mm.

De volgende aandachtspunten en/of randvoorwaarden zijn daarbij van toepassing:
- De methode wordt vooral gebruikt voor het maken van sloot-kruisingen. Doordat onder hoge druk water wordt gespoten is deze methode minder geschikt voor het maken van wegkruisingen. Vanwege uitspoeling kan instabiliteit ontstaan.
- Het systeem is onbestuurbaar en daardoor niet erg maatvast tijdens de uitvoering.
- Of toepassing van deze methode mogelijk is hangt sterk af van de grondsoort waar doorheen gespoten moet worden. In de regel is de methode alleen mogelijk bij licht cohesieve lagen. Zware klei laat zich moeilijk verspuiten en bij fijn zand bestaat gevaar van verzanden van het gat.
- De diameter van de te installeren leiding en de maximale lengte zijn sterk gelimiteerd.

5 Oeverboringen

5.1 Algemeen

Het kenmerk van de methode van oeverboringen is het maken van een schuine doorpersing die vanaf maaiveld onder een obstakel wordt doorgeboord. Zie figuur 5.1.

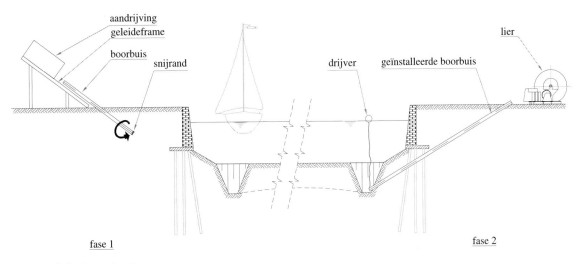

Figuur 5.1 Oeverboring

Veelal betreft het een kruising van een watergang of kanaal met obstakels zoals een kademuur of damwand aan één of beide zijden. Deze kunnen moeilijk verwijderd worden waardoor een boring onderdoor noodzakelijk is. Vanaf maaiveld wordt een doorpersing gemaakt onder een hoek, zodanig dat deze in een rechte lijn onder het obstakel doorgaat.

De doorpersing bestaat uit een stalen boorbuis met aan de voorzijde een snijrand. Deze wordt al draaiend vanaf een geleideframe de grond ingedrukt. De grond die zich in de buis ophoopt wordt door middel van een avegaar of spuitlans naar het maaiveld getransporteerd. Het einde van de oeverboring bevindt zich in een gegraven gat voorbij het obstakel.

Als de boorbuizen leeg zijn, wordt aan beide zijden een touw met drijver aangebracht. Door deze lijnen met elkaar te verbinden wordt er een verbinding gemaakt van oever naar oever. Met behulp van deze lijn wordt een staaldraad geïnstalleerd, die als een 'zaag' heen en weer wordt getrokken om de verbinding op de juiste diepte te krijgen. Is hiermee voldoende diepte gehaald, dan wordt met de staaldraad een kunststof leiding of kabel ingetrokken, waarmee de kruising is voltooid.

5.2 Toepassingen

De methode van oeverboren werd vooral toegepast voordat het horizontaal gestuurd boren werd geïntroduceerd. Men zocht in het verleden sterk naar methodes, waarbij de schade aan bestaande constructies zoveel mogelijk werd beperkt. Deze praktijkoplossing is daarvan een voorbeeld. Vanwege het risico van het ongecontroleerd op diepte 'zagen' van de staaldraad in de bodem, werd er meestal voor gekozen om een volledig gebaggerde sleuf te maken tussen de gekruiste obstakels. Bij een sleuf is de diepte goed controleerbaar.

De volgende aandachtspunten en/of randvoorwaarden zijn van toepassing.
– Het te volgen tracé moet vrij zijn van verontreinigingen en de bodem relatief zacht om de staaldraad op diepte te kunnen 'zagen'. Een goede controle van de diepteligging met deze methode is niet mogelijk.
– Alleen PE leidingen of kabels zijn op deze manier te leggen, vanwege de benodigde flexibiliteit bij het invoeren in de stalen boorbuis.
– De buisdiameter van de stalen boorbuis kan variëren tussen 150 mm en 400 mm. De lengte hiervan tot ca. 50 m.

6 Inspuittechniek

6.1 Algemeen

fluïdisatie methode

De inspuittechniek is een *fluïdisatie methode* waarbij een spuitlans met hoge waterdruk, zich een weg baant door de bodem. Deze techniek is niet geheel sleufloos te noemen, omdat tijdelijk een zeer smalle sleuf wordt gemaakt. Eén of meerdere kabels of PE pijpen kunnen op deze manier in de grond worden aangebracht. De gespoten sleuf sluit zich, enigszins afhankelijk van de grondsoort, zeer snel na de installatie. Zie figuur 6.1.

nozzles

De spuitlans bestaat uit een staalconstructie die aan de onderzijde voorzien is van een groot aantal spuitkoppen, de zogenaamde *nozzles*. Via een slangen- en buizenstelsel worden deze nozzles met water gevoed door één of meerdere hogedrukpompen. Het lospuiten van de bodem gebeurt met een grote hoeveelheid water en onder hoge druk. De spuitlans verplaatst zich naar voren door deze met een staaldraad te verbinden aan een trekinrichting. Al spuitend en

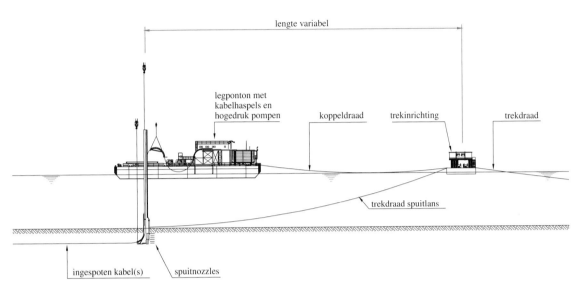

Figuur 6.1 Inspuittechniek

trekkend verdwijnen de kabels of de pijpen vanaf een meevarend ponton via de spuitlans in de bodem.

Deze methode is zeer geschikt voor het maken van waterkruisingen, waarbij nagenoeg elk type kabel, in enkelvoud of als bundel, kan worden geïnstalleerd. Het inspuiten van PE pijpen tot een diameter van ca. 300 mm is met een aangepaste spuitlans ook mogelijk. Verder zijn er systemen bekend waarbij deze methode geschikt gemaakt is om stalen leidingen in de bodem aan te brengen, slechts uitvoerbaar bij de grondsoort 'fijn zand'. In dit geval wordt de inspuittechniek *fluïdiseren* genoemd.

fluïdiseren

6.2 Toepassingen

De inspuittechniek wordt vooral gebruikt bij het kruisen van bredere waterwegen. De lengte is min of meer onbeperkt. De waterdiepte kan variëren tussen minimaal 3 meter en maximaal ca. 25 meter. Het besturen van de spuitlans langs de te volgen route is mogelijk door de positie van de trekinrichting ten opzichte van de aslijn te verplaatsen.

De te gebruiken spuitlans moet steeds ontworpen worden voor de specifieke omstandigheden. Uitgangspunten voor het 'model' van de spuitlans zijn: bodem- en inspuitdiepte, toelaatbare buigstralen van de te installeren kabels of leidingen, inzetbaarheid van het varend materieel, grondgesteldheid enz. De methode is reeds vele jaren bekend en wordt vooral toegepast op locaties waarbij de lengte te groot is voor het maken van een horizontaal gestuurde boring.

De volgende aandachtspunten en/of randvoorwaarden zijn daarbij van toepassing:
- De bodemgesteldheid moet goed worden onderzocht. In zandlagen is gemakkelijk te spuiten. Daar waar zware klei of geconsolideerde veenlagen voorkomen is de inspuittechniek niet aan te bevelen.
- De bodem moet vrij zijn van obstakels, zoals wrakken en staaldraden. Om die reden wordt, voorafgaand aan het definitieve inspuiten van de kabels of leidingen, in de regel het gehele tracé 'proefgespoten'.
- Een nauwkeurige peiling van de bodem over de te spuiten aslijn is noodzakelijk om de diepte van de spuitlans te kunnen vaststellen en controleren.

INSPECTIE-, REPARATIE- EN RENOVATIETECHNIEKEN X

1 Inleiding

In Nederland liggen omvangrijke leidingnetten voor de levering van gas en water en voor de inzameling en het transport van afvalwater. Het merendeel van de leidingnetten is na de Tweede Wereldoorlog aangelegd. Inmiddels is nagenoeg elke bewoner aangesloten op deze leidingnetten en bedraagt de gezamenlijke lengte circa 300.000 kilometer.

Helaas hebben de leidingnetten niet het eeuwige leven en moeten er leidingen worden gesaneerd. De vervangingswaarde van gas- en waterleidingnetten en rioolsystemen in Nederland wordt geschat op 60 miljard euro.

inspectietechnieken

Gezien de hoge kosten van sanering en de omvang van de leiding-netten is het van groot belang om saneringen goed te onderbouwen. Om de conditie van leidingen te beoordelen, worden *inspectietech-nieken* toegepast.

vervanging

In het verleden was er eigenlijk maar één saneringstechniek beschik-baar: *vervanging*. Vervanging van leidingen heeft echter belangrijke nadelen. Voor vervanging van leidingen moet de grond open. Over de gehele lengte moet de leiding worden vrij gegraven. Deze activiteit geeft vooral in stedelijke gebieden veel overlast. In veel gevallen is het graven van een sleuf moeilijk omdat er ook veel andere leidingen en kabels in de buurt liggen. Sleufloze renovatietechnieken kunnen dan een alternatief bieden.

In de volgende paragraaf worden verschillende sleufloze renova-tietechnieken besproken. Een goede analyse van problemen na een inspectie is van groot belang om de juiste renovatietechniek te kunnen selecteren.

2 Sleufloze renovatietechnieken

Sleufloze renovatietechnieken maken bij de sanering altijd gebruik van de bestaande leiding. Deze sleufloze renovatietechnieken kunnen worden onderverdeeld in:
- reparatietechnieken;
- vervangingstechnieken;
- renovatietechnieken.

2.1 Reparatietechnieken

reparatietechnieken

Onder *reparatietechnieken* worden die technieken verstaan, die lokaal in de leiding gebreken kunnen repareren. Deze technieken zijn niet geschikt om een groep leidingen structureel op te waarderen.

Er zijn een viertal reparatietechnieken te onderscheiden:
- injectietechnieken;
- robottechnieken;
- reparatieringen/manchetten;
- deelrenovatie.

Injectietechnieken

Injectietechnieken worden gebruikt voor het dichten van lekke voegverbindingen. Dit gebeurt met *injectiemallen*. Beide zijden van de lekkende voegconstructie worden door middel van *ballonafsluiters* vloeistof- en luchtdicht afgesloten. De zo gecreëerde binnenkamer wordt onder druk gezet (overdruk ten opzichte van de bestaande grondwaterdruk). Vervolgens wordt de injectievloeistof onder druk toegevoegd. Door een reactie van het aanwezige water en de chemicaliën in de vloeistof ontstaat na uitharding een inert materiaal op basis van polyurethaan hars waarmee de lekkage wordt gedicht.

injectiemallen
ballonafsluiters

Robottechnieken

Een via een videocamera bestuurde robot kan lokale scheuren en andere beschadigingen behandelen. Het toegepaste reparatiemateriaal bestaat voornamelijk uit een mortel op epoxybasis. De mortel wordt met diverse hulpstukken op de te repareren plek aangebracht. Hierbij wordt zowel gebruik gemaakt van injectietechnieken als van het koud aanbrengen met behulp van spatels op de te repareren binnenwand van de buis.

Reparatieringen/manchetten

Reparatieringen/manchetten zijn rubber slabben, die zijn voorzien van speciale profielen voor de afdichting op de binnenwand van de buis. Aan beide zijden van de lekkende voegconstructie wordt het rubber profiel door middel van een roestvaste stalen band op de binnenwand gefixeerd.

Deelrenovatie

partiële lining

Deelrenovatie is het aanbrengen van een *partiële lining* ter plaatse van een beschadiging. Deze lining bestaande uit een met kunsthars geïmpregneerd dragermateriaal (zie ook koustechnieken).

liner

De malconstructie, waarop de *liner* rondom is aangebracht, wordt met hulp van een videocamera in positie gebracht. De binnenkamer van de mal wordt opgeblazen en fixeert zo de liner rondom tegen de binnenkant van de buis.

Na uitharding van de liner wordt de druk van de kamer gehaald en kan de mal worden verwijderd.

2.2   *Vervangingstechnieken*

vervangingstechnieken

Bij *vervangingstechnieken* worden de sleufloze saneringstechnieken verstaan. Hierbij wordt de bestaande leiding vernietigd of verwijderd om plaats te maken voor een nieuwe leiding op dezelfde plaats als waar de oude leiding lag. Het toepassen van vervangingstechnieken leidt tot een structurele opwaardering van de sterkte van het systeem. Er is immers sprake van aanleg van nieuwe leidingen.

Er zijn drie typen sleufloze vervangingstechnieken:
- buizenkrakermethode;
- buisfreesmethode;
- uittrekken oude leiding en intrekken nieuwe leiding.

Buizenkrakermethode

buizenkrakermethode
bodempersraket
kraakkop

Bij de *buizenkrakermethode* (zie figuur 2.1) wordt gebruik gemaakt van een *bodempersraket*. Voor de bodempersraket is een conus gemonteerd, de zogenaamde *kraakkop*. Dit geheel wordt in de te vervangen leiding gebracht.

De kraakkop heeft een grotere diameter dan de bestaande leiding. Tijdens de voortstuwing door de raket breekt de kraakkop de leiding open en verdringt de scherven in de omliggende grond. Bij materialen, die niet in scherven gebroken kunnen worden, is op de kraakkop snijgereedschap bevestigd, dat de buis in lengterichting opensnijdt.

Achter de kraakkop is, over de raket heen geschoven, de nieuwe leiding bevestigd en deze wordt direct in de vrijgemaakte ruimte gebracht. Op de punt van de kraakkop is een trekkabel bevestigd. De trekkabel zorgt voor de geleiding van de kraakkop, zodat deze de bestaande leiding goed volgt en voor het blijven aanliggen van de kop tegen de bestaande leiding. In een verder gevorderd stadium van het proces kan de kabel extra trekkracht leveren om de wrijvingskrachten tussen de ingebrachte nieuwe leiding en de grond te compenseren.

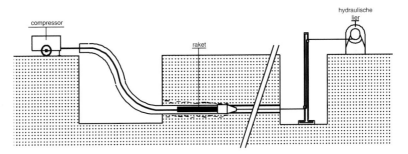

Figuur 2.1 Buizenkrakermethode

buisfreesmethode
boorschild

Buisfreesmethode
Bij de *buisfreesmethode* (zie figuur 2.2) wordt de oude leiding weggefreesd met een *boorschild*. Achter het boorschild wordt de nieuwe leiding ingeperst. Er wordt gebruik gemaakt van dezelfde technieken als bij de gesloten frontboortechniek.

De methode werkt als volgt: op het boorschild is een geleidekop bevestigd. Deze zorgt voor een volledig dichte afscheiding (gesloten front) tussen het nog intacte deel van de oude buis en het deel dat wordt weggefreesd door het boorschild. Aan het begin van het proces wordt de geleidekop in de oude leiding ingebracht tot het freesrad aanligt tegen de oude leiding. Tijdens het voortpersen freest het boorschild de oude leiding weg. De geleidekop zorgt er voor dat de richting van de oude leiding wordt gevolgd. Achter het boorschild wordt de nieuwe leiding ingeperst.

De diameter van de nieuwe leiding kan groter worden gekozen dan de diameter van de oude leiding. Het boorschild freest dan niet alleen de oude leiding weg, maar graaft ook een hoeveelheid grond er omheen af.

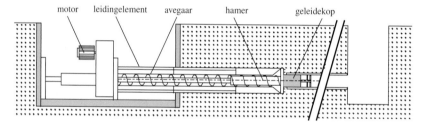

Figuur 2.2 Buisfreesmethode

Uittrekken oude leiding en intrekken nieuwe leiding
Bij deze methode wordt de te vervangen leiding op twee plaatsen opgegraven en afgekoppeld. Er wordt een stalen kabel in de leiding gebracht met een conus aan het einde. Op de conus wordt het uit-einde van de nieuwe leiding gemonteerd. Door aan de kabel te trekken wordt de oude leiding uit de grond getrokken en tegelijkertijd wordt de nieuwe leiding in het vrijkomende kanaal getrokken. De oude leiding wordt langs een mes getrokken en in langsrichting versneden.

2.3   Renovatietechnieken

Onder renovatietechnieken vallen de sleufloze saneringstechnieken, waarbij de bestaande leiding blijft liggen. De nieuwe leiding of bekleding wordt in de bestaande leiding aangebracht.

In beginsel moet bij renovatietechnieken altijd rekening worden gehouden met diameterverlies ten opzichte van de oorspronkelijke buis. Dit leidt overigens niet per definitie tot een verminderde hydraulische capaciteit. Met name bij grotere leidingdiameters kunnen renovatietechnieken door een gunstiger wandruwheid een beperkte diameterreductie compenseren.

De beschikbare technieken zijn te onderscheiden naar:
- toepassingsgebied (drukleidingen of vrije val, betreedbare en niet betreedbare leidingsystemen);

in situ
- materiaal (geprefabriceerd of op locatie samengesteld = *in situ*) en de mate waarin de oorspronkelijke diameter wordt gereduceerd.

De volgende acht renovatietechnieken worden toegelicht:
- schaaldelen;
- sliplining met lange buislengtes;
- sliplining met korte buislengtes;
- wikkelbuismethode;
- close-fit lining;
- kousmethode;

hose lining
- flexibele slangmethode *(hose lining)*;

resinlining
- cementeren/*resinlining*.

Schaaldelen

schaaldelentechniek
Bij de *schaaldelentechniek* wordt de binnenzijde van de te renoveren leiding bekleed met schaaldelen of platen. De schaaldelen worden rechtstreeks op de buiswand aangebracht, maar kunnen ook met afstandhouders op beperkte afstand van de wand gefixeerd worden. In het laatste geval wordt de holle ruimte tussen buiswand en schaaldeel opgevuld met een krimparme mortel. In de holle ruimte kan vooraf wapening worden aangebracht. Ook kan het plaatmateriaal vooraf worden voorzien van een wapeningsnet.

Het toegepaste materiaal is voornamelijk kunststof. Glasvezelversterkte kunststofplaten of profielen worden het meest toegepast.

Bij toepassing van schaaldelen moet rekening worden gehouden met een aanzienlijk diameterverlies. De schaaldelentechniek is niet geschikt voor drukleidingen, zoals water- en gasleidingen en rioolpersleidingen.

Sliplining met lange buislengtes

sliplining
Bij *sliplining* (zie figuur 2.3) wordt een nieuwe leiding in de bestaande leiding gebracht. Op een daarvoor geschikte locatie wordt de te renoveren leiding toegankelijk gemaakt voor het invoeren van de geprefabriceerde buizen.
Na reiniging en inspectie van de bestaande leiding wordt de nieuwe leiding ingebracht. Om de nieuwe leiding probleemloos in de

bestaande leiding te kunnen brengen, moet de uitwendige diameter van de nieuwe leiding kleiner zijn dan de meest kritische binnendiameter van de bestaande leiding. De holle ruimte tussen de oude en nieuwe buis kan worden opgevuld met een krimparme mortel.

Vanuit de bouwput kan in principe elk type buis in de bestaande leiding worden geduwd of getrokken. De wijze van inbrengen is met name afhankelijk van de trekvastheid van de verbindingen. PE-buizen en stalen buizen kunnen met lasverbindingen tot grote lengtes worden gekoppeld alvorens deze in de bestaande leiding worden getrokken.

Bij toepassing van sliplining moet rekening worden gehouden met een aanzienlijk diameterverlies.

Het toepassen van sliplining met lange buislengtes leidt tot een structurele opwaardering van de sterkte van het systeem. Er is immers sprake van aanleg van nieuwe leidingen.

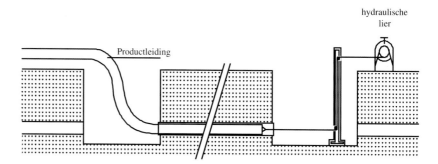

Figuur 2.3 Sliplining met lange buislengtes

Sliplining met korte buislengtes
In de bouwput of de inspectieschacht worden korte buiselementen aan elkaar gekoppeld en vervolgens in de te renoveren leiding getrokken of geduwd. De wijze van invoeren is afhankelijk van de al of niet trekvaste verbinding tussen de elementen.
Voor deze vorm van renovatie zijn gepatenteerde systemen op de markt beschikbaar, die zijn gekoppeld aan het soort materiaal dan wel het verbindingssysteem. Ook hier kan de holle ruimte tussen oude en nieuwe buis worden gevuld met een krimparme mortel. Er kunnen zowel ronde als afwijkende buisprofielen worden gelined.

Bij toepassing van sliplining moet rekening worden gehouden met een aanzienlijk diameterverlies.

Ook het toepassen van sliplining met korte buislengtes (zie figuur 2.4) leidt tot een structurele opwaardering van de sterkte van het systeem.

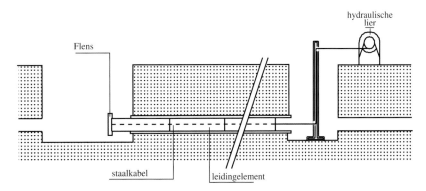

Figuur 2.4 Sliplining met korte buislengtes

Wikkelbuismethode

wikkelbuismethode

Bij de *wikkelbuismethode* (zie figuur 2.5) wordt ter plaatse van de bestaande leiding een nieuwe buis gevormd uit een PVC strip. Hiertoe wordt een PVC strip voorzien van een profiel. De strip wordt vervolgens door een speciale machine gevoerd, die hiervan een PVC buis wikkelt en die zich in de bestaande leiding een weg baant. Met een rubberring in het doorlopend profiel van de sluitnaad van de PVC strip wordt een waterdichte afdichting gerealiseerd. De *wikkelkorf* van de machine is bepalend voor de te realiseren diameter.

wikkelkorf

Als de nieuwe leiding volledig is ingevoerd, wordt tussen de oude en nieuwe leiding een vulmiddel aangebracht. In een aantal gevallen maakt het vulmiddel een wezenlijk onderdeel uit van de constructie en de sterkte van de leiding.

In de betreedbare leidingsystemen kan de PVC-profielband ook handmatig tot buisprofiel worden gewikkeld. Het betreft hier gepatenteerde systemen.

Ook bij de wikkelbuismethode moet rekening worden gehouden met een aanzienlijk diameterverlies. De wikkelbuismethode is niet geschikt voor drukleidingen, zoals water- en gasleidingen en rioolpersleidingen.

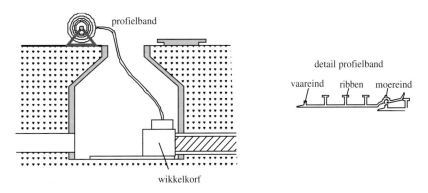

Figuur 2.5 Wikkelbuismethode

close-fit lining

Close-fit lining

Bij *close-fit lining* (zie figuren 2.6 en 2.7) wordt een nieuwe leiding nauwsluitend (close-fit) in de bestaande leiding gebracht. De bestaande leiding moet hiervoor, na reiniging en inspectie, zorgvuldig worden ingemeten. Het beschikbare diameter- en lengteprofiel bepaalt de toe te passen diameter van de nieuw in te voeren PE of PVC buis.

De techniek kent een tweetal uitvoeringsprincipes: het mechanisch bewerken op locatie van geprefabriceerd PE buismateriaal met matrijzen dan wel rollen. Hierbij wordt een tijdelijke diameterverkleining bewerkstelligd, zodat de nieuwe buis eenvoudig in de bestaande leiding kan worden gevoerd. Na invoering van de complete leiding wordt deze met druk (water, lucht) weer teruggebracht naar zijn oorspronkelijke diameter, al of niet onder toevoeging van warmte.

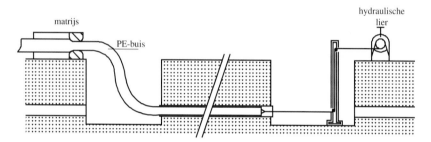

Figuur 2.6 Invoeren close-fit lining via een matrijs

Het mechanisch vervormen/vouwen van PE en PVC materiaal volgens een fabrieksmatig proces of op locatie met gebruik van speciale apparatuur.

Het op deze wijze verkregen profiel laat zich gemakkelijk in de bestaande leiding voeren. Nadat de gehele lengte is ingebracht, wordt de gevouwen leiding onder druk teruggebracht in zijn oorspronkelijke diameter (door middel van lucht of water, eventueel onder toevoeging van warmte).

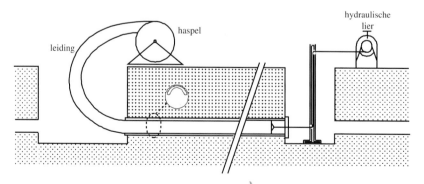

Figuur 2.7 Invoeren close-fit lining in samengevouwen vorm

De fabrieksmatig gevormde buizen worden op haspels aangeleverd. Het op locatie vervormde materiaal wordt eerst tot langere lengtes aan elkaar gelast. Alle beschikbare technieken, die op deze principes zijn gebaseerd, zijn gepatenteerd dan wel in licentie op de markt beschikbaar.

Met close-fit lining wordt de bestaande diameter slechts met de wanddikte van de nieuw ingebrachte buis gereduceerd.

dunwandige liners

Het toepassen van close-fit lining leidt tot een structurele opwaardering van de sterkte van het systeem. Er wordt bij close-fit lining echter ook wel gebruik gemaakt van *dunwandige liners*. Deze zijn geschikt om bijvoorbeeld lekkages op verbindingen af te dichten maar hebben onvoldoende stijfheid en sterkte om stand-alone te functioneren. Ze hebben de sterkte van de omliggende oorspronkelijke leiding nodig.

Kousmethode (ter plekke uithardende voering)

kousmethode

Bij de *kousmethode* (zie figuur 2.8) wordt een flexibele kous, die fabrieksmatig of op locatie is geïmpregneerd met een kunstharsproduct (op basis van epoxy, vinylester, polyester) in de te renoveren leiding gebracht d.m.v. lucht- of waterdruk. De kous kan ook met een lier in de leiding worden getrokken. De lucht- of waterdruk zorgt ervoor dat de kouswand tegen de binnenzijde van de te renoveren leiding wordt gedrukt. Door vervolgens de lucht of het water te verwarmen, zal de hars uitharden en ontstaat de definitieve kunststof binnenbekleding. Voor uitharding wordt ook wel stoom of UV-straling gebruikt.

De leiding dient vooraf te worden gereinigd en geïnspecteerd en moet zonodig worden ontdaan van obstakels en versteende aangroei.

De kous kan op locatie worden geïmpregneerd om daarmee direct te worden ingevoerd. Het alternatief is transport van een geïmpregneerde kous in een geconditioneerde container.
De diverse kousmethodes beschikken over een eigen inbrengmechanisme.

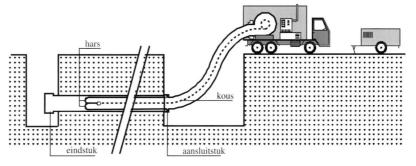

Figuur 2.8 Kousmethode

Slechts de wanddikte van de ingebrachte kous geeft een reductie aan de bestaande diameter bij de kousmethode.

Het toepassen van de kousmethode leidt tot een structurele opwaardering van de sterkte van het systeem. Aandachtspunt bij het ontwerp is de weerstand tegen onderdruk (uitwendige waterdruk). Indien hier onvoldoende rekening mee wordt gehouden kan de kous inklappen.

De kousmethode is in staat bepaalde oneffenheden en bochten te passeren. Dit is een belangrijk voordeel van de techniek.

Flexibele slangmethode (hose lining)

flexibele slangmethode (hose lining)

Bij de *flexibele slangmethode* (zie figuur 2.9) wordt een flexibele kunststof slang met een trekkous in de te renoveren leidingen getrokken. Door samenvouwen wordt de slang bij het inbrengen tijdelijk in omvang gereduceerd.Vervolgens wordt de slang verbonden met het bestaande leidingsysteem.

Bij het in gebruik nemen van de leiding, ontvouwt de slang zich door de inwendige druk en gaat aanliggen tegen de oude leiding. Bij bepaalde technieken wordt via stoom warmte toegevoerd om de aanwezige hars in de slang uit te harden. In sommige gevallen wordt de slang tegen de wand gehecht om het inzakken van de slang tegen te gaan bij het drukloos maken van de leiding. Voordat de slang ingebracht kan worden, moet de te renoveren leiding goed gereinigd en geïnspecteerd worden.

Met de flexibele slangmethode wordt de bestaande diameter slechts met de wanddikte van de ingebrachte slang gereduceerd.

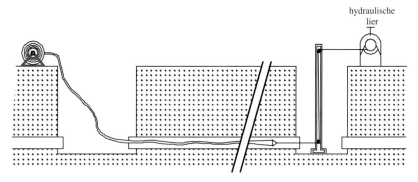

Figuur 2.9 Flexibele slangmethode

Het toepassen van de flexibele slangmethode leidt afhankelijk van wanddikte en fixatie aan de oorspronkelijke leiding tot een beperkte structurele opwaardering van de sterkte van het systeem.

Evenals bij de kousmethode is de weerstand tegen onderdruk een belangrijk ontwerpcriterium om inklappen te voorkomen. Ook met deze techniek is het mogelijk bepaalde oneffenheden en bochten te passeren.

Cementeren/resinlining

Bij deze technieken wordt de binnenwand van de te renoveren leiding voorzien van een laagje cement (*cementeren*) dan wel kunsthars op epoxybasis (*resinlining*).

cementeren
resinlining

Na grondige reiniging van de leiding wordt cement dan wel epoxyhars aangebracht via een sproeikop die langs de wand roteert. De sproei-installatie wordt door de leiding getrokken. De dosering wordt ingeregeld op basis van de snelheid waarmee de sproei/rotatiekop zich door de leiding beweegt en de gewenste laagdikte. Bij cementeren is de globale laagdikte 3 tot 10 mm. Bij resinlining wordt 0,5 tot 2 mm epoxyhars aangebracht. Deze werkgang kan afhankelijk van de conditie van de leiding enkele malen worden herhaald.

Bij cementeren en bij resinlining wordt de bestaande diameter slechts met de wanddikte van de cementlaag of epoxyharslaag gereduceerd. Met name bij resinlining is de laagdikte en daarmee de diameterreductie beperkt.

Met cementeren of resinlining wordt geen structurele opwaardering van de sterkte bereikt. Het zijn technieken die met name op inwendig onbeklede gietijzeren leidingen worden ingezet om corrosie en afzettingen te voorkomen door een barrière aan te brengen tussen de leidingwand en het te transporteren medium.

3 Selectie van renovatietechnieken

3.1 Probleemoplossend vermogen

In de volgende tabellen (tabellen 3.1, 3.2 en 3.3) is de geschiktheid van de diverse renovatietechnieken voor gas-, water- en rioolsystemen aangegeven. De tabellen zijn gemaakt op basis van een combinatie van de eigenschappen van de verschillende technieken en de probleembeschrijvingen die niet verder behandeld zijn, echter het gebruik van een sleufloze techniek wel, hier en daar, als oplossing geeft. De tabellen geven een globaal beeld van de geschiktheid van de technieken voor het oplossen van problemen met lekkage, sterkte, capaciteit en waterkwaliteit.

Tabel 3.1 Gasdistributiesystemen

methode	lekkage	stabiliteit sterkte
reparatietechnieken		
injectietechnieken	+	–
robottechnieken	–	–
reparatieringen/ manchetten	+	–
deelrenovatie	+	+
vervangingstechnieken		
buizenkrakermethode	+	+
buisfreesmethode	+	+
uittrekken oude, intrekken nieuwe leiding	+	+
renovatietechnieken		
schaaldelen	–	–
sliplining lange buislengtes	+	+
sliplining korte buislengtes	+	+
wikkelbuismethode	–	–
close-fit lining	+	+
kousmethode	+	+
flexibele slangmethode (hose lining)	+	+/–
cementeren, resinlining	–	–

+ = geschikt; – = niet geschikt

Tabel 3.2 Systemen voor transport en distributie van drinkwater

methode	lekkage	capaciteit	stabiliteit sterkte	waterkwaliteit
reparatietechnieken				
injectietechnieken	–	–	–	–
robottechnieken	–	–	–	–
reparatieringen/manchetten	+	–	–	–
deelrenovatie	+	–	+	–
vervangingstechnieken				
buizenkrakermethode	+	+	+	+
buisfreesmethode	+	+	+	+
uittrekken oude, intrekken nieuwe leiding	+	+	+	+

Tabel 3.2 (vervolg)

methode	lekkage	capaciteit	stabiliteit sterkte	waterkwaliteit
renovatietechnieken				
schaaldelen	−	−	−	−
sliplining lange buislengtes	+	−	+	+
sliplining korte buislengtes	+	−	+	+
wikkelbuismethode	−	−	−	−
close-fit lining	+	+	+	+
kousmethode	+	+	+	+
flexibele slangmethode (hose lining)	+	+	+/−	+
cementeren, resinlining	−	+	−	+

+ = geschikt; − = niet geschikt

Tabel 3.3 Rioolsystemen

methode	lekkage	capaciteit	stabiliteit sterkte
reparatietechnieken			
injectietechnieken	+	−	−
robottechnieken	−	−	−
reparatieringen/manchetten	+	−	−
deelrenovatie	+	−	+
vervangingstechnieken			
buizenkrakermethode	+	+	+
buisfreesmethode	+	+	+
uittrekken oude, intrekken nieuwe leiding	+	+	+
renovatietechnieken			
schaaldelen	+	−	+
sliplining lange buislengtes	+	−	+
sliplining korte buislengtes	+	−	+
wikkelbuismethode	+	−	+
close-fit lining	+	+	+
kousmethode	+	+	+
flexibele slangmethode (hose lining)	+	+	−
cementeren, resinlining	−	+	−

+ = geschikt; − = niet geschikt

3.2 Randvoorwaarden bij de selectie

In algemene zin geldt dat bij toepassing van sleufloze renovatie-technieken of welke techniek dan ook, de kwaliteit van de betreffende voorziening niet mag worden aangetast. Voor drinkwatersystemen bijvoorbeeld betekent dit dat de voorziening van voldoende water van goede kwaliteit onder voldoende druk gewaarborgd moet zijn. De gas-, water- en rioleringssectoren kennen een breed scala aan normen, richtlijnen en certificatie- en erkenningsregelingen waaraan technieken en uitvoerders daarvan moeten voldoen alvorens toepassing wordt goedgekeurd.

Ook tijdens de uitvoering en bij de oplevering worden controles en testprocedures ingezet, zoals:
- inspecties;
- betreedbare leidingen: visuele inspectie en/of video inspectie;
- overige leidingen: video inspectie, georadar, röntgen;
- materiaalcontrole en testprocedures:
  KIWA/KOMO/Gastec QA-keur dan wel partijkeuring (mate-riaalafhankelijk);
- materiaaltesten via proefplaatjes (systeemafhankelijk);
- lekdichtheid;
- visueel (inspectietechniek);
- afpersen volgens gangbare procedures;
- afvonken (niet van toepassing bij riolering);
- lasprocedures (staal/PE) volgens lasprotocollen.

3.3 Overige selectiecriteria

Vanzelfsprekend is het probleemoplossend vermogen het belang-rijkste criterium bij de selectie van een renovatietechniek. Daarnaast zijn de met name de volgende criteria van belang:
- technische uitvoerbaarheid: mogelijkheden van de locatie, toe-gankelijkheid;
- mate van hinder, schade aan de omgeving;
- eenvoud van herstel van verbindingen en aansluitingen: in de meeste gevallen moeten aftakkende leidingen en aansluitingen na toepassing van de renovatietechniek worden hersteld door de nieuwe leiding ter plaatse van de aansluiting aan te boren;
- snelheid van uitvoering;
- milieubelasting;
- gewenste levensduur;
- kosten.

Bij het criterium 'kosten' moeten de kosten over de gehele levens-cyclus worden beoordeeld. Het gaat niet alleen om de investering,

maar bijvoorbeeld ook over de levensduur van de techniek en de te
verwachten onderhoudskosten.

De invloed van de genoemde criteria is sterk afhankelijk van de aard
en omvang van het probleem en van de omstandigheden op locatie.
Het is niet mogelijk om hiervoor algemeen geldende richtlijnen te
geven. De selectie van een renovatietechniek is maatwerk.

4   Literatuur

NSTT, *Handboek Sleufloze leidingrenovatie (Ondersteuning bij de
praktische keuze van sleufloze renovatietechnieken voor gas-, drink-
water- en rioolsystemen)*. NSTT, Breda 2001.

Leidraad Riolering/onder red. Van W.A. Faber; met medewerking
van A.J.H. de Beaufort ...[et al.], *Leidraad Riolering*. Losbl. Samsom
H.D. Tjeenk Willink, Alphen aan den Rijn 1992.

NEN 3399, Buitenriolering – Classificatiesysteem bij visuele inspectie van riolen. NNI 1992.
NPR 3220, Buitenriolering – Beheer. NNI 1994.
NPR 3398, Buitenriolering – Inspectie en toestandsbeoordeling van
riolen. NNI 1992.

RISICOBEHEERSING **XI**

1   Inleiding

De techniek van het aanleggen van leidingen met sleufloze technieken is relatief jong. Nog geen 30 jaar geleden werden vrijwel alle leidingen in Nederland in een gegraven sleuf aangelegd en was in Nederland alleen boorervaring met 'open front' boringen onder wegen en spoorwegen. Er zijn inmiddels al vele leidingen sleufloos aangelegd. De ervaring met de sleufloze technieken is echter nog steeds beperkt. Door de jonge leeftijd zijn de technieken nog niet 'volwassen'. Dat betekent dat ze elke keer weer verbeterd worden. Daardoor is een boorproject nooit standaardwerk maar altijd weer een beetje 'nieuw'.

De beperkte ervaring met sleufloze technieken, het niet standaard zijn van de projecten, de ingewikkeldheid ervan en de vele partijen die er aan meewerken, maken dat er nogal wat risico's aan de projecten zitten. Als je deze risico's goed inschat en de juiste maatregelen neemt, zijn de sleufloze technieken een hele goede manier om een leiding aan te leggen.

Dit hoofdstuk gaat over de risico's die in het totale boor- of doorpersproces optreden. Daarvoor wordt eerst gekeken naar wat risico's eigenlijk zijn. Vervolgens worden de verschillende fasen van het boorproces met hun belangrijkste risico's beschreven.

1.1   Wat is een risico?

De meeste mensen hebben wel een idee wat het woord 'risico' betekent. Toch is het moeilijker te omschrijven dan je zou denken. Het woordenboek omschrijft het als 'gevaar voor schade of verlies'. Dit is een zeer ruime definitie en biedt veel mogelijkheden tot interpretatie: wat is gevaar, hoe groot is dat, wat is schade, hoe groot moet de schade zijn voordat er sprake is van een risico? Ga zo maar door.

Voor dit hoofdstuk wordt onder het begrip 'risico' het volgende verstaan:

*Het **risico** van een bepaalde gebeurtenis is de **kans** dat deze gebeurtenis optreedt in relatie tot de negatieve **gevolgen** van die gebeurtenis.*

In formulevorm is dit te omschrijven als:

risico = kans × gevolg

De grootte van een risico wordt bepaald door de grootte van de kans dat er iets gebeurd en de omvang van de gevolgen daarvan.

Een paar voorbeelden kunnen dit verduidelijken.

Henk heeft met een hamer net een hekje in zijn voortuin gerepareerd. Hij wil de hamer nu gaan opbergen in de gereedschapskist. Deze staat achter in Henk zijn klushok. Om daar te komen moet Henk door de woonkamer lopen waarin met een houten parketvloer ligt.
Als Henk de hamer in de woonkamer op de vloer zou laten vallen, betekent dit een kapotte vloer. De gevolgen van een vallende hamer zijn dus erg groot. Gelukkig heeft Henk de hamer stevig vast waardoor de kans dat de hamer valt erg klein is.
Het risico van een vallende hamer is dus laag, waardoor Henk met een gerust hart zijn hamer opbergt.

Uit bovenstaand voorbeeld blijkt dat als de kans op een gebeurtenis klein is en de gevolgen van die gebeurtenis groot, het risico beperkt is.

Andersom geldt het ook:

Nadat Henk zijn hamer heeft opgeborgen, vraagt zijn vrouw hem om ook nog even de schutting in de achtertuin te repareren. Henk neemt zijn hamer mee vanuit het klushok naar de schutting en repareert deze.

Nadat Henk de hamer gebruikt heeft, vraagt zijn driejarige zoon Jaap of hij de hamer mag opbergen. En dat mag. Jaap neemt de hamer en wandelt daarmee de tien meter door de achtertuin naar het klushok en bergt de hamer daar op.

Jaap is nog maar een kleine jongen en kan de zware hamer nog niet zo makkelijk dragen. De kans dat hij hem laat vallen is daarom erg groot. Als de hamer valt, valt hij gelukkig in de tuinaarde waardoor de gevolgen van een vallende hamer erg klein zijn.

Het risico van een vallende hamer is ook hier laag, waardoor Henk met een gerust hart Jaap de hamer laat opbergen.

In het voorbeeld is de kans op de gebeurtenis groot, maar de gevolgen zijn klein. Het risico is dus beperkt. In figuur 1.1 is dit schematisch samengevat:

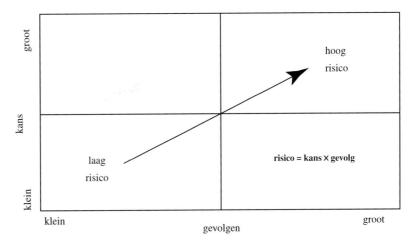

Figuur 1.1 Schema risico, kans en gevolg

Uit het bovenstaande kan men afleiden dat zowel de grootte van de kans als de omvang van de gevolgen van invloed zijn op de inschatting van het risico.

1.2   Wat is een risico-analyse?

risico-analyse

beheersing

De constatering over de relatie tussen kans en gevolg is de basis voor elke *risico-analyse*. In zo'n analyse worden zowel de kans als de gevolgen van een bepaalde gebeurtenis ingeschat. Op basis daarvan wordt het risico van die gebeurtenis bepaald. Als het risico hoog is, kunnen maatregelen genomen worden om dit te verlagen (*beheersing*). Uit het voorgaande wordt duidelijk dat de maatregelen gericht worden op het verkleinen van de kans óf op het verkleinen van de gevolgen.
De risico-analyse in het voorbeeld met de hamer van Henk is relatief eenvoudig. De kans dat de hamer valt is in beide voorbeelden goed in te schatten en ook de gevolgen van een vallende hamer zijn overzichtelijk.

Het bepalen van het risico wordt moeilijker wanneer de factoren die de kans beïnvloeden complex zijn of onderling samenhangen. Door de vele factoren en de onderlinge beïnvloeding is de kans dat er iets mis gaat alleen door zeer ervaren mensen te beoordelen.

Ook is een analyse moeilijk te maken als de gevolgen van bepaalde acties niet meteen optreden, maar pas veel later zichtbaar worden.

directe gevolgen, indirecte gevolgen

In dit laatste geval moet de risico-analyse niet alleen rekening houden met de *directe gevolgen* maar ook met de *indirecte gevolgen*.

Een voorbeeld waarin beide zaken spelen is een fout in een ontwerp van een bouwwerk. In een zeer complex ontwerp met vele details kunnen makkelijk fouten sluipen, die door de ontwerper niet opgemerkt worden. Pas later, in de werkvoorbereiding of de uitvoering worden dan de gevolgen pas zichtbaar. Het kan zelfs zo zijn dat de gevolgen pas optreden als het bouwwerk al uitgevoerd is.

Ter afsluiting van deze paragraaf een praktijkvoorbeeld uit de recente bouwgeschiedenis: de Erasmusbrug in Rotterdam.

Aan de brug over de Maas in Rotterdam hebben vele partijen zeer lang gewerkt. Door het unieke ontwerp is hij een bezienswaardigheid in de Rotterdamse stad waarbij de hoogte van de brug er voor zorgt dat hij van verre zichtbaar is.
Toen de brug af was en hij bijna geopend werd, waaide het een paar dagen erg hard in Nederland. Hierdoor begon de brug enigszins te bewegen. De brug bleek, onder bepaalde omstandigheden, zeer windgevoelig te zijn. Gedurende het hele bouwproces hebben de ontwerper, het ingenieursbureau, de werkvoorbereiding en de aannemer dit allemaal niet in de gaten gehad. De windgevoeligheid kwam pas naar voren toen de brug al helemaal af was. Gelukkig zijn er op tijd aanpassingen aan de brug gekomen waardoor er geen grote ongelukken zijn gebeurd.
Inmiddels zijn alle aanpassingen aangebracht en is de brug even robuust als de gemiddelde Rotterdammer.

2 Risicoanalyse van sleufloze technieken

Het verrichten van gestuurde boringen en het maken van buisdoorpersingen zijn ingewikkelde en langdurige processen, waarbij vele partijen betrokken zijn. Daarbij komt nog dat de sleufloze technieken relatief jong zijn, zich grotendeels onder de grond afspelen (en dus onzichtbaar zijn) en dat zich in die ondergrond allerlei objecten bevinden waarvan men boven het maaiveld geen weet heeft. Al deze zaken maken het per definitie zeer moeilijk om een goede risicoanalyse voor een boring of buisdoorpersing te maken. Alleen ervaren mensen zijn in staat het hele proces te overzien en in te schatten hoe groot bepaalde kansen en gevolgen zijn en hoe deze samen hangen.

2.1 Het totale proces

Om inzicht te krijgen in de risico's van een boor- of buisdoorpersingsproces wordt het proces in een aantal afgebakende fasen

verdeeld. Hierbij is uitgegaan van een traditionele verdeling van taken in de bouwkolom: een opdrachtgever neemt het initiatief om een leiding van A naar B aan te laten leggen door middel van een boring of buisdoorpersing. Hiertoe wordt:
- het grondonderzoek gedaan door een geotechnisch bureau;
- het ontwerp gemaakt door een ontwerper;
- wordt de daadwerkelijke boring of doorpersing uitgevoerd door een aannemer.

Het totale proces is in twee hoofdfasen te verdelen:
- de voorbereiding;
- de uitvoering.

voorbereiding

uitvoering

In de *voorbereiding* worden alle gegevens verzameld en verwerkt die benodigd zijn voor het verrichten van een boring of buisdoorpersing. In de *uitvoering* wordt de boring of doorpersing daadwerkelijk gemaakt.

Binnen deze twee hoofdfasen is weer een onderverdeling te maken (zie ook figuur 2.1).

Voorbereiding
Fase 1: projectvoorbereiding;
Fase 2: aanbestedingsfase;
Fase 3: werkvoorbereiding.

Uitvoering
Fase 4: uitvoeringsfase;
Fase 5: afwerkingsfase.

2.2 De afzonderlijke fasen

Projectvoorbereiding

projectvoorbereiding

Als de opdrachtgever het initiatief genomen heeft tot de boring of buisdoorpersing, begint de *projectvoorbereiding*. Hierin worden diverse onderzoeken gedaan, worden ontwerp, bestek en tekeningen gemaakt en worden de benodigde vergunningen aangevraagd.

Aanbestedingsfase

aanbestedingsfase

Zodra alle resultaten van de projectvoorbereiding bekend zijn, begint de *aanbestedingsfase*. Hierin maken diverse aannemers een offerte met daarin de prijs waarvoor zij denken het werk te kunnen maken. Hierbij maakt elke aannemer zijn eigen calculaties, technische berekeningen en risico-inventarisaties en stelt zijn eigen plan van aanpak. De opdrachtgever beslist op basis van de laagst geoffreerde prijs welke aannemer het project mag maken. Het afsluiten van het contract is het einde van de aanbestedingsfase.

werkvoorbereiding

Werkvoorbereiding

De derde fase vindt plaats bij de afdeling *werkvoorbereiding* van de aannemer. Dit is de brug tussen de resultaten van de projectvoorbereiding en aanbesteding enerzijds en de uitvoering anderzijds. De stukken uit de eerste fasen worden gecheckt op volledigheid en juistheid. Daarbij worden de gegevens klaargemaakt die benodigd zijn voor de uitvoeringsfase. Dit wordt verwerkt in allerlei plannen voor de uitvoering, waarvan het boorplan het belangrijkste plan is.

uitvoeringsfase

Uitvoeringsfase

In de *uitvoeringsfase* wordt de boring of buisdoorpersing aan de hand van de instructies uit het boorplan daadwerkelijk uitgevoerd. Aan het begin van de uitvoering is er op papier veel geregeld, maar is er buiten nog niets gebeurd. Aan het eind van de uitvoeringsfase is de volledige boring of doorpersing gemaakt en rest alleen de afwerking. In de uitvoeringsfase worden ervaren vakmensen, materieel en de kennis uit de voorgaande fasen gecombineerd om een geslaagde boring te maken.

afwerking

Afwerking

De laatste fase, de *afwerking* vindt plaats als de boring of buisdoorpersing eigenlijk al gemaakt is. Toch is deze fase cruciaal. In deze fase worden namelijk de nieuwe kabel- en leidingsegmenten gekoppeld aan het netwerk, worden (tijdelijke) bouwconstructies verwijderd en worden boorgaten afgedicht.

Hoewel deze fase achteraf gebeurd, kan hierbij nog zoveel schade aan de boring, doorpersing of omgeving ontstaan, dat deze schade soms niet meer te herstellen is en het project alsnog als mislukt beschouwd moet worden.

2.3 Onderlinge samenhang

Op papier is de scheiding tussen de verschillende fasen goed te maken. In de praktijk kunnen de fasen echter in tijd overlappen. Daarnaast beïnvloeden de resultaten van een fase alle nakomende fasen. Kleine onvolkomenheden in de eerste fasen kunnen grote gevolgen hebben in de uiteindelijke uitvoering en zelfs in het gebruik.

Het is daarom van groot belang om bij alle handelingen in elke fase te onderkennen dat alles wat men doet, grote gevolgen kan hebben voor de nakomende fasen. Dit betekent dat er in een ideaal project een continue afstemming tussen de partijen uit de verschillende fasen plaats vindt.

Figuur 2.1 geeft schematisch weer hoe de verschillende fasen elkaar beïnvloeden.

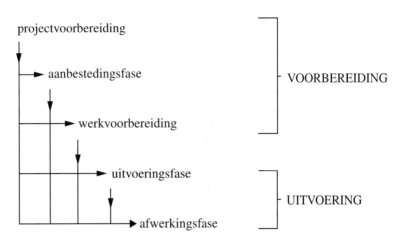

Figuur 2.1 Schematische overzicht van de fasen van een boor- of buis-doorpersingsproces

3   De voorbereiding

3.1   De projectvoorbereiding

De projectvoorbereiding is de eerste fase in het totale proces van boringen en buisdoorpersingen. Deze fase begint nadat de opdrachtgever heeft besloten om een leiding of mantelbuis met behulp van een sleufloze techniek aan te laten leggen. De opdrachtgever heeft meestal wel een idee van wat hij precies wil, maar voordat dit daadwerkelijk uitgevoerd kan worden, dienen er allerlei zaken nader uitgezocht te worden.

Grondonderzoek
Een boorproces speelt zich grotendeels af onder het maaiveld waar men met het blote oog niet kan kijken en waar men vrijwel geen invloed op kan uitoefenen. Om toch enig inzicht te hebben wat er staat te wachten, wordt de bodem via sonderingen en grondboringen onderzocht. Hierbij bekijkt men de grondeigenschappen en opbouw van de bodem en de geschiedenis van de ondergrond. Dit doet men via twee typen onderzoek:

geotechnisch onderzoek
-   Een *geotechnisch onderzoek* naar de samenstelling van de bodem en grondwater waarin geboord wordt. Het maakt veel uit of men in een zandbodem boort of dat men een leiding in een klei-bodem probeert te persen. Ook zegt een geotechnisch onderzoek vaak iets over de kans dat er zwerfkeien of grindbedden in de bodem aangetroffen kunnen worden.

historisch onderzoek
-   Een *historisch onderzoek*: in de Nederlandse ondergrond zijn vele obstakels verborgen zoals resten van oude fundamenten,

begraafplaatsen, (vliegtuig)bommen. Dergelijke obstakels kunnen het boorproces soms onverwacht zeer sterk hinderen.

KLIC-melding

Bij bovengenoemde onderzoeken hoort ook een *KLIC-melding*. Dit is een melding aan het Kabel en Leiding Informatie Centrum (KLIC) dat men een boring gaat doen in een bepaald gebied. Het KLIC geeft vervolgens aan of en zo ja waar er in dat gebied al eerder kabels en leidingen zijn aangelegd.

Indien men deze onderzoeken goed en volledig uitvoert, geeft dit veel informatie om een voorzichtige inschatting te maken van wat men tijdens de boring in de bodem kan aantreffen. Hier kan men in het ontwerp en bij de uitvoering rekening mee houden. De kans dat men bij een boring dan op onverwachte, vervelende zaken stuit die van invloed zijn op de boring wordt daarmee kleiner. Het risico van calamiteiten naar aanleiding van de bodemgesteldheid wordt dus met een goed onderzoek lager.

Bij de onderzoeken zijn een aantal zaken risicovol:
- Het onderzoek is onvolledig doordat er te weinig is onderzocht.
- Het grondonderzoek wordt te ondiep uitgevoerd (het moet dieper uitgevoerd worden dan het diepste punt van de boring).
- Informatie over bodemsamenstelling en verloop van grondlagen is ontoereikend.
- Informatie over de stand en stijghoogten van grondwater is onvolledig of onjuist.
- Informatie over aanwezige objecten is onvolledig of onjuist.
- Informatie van het grondonderzoek wordt verkeerd geïnterpreteerd.
- Grondonderzoek wordt uitgevoerd in het hart van het boortracé. Dit geeft een zwakke plek in de grond waardoor tijdens boring de bentoniet via het (verticale) boorgat kan ontsnappen.

De gevolgen van bovenstaande punten komen pas aan het licht bij de uitvoering van de boring. Het betreft hier dus indirecte gevolgen.

Om de risico's van de projectvoorbereiding reeds te beperken als zij ontstaan, is het noodzakelijk om de kans op de onvolkomenheden in het grondonderzoek te verkleinen. Dit kan door de onderzoeken volgens vastgestelde en algemeen aanvaarde richtlijnen uit te voeren. Daarnaast is ervaring bij het interpreteren van de onderzoeksgegevens zeer belangrijk.

Vergunningen
Zoals vele zaken zijn er ook voor boringen en buisdoorpersingen vergunningen nodig. Het gaat hierbij om allerlei vergunningen, gericht op veiligheid en milieu, maar ook op beperking van overlast voor de omgeving.

Hoe gek het misschien ook klinkt, vergunningen zijn een grote bron van risico's voor het totale project:
- Zeer strenge vergunningseisen maken een eenvoudige boring of doorpersing soms onmogelijk. Dat betekent een complex en dus risicovol ontwerp en uitvoering.
- Het verkrijgen van een vergunning duurt vaak zeer lang. Hierdoor loopt het totale boorproces flinke vertraging op, met als gevolg tijdsdruk die ten koste gaat van de kwaliteit van het proces.

Genoemde risico's zijn enigszins te beperken door vroegtijdig met de vergunningverlener te overleggen over wat wel en niet mag en wat wel en niet kan.

Ontwerp, bestek en tekeningen
Met de gegevens van de opdrachtgever over de capaciteit en intrede- en uittredepunt van de leiding en het type leiding (gas, water of een mantelbuis voor andere leidingen) en met de eisen van de vergunningverlener kan een ingenieursbureau een ontwerp maken van de boring of buisdoorpersing. Hierbij wordt van alles aangegeven: leidingmateriaal, boorprofiel, dimensionering van de leiding, tracé, enzovoort.

Nadat het ontwerp tot stand is gekomen, wordt een bestek van de boring of doorpersing gemaakt. Hierin wordt aangegeven wat er allemaal moet worden gedaan, op welke manier dit moet gebeuren (methode) en welk tijdspad er aan verbonden is. Bij het bestek horen doorgaans tekeningen waarop de boortracés en de situatie ter plekke staan aangegeven.

Het maken van ontwerp, bestek en tekeningen introduceert vele risico's. De belangrijkste risico's zijn:
- Dat er een onvolledig overzicht is van de uit te voeren werkzaamheden: dit leidt tot een slechte voorbereiding van de boring, wat weer leidt tot improvisatie.
- Onjuiste dimensionering van de leidingen: hoe groter de leidingen, des te meer 'power' er ingezet moet worden waardoor het maximale tracé weer korter wordt. Daarnaast komen er allerlei krachtwerkingen in de leidingen die slijtage van de leidingen en met name van de aansluitingen versnellen.
- Onjuiste materiaalkeuze: leidingmateriaal kan te elastisch zijn zodat leidingen uitrekken als ze het boorgat ingetrokken worden, leidingmateriaal kan ook te star zijn zodat ze niet 'de bocht doorkomen' bij het intrekken van de leidingen. De materiaalkeuze bepaalt ook mede de maximale kracht, die tijdens het intrekken of de doorpersing op de leiding kan komen te staan, wat weer van invloed is op de lengte van het boortracé.
- Onjuiste intrede- en of uittredehoek: als deze te groot is, wordt het boorgat te steil voor de boorstelling, als deze te klein is, is er

teveel leiding nodig om op de juiste diepte onder het te kruisen object (weg, water, spoor) te komen.

– Onbekendheid met voorschriften en vergunningseisen: als deze niet goed gehanteerd worden komt vaak de veiligheid in het geding. Hierdoor kan een werk stilgelegd worden, bijvoorbeeld door de vergunningverlener, maar ook door de arbeidsinspectie.

– Geen rekening houden met obstakels: indien men hier tijdens boring op stuit, blokkeert het proces.

– Te weinig historisch onderzoek.

– Onjuiste informatie over ligging kabels en leidingen.

– Onredelijke tijdsplanning: de snelheid van een project gaat ten koste van kwaliteit en zekerheid.

– Onjuiste, onvolledige of verouderde situatie- en overzichtstekeningen.

Net als bij de risico's van het grondonderzoek, treden de gevolgen van de bovenstaande risico's pas op tijdens het boorproces zelf. Dit betekent dat ook voor de risicobeheersing van het ontwerp, bestek en tekeningen geldt dat de kans op fouten gereduceerd moet worden. Dit gaat het beste door standaard richtlijnen te volgen en ervaren ontwerpers en bestekschrijvers in te zetten die feeling hebben met wat er in de uitvoering met hun ontwerp en bestek gaat gebeuren.

In tabel 3.1 worden de belangrijkste risico's die in de projectvoorbereiding kunnen optreden nogmaals samengevat.

Tabel 3.1 Risico's die in de projectvoorbereiding kunnen optreden

situatie/oorzaak	risico's	mogelijk gevolg
(grond)onderzoek		
te weinig informatie	tegenkomen objecten	→ vastlopen boring/verlies boring
		→ schade aan derden (kabels en leidingen)
	onverwachte grondlagen	→ afwijken boortracé/verlies boring
	onverwacht grondwater	→ vollopen boortracé/verlies boring
verkeerde interpretatie	onverwachte grondlagen	→ afwijken boortracé/verlies boring
	onverwacht grondwater	→ vollopen boortracé/verlies boring
onderzoek in hart tracé	muduitbraak op onderzoeksplaats	→ wegvallen bentonietdruk/verlies boring
		→ schade aan derden
vergunningen		
strenge eisen	complexe boring	→ risicovol ontwerp
		→ risico's in uitvoering
langdurig vergunningstraject	tijdsdruk	→ verlate oplevering
		→ kwaliteitsverlies proces

Tabel 3.1 (vervolg)

situatie/oorzaak	risico's	mogelijk gevolg
ontwerp, bestek en tekeningen		
onjuiste dimensionering	te grote leiding	→ veel kracht nodig/te kort tracé → grote krachtwerking/versnelde slijtage
onjuiste materiaalkeuze	te flexibel te star te weinig kracht-capaciteit	→ uitrekken leidingmateriaal/verlies boring → ongeschikt voor boorprofiel/afwijking tracé → intrekken onmogelijk/verlies boring
onjuiste in- en uittredehoek	te groot te klein	→ te steil boorprofiel/onmogelijke boortracé → te lang boorprofiel/teveel leidingmateriaal
onbekendheid vergunningseisen	niet voldoen aan eisen onveilige situaties	→ stilleggen van boring → (persoonlijke) ongelukken → stilleggen van boring
onredelijke tijdsplanning	tijdsdruk	→ verlate oplevering → kwaliteitsverlies proces

3.2   De aanbestedingsfase

Na de projectvoorbereiding gaat de opdrachtgever op zoek naar een aannemer die de boring of buisdoorpersing wil gaan maken. Op basis van het bestek en het ontwerp maken verschillende aannemers een aanbieding. Hiertoe zullen zij ieder hun eigen berekeningen en calculaties maken, waarbij ze rekening houden met alle werkzaamheden die moeten gebeuren en natuurlijk met alle onverwachte zaken die ze misschien tegen kunnen komen.

Het doel van de aanbestedingsfase is natuurlijk een voor opdrachtgever en aannemer zo gunstig mogelijke overeenkomst. Daarnaast dient deze fase voor de aannemer ook als controle op de aangeleverde gegevens uit ontwerp, bestek en tekeningen alsmede grondonderzoek en vergunningen. Hoe beter dit is geregeld, des te beter de aanbieding van de aannemer kan zijn.

In een ideale aanbestedingsfase controleert de aannemer de bestekstukken, het werkterrein en de ondergrond, maakt hij berekeningen, een plan van aanpak en een risico-inventarisatie, een kostencalculatie en een aanbieding, met daarin alle risico's en/of commerciële aspecten, afhankelijk vaak van de verhouding met de opdrachtgever en de te verwachten concurrentie. Daarna wordt aanbestedingsfase afgerond met een overeenkomst tussen opdrachtgever en aannemer voor het verrichten van de boring of doorpersing.

In het linkerschema van figuur 3.1 is het beeld van de ideale aanbieding gegeven. Te zien is dat in het traject 'aanbesteding – werkvoorbereiding' alle onderdelen keurig zijn geplaatst in de fase waar ze thuis horen.

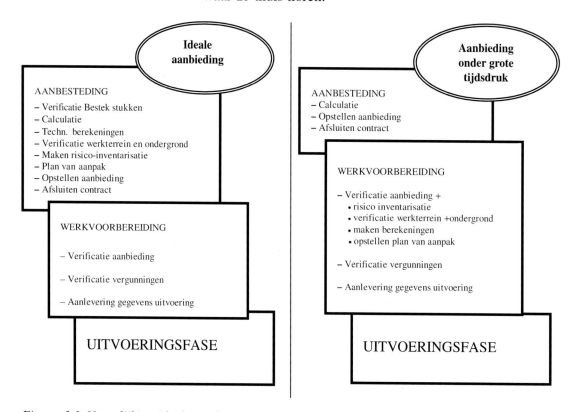

Figuur 3.1 Vergelijking ideale aanbestedingfase met aanbesteding onder tijdsdruk

Doordat de aanbieding vaak snel gemaakt moet worden, rust er een grote tijdsdruk op de aannemer in de aanbestedingsfase. De aannemer kan niet alle zaken doen die nodig zijn voor de ideale aanbieding. Hierdoor verschuift er veel naar de volgende fase in het boorproces: de werkvoorbereiding.

Onverwachte zaken die dan pas naar voren komen, kunnen niet meer teruggedraaid worden. Immers, de contracten zijn al afgesloten en de vergunningen zijn al aangevraagd. Op dat moment moet het overleg tussen opdrachtgever en aannemer over de opdracht heropend worden, hetgeen vaak leidt tot veel tijdverlies en aanvullende kosten. Iets meer tijd in de aanbestedingsfase verkleint de kans op een onvolledige aanbieding en verkleint de tijds- en financiële gevolgen in de werkvoorbereiding en uitvoering.

De belangrijkste risico's die in de aanbestedingsfase geïntroduceerd worden zijn samengevat in tabel 3.2.

Tabel 3.2 Belangrijkste risico's in de aanbestedingsfase

situatie/oorzaak	risico's	mogelijk gevolg
doorschuiven zaken naar volgende fase	tijdsdruk in werkvoorbereiding/ uitvoering	→ verlate oplevering → kwaliteitsverlies proces
onvolledige aanbesteding	improvisatie in werkvoorbereiding/ uitvoering	→ toenemende kans op fouten → hogere kosten voor oplossingen → vertraging/verlate oplevering
te weinig controle	onverwachte fouten in werkvoorbereiding/ uitvoering	→ hoge herstelkosten → noodzaak tot improvisatie/kans op fouten → vertraging/verlate oplevering

3.3 De werkvoorbereiding

De werkvoorbereidingsfase vindt plaats bij de aannemer 'op kantoor'. Alle gegevens, tekeningen, eisen, afspraken die uit de projectvoorbereiding en de aanbestedingsfase voort komen, worden tijdens de werkvoorbereiding nogmaals doorgelopen. Vervolgens worden ze verwerkt in verschillende plannen, waarvan het boorplan het belangrijkste is.

boorplan

In het *boorplan* staat alles wat er tijdens de uitvoeringsfase en de afwerking moet gebeuren, van het inrichten van het werkterrein tot de minimale en maximale druk van de boorspoeling. Het boorplan is dus eigenlijk het 'kookboek' voor de boormeester in de uitvoeringsfase. Ook de logistiek wordt doorgaans in het boorplan opgenomen.

Het boorplan is gestoeld op twee belangrijke pijlers:
- De gegevens uit de projectvoorbereiding en de aanbestedingsfase en de controle daarvan door de werkvoorbereiders;
- De vertaling in het boorplan door de werkvoorbereiders en de overdracht naar de uitvoeringsfase.

Gezien de uitgebreidheid en de gedetailleerdheid van het boorplan moeten de werkvoorbereiders veel kennis van en ervaring met het totale boorproces hebben.

Net als de voorgaande fasen in het boorproces introduceert ook de werkvoorbereiding risico's die pas in de uitvoering daadwerkelijk tot uiting komen. Er kunnen allerlei fouten van velerlei soorten in het boorplan sluipen waardoor voor, tijdens of na de boring of doorpersing allerlei zaken mis kunnen gaan. Dit varieert van een tekort aan bentoniet tot het vollopen van een pers- of ontvangput met grondwater.

De risico's zijn te verminderen door de kans op fouten te verkleinen. Dit kan bereikt worden, door de volgende factoren:

- De tijdsdruk verkleinen door de werkvoorbereiding meer tijd te gunnen, in de aanbestedingsfase al meer te controleren of met standaard controlelijsten te werken.
- Het inzetten van ervaren werkvoorbereiders met kennis van het totale boorproces, met name ook van de uitvoering.
- Communicatie tussen opdrachtgever, projectvoorbereiders en werkvoorbereiders vroegtijdig en goed te laten verlopen. Dit kan door bij alle partijen procedures in te voeren die overleg en standaardisering bevorderen.

De belangrijkste risico's die in de werkvoorbereiding geïntroduceerd zijn samengevat in tabel 3.3.

Tabel 3.3 Risico's in de werkvoorbereiding

situatie/oorzaak	risico's	mogelijk gevolg
fouten in boorplan	onherstelbare fouten herstelbare fouten	→ afwijking boortracé/verlies boring → hoge kosten/vertraagde oplevering
onvolledig boorplan	improvisatie in uitvoering	→ toenemende kans op fouten → hogere kosten voor oplossingen → vertraging/verlate oplevering

3.4 Conclusie

Uit deze paragraaf blijkt duidelijk dat er aan een boor- of doorpersingsproject heel veel voorbereiding voorafgaat. Alle zaken die in die voorbereiding gebeuren, beïnvloeden de uiteindelijke boring. Daarbij komt dat van de meeste risico's die in de totale voorbereiding geïntroduceerd worden, de gevolgen pas in de uitvoering zichtbaar worden. Dit betekent dat de totale voorbereidingsfase volledig doorgewerkt moet worden, waarbij alle partijen voldoende tijd hebben en waar ervaren krachten met ruime kennis van zaken gezamenlijk de voorbereidingen voor de uitvoering treffen.

4 De uitvoering

4.1 De uitvoeringsfase

Nadat alle voorbereidingen voor de boring of buisdoorpersing getroffen zijn, is het tijd voor de uitvoeringsfase. Deze is voor de boringen anders dan voor de buisdoorpersingen (zie ook paragraaf XI.3).

Dit resulteert ook in andere risico's. Daarom worden ze afzonderlijk behandeld.

Boring
Bij een boring wordt in deze fase eerst de pilotboring gemaakt, waarna het boorgat wordt geruimd en de leidingen worden ingetrokken.

Bij het uitvoeren van een boring zijn de volgende risicogroepen te onderscheiden:
- Risico's vanuit de voorbereiding.
- Risico's tijdens het uitvoeren van de pilotboring.
- Risico's bij het ruimen en intrekken.

Risico's vanuit de voorbereiding
De voorbereiding kan vele risico's in het proces introduceren. De gevolgen worden echter pas duidelijk in de uitvoering. Tabel 4.1 geeft een beperkte opsomming van de risico's.

Tabel 4.1 Overzicht risico's vanuit de voorbereiding

situatie/oorzaak	risico's	mogelijk gevolg
(grond)onderzoek		
overgang grondlaag: van zacht naar hard en vice versa.	uitknikken pilot afbreken boorbuis stuurproblemen	→ afwijken boortracé/verlies boring → vastlopen boring/verlies boring → afwijken boortracé/verlies boring
overgang zoet-/zout watergebied	degeneratie boorspoeling	→ vastlopen pilotbuis/verlies boring
grind/grindbedden	stuurproblemen niet kunnen passeren afbreken boorkop vastdraaien pilot	→ afwijken boortracé/verlies boring → stuk terugtrekken, passeren/verlies boring → vastdraaien pilot/verlies boring
loopzand	- dichtklappen boorgat	→ vastdraaien pilot/verlies boring
obstakels	niet kunnen passeren afbreken boorkop vastdraaien pilot	→ stuk terugtrekken, passeren/verlies boring → verlies boring → verlies boring
hoogspanningskabels, spoorlijnen, tramrails	interferentie op stuur- en meetmechanismen	→ afwijking boortracé/afwijking uittredepunt
aanwezigheid kabels en leidingen	raken van kabels en leidingen	→ schade derden

Tabel 4.1 (vervolg)

situatie/oorzaak	risico's	mogelijk gevolg
ontwerp		
Boorradius (boogstraal)	te klein	→ beschadiging boorbuis of mediumvoerende buis
lengte boring	te lang stabiliteit boorgat	→ te weinig vermogen van boorstelling → instabiliteit boorgat

Risico's tijdens het uitvoeren van de pilotboring
De uitvoering van een boring wordt gekenmerkt door de gebruikte materialen, het gebruikte materieel, de omvang en het vermogen van de boorstelling, de lengte van de boringen enzovoort. Ook hier treden allerlei risico's op. Deze zijn samengevat in tabel 4.2.

Tabel 4.2 Risico's tijdens het uitvoeren van de pilotboring

situatie/oorzaak	risico	mogelijk gevolg
slechte boorspoeling	instabiliteit boorgat	→ instorten boorgat/vastlopen pilot/intrekken/ verlies boring
foutieve keuze boorbit	stuurproblemen vastlopen pilot	→ afwijking boortracé/verlies boring → verlies boring
slecht materiaal	breuk boorbuis	→ verliezen materieel/verlies boring
slecht equipement	stagnatie boring	→ verliezen materieel/verlies boring
kabelbreuk/defecten steeringtool	onbestuurbare boring geen plaatsbepaling	→ verlies pilot/boring → verlies pilot/boring
instabiele bovengrond	muduitbraak	→ wegvallen bentonietdruk/verlies boring → schade aan derden

Het eerstgenoemde risico (instabiliteit boorgat) is wellicht de oorzaak van de meeste problemen. Niet alleen tijdens de pilotboring, maar ook tijdens het ruimen en intrekken is het van groot belang dat het boorgat in tact blijft. De stabiliteit van het boorgat is daarom één van de belangrijkste zaken tijdens het gehele boorproces.

Risico's bij het ruimen en intrekken
De keuze voor de ruimer wordt bepaald door alle gegevens uit de voorgaande fasen. Hierbij zijn de gegevens van de pilotboring over de ondergrond en het daadwerkelijke profiel van de uiteindelijke boring uiteraard van groot belang. Een vakkundig aannemer kan op

basis van de hem beschikbare gegevens vaak een goede afweging maken. Desondanks blijven er altijd risico's bestaan die specifiek bij het ruimen en intrekken optreden. Deze zijn samengevat in tabel 4.3.

Tabel 4.3 Risico's bij ruimen en intrekken

situatie/oorzaak	risico	mogelijk gevolg
ruimen		
nozzles slibben dicht	afname snijdeigenschappen vollopen ruimer blokkeren ruimproces	→ terugtrekken ruimer/tijdverlies → terugtrekken ruimer/tijdverlies → terugtrekken ruimer/tijdverlies/ verlies boring
foutieve keuze ruimer foutieve opbouw ruimer	slechte menging cuttings en boorspoeling slechte snij-eigenschappen	→ instabiliteit boorgat → instabiliteit boorgat/terugtrekken ruimer/ tijdverlies
onjuiste snelheid ruimen	te snel ruimen te langzaam ruimen	→ instabiliteit boorgat/vervorming boorgat → instabiliteit boorgat/vervorming boorgat/ losraken obstakels/blokkering boorgat
defecten aan ruimer	breuk in joint breuk van drillcollar slijtage body van de ruimer breken snijtanden/nozzles vollopen barrelreamer	→ (tijdelijke) blokkering boorgat/tijdverlies/ verlies ruimer/verlies totale boring
obstakels in grond	vastlopen ruimer in smal boorgat van pilotboring beschadiging ruimer (snijtanden, nozzles, afschuren)	→ (tijdelijke) blokkering boorgat/tijdverlies/ verlies ruimer/verlies totale boring
intrekken		
defect swivel	overmatig gebruik olie of vet (lekkage uit swivelhuis) overbelasting	→ hogere kosten/milieuschade → stagnatie intrekkingsproces
overschrijding maximale trekkracht op productpijp	overbelasting trekkop	→ breuk materiaal/verlies productpijp/ vastlopen intrekken
invoerbocht niet goed	te grote drukken pijp niet goed in boorgat	→ beschadiging productpijpen → beschadiging productpijpen/ stagnatie intrekken
beschadiging productpijpen	beschadiging coatings kromme pijp ingesleten schroefdraad	→ afkeuring pijpen/snellere slijtage productpijp in levensloop → overbelasting of vastlopen intrekproces/verlies boring → afkeuring pijpen/slechte verbindingen

Bij het ruimen en intrekken komen de risico's met name vanuit de bedrijfsvoering van de aannemer. Keuring van materiaal en materieel, voortdurende monitoring van het proces beperken de risico's aanzienlijk. Mocht er toch wat gebeuren kunnen ervaren boormeesters de gebeurtenissen vaak goed inschatten en de schade beperken.

Buisdoorpersingen

Bij de buisdoorpersingen worden pers- en ontvangputten gemaakt. Dit brengt met zich mee dat er damwanden geplaatst en getrokken moeten worden, dat de putten bemaald moeten worden om ze watervrij te houden, dat er peilfilters bij de putten geplaatst moeten worden, etc. Daarnaast brengt de techniek met zich mee dat er niet om obstakels heen geboord kan worden, zodat het grondonderzoek hier nog kritischer is.

Net als bij boringen treden ook bij buisdoorpersingen de gevolgen van risico's uit de totale voorbereiding naar voren. Deze zijn samengevat in tabel 4.4.

Tabel 4.4 Samenvatting gevolgen van risico's uit de voorbereiding van buisdoorpersingen

situatie/oorzaak	risico's	mogelijk gevolg
(grond)onderzoek		
onjuiste gegevens (grond)water	te grote stijghoogte optreden zettingen	→ extra bemalen/vollopen bouwputten → verzakkingen in put/verzakking in- en uittredepunt doorpersing, verzakking omgeving
grind/grindbedden	niet kunnen passeren	→ verlies doorpersing
obstakels	niet kunnen passeren	→ verlies doorpersing
hoogspanningskabels, spoorlijnen, tramrails	interferentie op stuur- en meetmechanismen	→ afwijking uittredepunt in ontvangstput
aanwezigheid kabels en leidingen	raken van kabels en leidingen	→ schade derden
ontwerp		
pers- en ontvangput	damwanden	→ zakkingen door plaatsen en trekken damwanden/schade doorpersing/ schade derden
	foutief heien damwanden foute onderwaterbetonvloer	→ niet waterdichte putten/vollopen putten → lekkage in put/vollopen put/vollopen boorgat/verlies doorpersing
onjuiste dimensionering	teveel of onjuiste overdracht (pers)krachten	→ vervorming persput/vervorming boorbuizen/ lekkage/afwijking in boorprofiel

Tabel 4.4 (vervolg)

situatie/oorzaak	risico's	mogelijk gevolg
boogstraal	te klein	→ kieren (lekken) buissecties
lengte boring	te lang stabiliteit boorgat	→ te weinig vermogen van boorstelling → instabiliteit boorgat

werkvoorbereiding

bemaling	strenge eisen vergunningen zettingen door bemaling kwaliteit te lozen water	→ afwijzen bemalingsplan/lange aanvraagtijd → verzakkingen in put/verzakking in- en uittredepunt doorpersing, verzakking omgeving → reinigen/retrourbemalen (beiden kostbaar)
werkterrein	te beperkt in stedelijk gebied	→ beperkte opslag/vertraging → complexe logistiek/vertraging

De meeste van de bovenstaande risico's zijn te beperken door:
- Enerzijds een goede voorbereiding met voldoende en betrouwbare gegevens (preventie van optreden) en
- Anderzijds door preventieve maatregelen te nemen om de gevolgen niet uit de hand te laten lopen (beheersing van gevolgen).

Bij het laatste kan men denken aan een overcapaciteit in de bemaling, overdimensionering in pers- en ontvangput, enzovoort.

Naast de risico's uit de voorbereiding met indirecte gevolgen die zich pas openbaren in de uitvoering, introduceert de uitvoering zelf ook risico's met directe gevolgen. Deze zijn samengevat in tabel 4.5.

Tabel 4.5 Risico's en gevolgen tijdens de uitvoering

situatie/oorzaak	risico	mogelijk gevolg
afwijking frontsteundruk	te lage frontsteundruk te hoge frontsteundruk	ontstaan zetttingen ontstaan opdrijvingen/verdrijven grond
bochten in tracé	onevenredige krachten- verdeling op buissecties	openen voeg tussen secties/lekkage leiding gaping buissectie
defecten materiaal & equipment	stagnatie doorperings-proces	verliezen materieel/vastlopen doorperisng/verlies doorpersing
instabiele bovengrond	muduitbraak	wegvallen bentonietdruk/verlies doorpersing schade aan derden
verbinding productpijpen	beschadigde coating onjuiste drukverdeling tussen pijpen	slechte bescherming productpijp/ versnelde slijtage productpijp ongelijkmatige drukverdeling buissecties/afwijking boorprofiel

Voor zowel de boringen als de buisdoorpersingen geldt dat bij de risico's de vakkundigheid en ervaring van de werkvoorbereiders een grote rol speelt. Zij bepalen aan de hand van de parameters uit het vooronderzoek en het proces de inzet van materiaal en middelen.

Het allerbelangrijkste is echter de boormeester/boorploeg. Hij is met zijn deskundigheid en ervaring de eerste die afwijkingen van het geplande constateert en ook de eerste die ingrijpt en noodmaatregelen treft. Vaak volgt er direct overleg met de werkvoorbereiding over vervolgmaatregelen om eventuele schade en stagnatie in het boorproces te beperken.

4.2   De afwerking

De afwerking van het boorproces volgt aan het eind van het totale boorproject. In deze fase wordt de nieuwe leiding aangesloten op de bestaande leidingen of wordt hij zo gemonteerd dat deze aansluiting in een volgend stadium makkelijk kan plaatsvinden. Ook wordt in de afwerkingsfase het werkterrein, inclusief alle tijdelijke constructies opgeruimd.

Omdat de afwerkingsfasen van boringen en buisdoorpersingen verschillen, worden ze apart behandeld.

Boringen
Bij de afwerking van een boring worden er twee noemenswaardige risico's geïntroduceerd:
- Het ontstaan van kwelwater: langs de nieuwe leiding komt kwelwater mee naar boven. Dit kan uitmonden in overstromingen van de omgeving, leidend tot verzakkingen. Afdichten van het gat rond de nieuwe leiding en het plaatsen van een bemaling zijn twee mogelijke oplossingen.
- Het afvoeren van het bentoniet: gebruikt en overgebleven bentoniet moet afgevoerd worden. Door het vele hergebruik van het bentoniet gedurende het proces accumuleren vervuilingen in het bentoniet. Dit raakt op den duur zo vervuild dat het na de boring een restfractie over die opgeslagen of gestort moet worden bij een bevoegde afvalinzamelaar. Dat dit een kostbare geschiedenis is, moge duidelijk zijn.

Doorpersingen
Bij doorpersingen ontstaan in de afwerkingsfase voornamelijk risico's bij het verwijderen van de werkputten en de damwanden. Een en ander dient trillingsvrij te gebeuren om zettingen van het maaiveld, de (bebouwde) omgeving en van de nieuw aangelegde en bestaande leidingen te voorkomen.

4.3   Conclusie

Uit de vorige paragraaf bleek dat er veel voorbereiding nodig is voordat met de feitelijke boring of doorpersing begonnen wordt. In deze paragraaf is duidelijk naar voren gekomen dat de risico's uit de voorbereiding verstrekkende gevolgen kunnen hebben voor de uitvoering. In het uiterste geval kunnen de gevolgen zo ernstig zijn dat de boring of doorpersing verloren gaat en het hele proces opnieuw begonnen moet worden. Veelal kan de schade echter beperkt worden door een ervaren boormeester die afwijkingen in een vroegtijdig stadium constateert en gepaste maatregelen treft.

Ook tijdens de uitvoeringsfase en afwerkingsfase worden nieuwe risico's geïntroduceerd. Ervaring, deskundigheid en controle spelen ook in deze fase een belangrijke rol.

De belangrijkste conclusie is dat deskundigheid en ervaring de belangrijkste factoren, in het totale uitvoeringsproces zijn. Enerzijds om de gevolgen van de risico's uit de voorbereiding te herkennen en te beperken. Anderzijds om nieuwe risico's te voorkomen en ook daar de gevolgen van te herkennen en beperken.

5   Literatuur

Centrum Ondergronds Bouwen: *Handboek Ondergronds Bouwen, Deel 2:Bouwen vanaf het maaiveld*; Gouda, 2000.

Drilling Contracters Association (DCA-Europe): *Technical Guidelines: information and recommandations for the planning, construction and documentation of HDD-projects*; Aachen, februari 2001.

~~~~~~~~~~~~~~~~~ voor Sleufloze Technieken NSTT: *Sleufloze*

AFKORTINGENLIJST

API	American Petroleum Institute
ASTM	American Society for Testing and Materials
ATV	Allgemeinen Technischen Vorschriften (ATV)
BIG	Buisleiding Industrie Gilde
CEC	Kationen Uitwisselings Capaciteit
COB	Centrum Ondergronds Bouwen
DIN	Deutsche Industrie Norm (of: Deutsches Institut für Normung)
DN	Nominale Doorsnede
EN	Europese Norm
EPB	Earth Pressure Balanced
EZ	(Ministerie van) Economische Zaken
GRE	Graphics Engine
GVK	Glasvezel Versterkt Kunststof
GVP	Glasvezel Versterkt Polyester
HDD	Horizontal Directional Drilling (= Horizontaal Gestuurd Boren)
MIT	Meerjarenprogramma Infrastructuur en Transport
NDO	Niet Destructief Onderzoek
NEN	Nederlandse Norm (of: Nederlands Normalisatie Instituut)
NMP-4	Vierde Nationale Milieubeleidsplan
NSTT	Nederlandse vereniging voor Sleufloze Technieken en Toepassingen
NVVP	Nationaal Verkeers en Vervoersplan
IPOT	Interdepartementale Projectorganisatie Ondergronds Transport
ISTT	International Society for Trenchless Technology
KIWA	Keuringsinstituut voor Waterleidings Artikelen
KLIC	Kabel en Leiding Informatie Centrum
NPR	Nederlandse Praktijk Richtlijn
OLS	Ondergronds Logistiek Systeem
OTB	Ondergronds Transport en Buisleidingen
PPS	Polyfensyleen Sulfide
PVC	Polyvinyl Chloride
PE	Polyethyleen
Rikilt	Rijkskwaliteitsinstituut voor Land- en Tuinbouwproduct
RO	(Ministerie van) Ruimtelijke Ordening
SBUI	Structuurschema Buisleidingen
SPT	Standard Penetration Test

ST	Steering Tool
STI	Steering Tool Interface
TBM	Tunnel Boor Machines
TCI	Tungsten Carbon Insearch
UV	Ultra Violet
VROM	(Ministerie van) Volkshuisvesting, Ruimtelijke Ordening en Milieubeheer
VenW	Verkeer en Waterstaat
Wbb	Wet Bodembescherming
WRR	Wetenschappelijke Raad voor het Regeringsbeleid

BEGRIPPENLIJST

Aanlegdiepte
Diepte van de aan te leggen leiding gemeten vanaf de bovenkant (buitenwand) van de leiding.

Aanvoerdebiet
De hoeveelheid product die per seconde door de doorsnede van de buis aangevoerd wordt.

Abrasiviteit
De mate waarin een schurende slijtage wordt veroorzaakt.

Ackermannboring / steekapparaat
Boormethode om redelijk ongeroerde grondmonsters te verkrijgen. Bij deze methode wordt een dunwandige stalen steekbus van Ø 66 mm in de grond geslagen.

Afvoerdebiet
De hoeveelheid product die per seconde door de doorsnede van de buis afgevoerd wordt.

Annulus
Een figuur in de vorm van een ring. Bij het boren verwijst de annulus naar de ruimte rond de boorpijp en die omhuld is door de wand van het boorgat.

Antropogene gronden
Gronden die door de mens zijn aangebracht, zoals ophogingen en gedempte waterwegen.

Atterbergse grens
De Atterbergse grenzen of consistentiegrenzen geven de watergehalten aan waarbij de consistentie van de grond verandert.

Augerboring
Zie *Avegaar boring.*

Avegaar boring (Augerboring).
Sleufloze techniek waarbij d.m.v een schroefworm de aan het graaffront afgegraven grond wordt afgevoerd naar de perskuip, terwijl tegelijkertijd een buis in de grond wordt gedrukt.

Axiaal
In een richting volgens de as (van de buis).

Axiale belasting
Belasting in langsrichting.

Axiale spanning
Spanning in langsrichting werkend op een doorsnede loodrecht op de as (zie ook *Langsspanning*).

Axiale spanningsverdeling
Verdeling van de spanningen in langsrichting over een doorsnede loodrecht op de as.

Azimuth
Dit is de richting (hoek) van de steeringtool ten opzichte van het magnetisch noorden.

Ballonafsluiter
Het afsluiten van een doorsnede door middel van gas gevulde zak (ballon).

Barrel Reamer
Een ruimer in de vorm van een cilinder met kegel- of bolvormige uiteinden voorzien van nozzles.

Beddingsconstante
Beddingsconstante of beddingsgetal is een grootheid die vermenigvuldigd met een bepaalde zakking van een object de tegendruk aangeeft van de grond.

Begemann continu-steekapparaat
Een boorsysteem waarbij continu over de hoogte een grondmonster wordt gestoken, zonder noemenswaardige verstoring van het grondmonster.

Begemannboring
Boormethode waarmee ongeroerde monsters worden gewonnen . Bij dit systeem wordt een steekbuis en een monsterhouder weggedrukt met een sondeerwagen. Het monster wordt omgeven door een pvc-buis, een nylon kous (die aanvankelijk in de kop van het steekapparaat was opgerold) en een dunne laag van een zware steunvloeistof die zorgt dat praktisch geen wrijving tussen het monster en de omringende buis optreedt.

Bemaling
Kunstmatig een wateroppervlak of grondwaterstand verlagen door water te onttrekken.

Bent-sub
Een geknikt buisgedeelte direct achter de boorkop, dat sturing mogelijk maakt door draaiing van de boorstreng om de boorkop te oriënteren.

Bentoniet
Een drielagige kleisoort met als hoofdmineraal montmorilloniet en natrium als belangrijkste uitwisselingskatioon.

Bentoniet boorspoeling
Een mengsel van bentoniet en water.

Bentonietmengsel
Een oplossing van enkele gewichtsprocenten bentoniet in water.

Bentonietsuspensie
Een oplossing van water waarin bentoniet in kleine deeltjes verdeelt aanwezig is.

Blow-out
Een bezwijkvorm van de grond wanneer de druk in een ondergrondse ruimte te groot wordt. Blow-out manifesteert zich in de vorm van scheuren naar het maaiveld of waterbodem toe. Door de scheuren treedt boorspoeling of lucht aan het maaiveld uit.

Bodempers(lucht)raket
Torpedo-vormige pneumatische hamer die zichzelf in de grond kan voortbewegen.

Boorspoeling recycling
Hergebruik van de boorspoeling. Dit gebeurt door boorslurry door de recycling installatie te leiden waar een scheiding tussen afgeboorde grond en boorspoeling plaatsvindt.

Boogwerking
Ten gevolge van kleine deformaties ter plaatse van een rond boorgat in de grond (vooral zand) zal een zodanige spanningsverandering in de grond boven het boorgat optreden, dat de spanningen langs het boorgat naar beneden worden afgeleid. Dit heeft tot gevolg dat ter plaatse van de boorgatwand nauwelijks nog spanningen aanwezig zijn. Ook leidingen die in het boorgat worden aangebracht zullen nauwelijks door de grond worden belast.

Boogzinker
Een gebogen spuitlans voor het maken van een kruising onder sloot of weg.

Boorbuis
Holle boorbuis die vastgeschroefd kan worden aan een andere dito boorbuis, om tot de vereiste lengte te komen.

Boorfront
Scheiding tussen ongeroerde grond en afgegraven grond.

Boorprofiel
Het theoretische profiel van een boring, wat gevolgd moet worden.

Boorrad
Voorste deel van een boorschild dat wentelt om een as en de grond losmaakt.

Boorschild
Cilindrische stalen constructie voorop het eerste leidingelement met een snijkop en boorinstallatie.

Boorslurry
Een mengsel van water, bijvoorbeeld bentoniet en afgeboorde grond.

Boorspoeling (HDD)
Spoeling van water en bijvoorbeeld bentoniet, die onder druk uit de boorkop wordt gedreven om de grond los te snijden, het boorgat te ondersteunen en af te dichten, de losgemaakte grond af te voeren en de wrijvingen in het boorgat te verlagen.

Boorspoelingskringloop
Kringloop van de boorspoeling voor het gebruik bij het boren, met als prioriteit om bentoniet te hergebruiken.

Boorstreng
De totale lengte van boorpijpen, boorkop, niet-magnetische buizen enz. in het boorgat.

Boorvloeistof
Vloeistof van water en bijvoorbeeld bentoniet, die onder druk uit de boorkop wordt gedreven om de grond los te snijden, het boorgat te ondersteunen en af te dichten, de losgemaakte grond af te voeren en de wrijvingen in het boorgat te verlagen.

Boorvloeistofdruk
De druk van de boorvloeistof in het boorgat of op de boorstelling.

Bottem hole assembly
Het boor- of ruimgereedschap dat aan het uiteinde van de boorstreng is bevestigd ten behoeve van het pilotboren resp. ruimen resp. intrekken.

Bovenbelasting
Hierbij gaat het om het gewicht van de bovenliggende grond en overige aanwezige belastingen (bijvoorbeeld wegverhardingen en verkeer).

Breekruimte
Ruimte in het voorste gedeelte van het boorschild wat afgeboorde grond kan verbrijzelen tot een transporteerbare massa in de afvoerleiding.

Buisdoorpersing
Leiding gebouwd met de buisdoorperstechniek.

Buisfreesmethode
Buizen door middel van een frees verwijderen.

Buizenkrakermethode
Buizen door middel van een persraket breken (kraken).

Bypass-installatie
Omloopleiding voorin het schild van de boorkop tussen de aanvoerleiding en de afvoerleiding.

Caissonziekte
Ziekteverschijnselen die zich voordoen als personen die in een ruimte met overdruk gewerkt hebben, plotseling onder normale atmosferische druk komen.

Calibreerinstallatie
Binnen de breekruimte van een boorschild is een soort 'zeef' geïnstalleerd die de grootte van de brokstukken doorlaat geschikt voor afvoer.

Cementeren
Een leiding aan de binnenzijde bestrijken of anderszins met cement bedekken.

Centrale aandrijving
Een aandrijving in het middelpunt van het boorschild.

Centrifugaalpomp
Roterende pomp, waarvan de werking berust op de middelpuntvliedende kracht.

Close-fit lining
Het aanbrengen van een nieuwe leiding in een bestaande leiding en deze met druk en warmte tegen de bestaande leidingwand aan drukken.

Coating
Beschermende laag, die bijvoorbeeld wordt gebruikt om stalen pijpen tegen corrosie te beschermen..

Colloïdale vaste-stofdeeltjes
De toestand van stoffen die zich fijn verdeeld in een vloeistof bevinden, waarbij de deeltjes groter zijn dan een molecule en kleiner dan die in een suspensie, deze stoffen diffunderen niet door een membraam.

Common carriers
Leidingen die voor gemeenschappelijk gebruik kunnen dienen.

Consistentiegrenzen
Watergehalten van de grond waarbij de samenhang van grond verandert; vloeigrens, uitrolgrens (en krimpgrens). Zie tevens bij *Atterbergse grens*.

Conusweerstand
Bij het sonderen wordt een conus in de grond gedrukt en de weerstandbiedende kracht van de grond wordt gemeten.

Cutterdisc
Boorkop met schijven zodanig geformeerd om in gesteente te boren, veel gebruikt in de olie- en gasontginning.

Cuttings
Andere benaming voor afgeboorde grond.

Decantatie
Scheiden van de cuttings uit de opgevangen retourstroom van bentoniet en grond.

Deelrenovatie
Zie *Partiële lining*.

Deflectiefactor
Een van de opleghoek en belastinghoek afhankelijke factor, welke bij de bepaling van de deflectie wordt gehanteerd.

Dichtingsprofiel
Voorzieningen in de vorm van meestal een rubberen of kunststof 'worst' aangebracht tussen constructie elementen, zoals een buis, om lekkage te voorkomen.

Direct overgedragen belasting
Bovenbelasting op een element (buis) welke direct in beschouwde doorsnede wordt opgenomen.

Directe afdracht
Bovenbelasting op een element (buis) welke direct in beschouwde doorsnede op de ondergrond wordt afgedragen.

Directional drilling methode
Boormethode waarbij door middel van voorziening aan de voorste boorpijp gestuurd kan worden . Zie ook *Horizontaal gestuurd boren (HDD)*.

Dispersie
De drielagige kleisoort bentoniet bestaat in droge vorm uit laag-pakketten (ruwe klei-pakketten). In een waterige oplossing zet dit pakket uit omdat water tussen de afzonderlijke kleiplaatjes dringt en deze van elkaar losmaakt zodat ze uit elkaar glijden. Dit proces heet dispersie.

Dissipatietest
Dit is een test om de waterdoorlatendheid van de bodem te bepalen. Als de test voldoende lang wordt doorgezet, wordt de ongestoorde poriënwaterdruk gemeten. Deze meting is echter onnauwkeuriger dan een aflezing van een peilbuis.

Doorpersing (pipejacking)
Sleufloze aanlegtechniek waarbij een leiding al dan niet bestaande uit buiselementen door de grond wordt geperst vanuit een daarvoor geconstrueerde persschacht.

Doorslag
Een vorm van plooi bij kunststofleidingen die voor instabiliteit zorgt.

Driller's console
Afleespaneel waarop de locatie van het steeringtool is af te lezen.

Druksonderen (static cone penetration test)
Bij het druksonderen (statisch sonderen) wordt de sondeerconus met een min of meer constante snelheid (2 cm / sec) naar beneden gedrukt. De grootte van de sondeersnelheid is van invloed op de ondervonden sondeerweerstand.

Duindoorkruising
De duinenrij zonder graafwerkzaamheden, als bijvoorbeeld een sleuf, passeren, door middel van een horizontale gestuurde boring van duin tot naar de zeebodem op enige afstand van de kust.

Dynamic cone penetration test
Slagsondering, die vooral in slecht indringbare gronden wordt toegepast. Het aantal slagen per 10 cm indringing is een maat voor de indringweerstand. Het meetresultaat is sterk afhankelijk van de vorm van de conus, de grootte van het valgewicht en de valhoogte.

Earth Pressure Balance (EPB)
Vertaald, grondbalans. Een boormethode waarbij de door het boorschild geleverde frontdruk (overgebracht via de afgeboorde grond) in balans is met de heersende horizontale gronddruk.

Edelmanmethode
Handboormethode waarmee geroerde monsters worden verkregen.

Elastische berekening
Berekening waarbij de spanningen in het materiaal onder de elasticiteitsgrens moeten blijven en het materiaal zich dus elastisch, in de betekenis van vormhernemend, blijft gedragen.

Elastische boog
Boog in het 'leidingtrace' welke volledig elastisch, dat wil zeggen zonder blijvende vervorming door de betreffende leiding wordt gevolgd.

Electromagnetisch onderzoek
Bij dit onderzoek wordt een in de tijd variërende elektrische stroming in de ondergrond aangebracht. Met behulp van de te meten sterkte van de daardoor opgewekte magneetvelden is een tweelagenopbouw te onderscheiden..

Electronische target
Meetapparatuur om de positie van het boorschild te registreren.

Flexibele slangmethode (hose lining)
Een methode gebruikt bij renovatie van leidingen.

Fluïdiseren
Fluïdiseren is het transformeren van grond, met weinig of geen cohesie, in een zware vloeistof, het zogenaamde fluïdisatiebed. Dit met behulp van een opwaarts gerichte waterstroom waarmee de samenhang tussen de individuele korrels wordt verbroken, met andere woorden, de effectieve korrelspanning tot nul wordt gereduceerd (drijfzand).
Een bepaald voorwerp, een pijpleiding bijvoorbeeld, zal door zijn eigen gewicht of door aanvullende belasting in deze zware vloeistof wegzakken. Na het stoppen van de watertoevoer zal het contact tussen de korrels zich herstellen en wordt het voorwerp door de grond afgedekt.

Fluviatele afzetting
Dit is een afzetting in de grond gevormd door rivieren of stromend water.

Fly-cutter
Korte open cilinder voorzien van spuitbuizen, voor het ruimen van een boorgat.

Fractiebenaming
Benoeming van grondelementen naar korrelgrootte.

Freatische grondwaterstand
Het peil van het ondiepe grondwater. In zand is het de overgang van de onverzadigde naar de met water verzadigde zone.

Frontdruk
Druk uitgeoefend door het boorschild op de grond voor zich.

Full-faced
Vrijwel dicht (gesloten) boorrad.

GeoDelft-methode
Met deze methode wordt de maximaal toelaatbare (mud)druk bepaald, voor relatief diep gelegen leidinggedeelten. Deze methode is gebaseerd is op de ruimte-expansie-theorie.

Geo-elektrisch onderzoek
Niet-destructief onderzoek waarbij de elektrische weerstand in de grond als maatstaf wordt gebruikt voor het onderscheiden van verschillende typen bodemopbouw.

Geofysisch onderzoek
Een onderzoekmethode waarbij men de grondlagen tracht te onderscheiden naar hun fysische eigenschappen, zoals elektrische weerstand of geleidbaarheid. Ook wordt gebruik gemaakt van het reflecteren van elektromagnetische pulsen (grondradar) of het meten van afwijkingen van het heersende aardmagnetische veld als gevolg van de aanwezigheid van metalen obstakels (obstakeldetectie).

Geotechnisch advies
Advies op basis van de resultaten van grondonderzoek met betrekking tot de grond-mechanische en geohydrologische aspecten van een bouwwerk.

Geotechnisch onderzoek
Onderzoek naar de grondmechanische en geohydrologische eigenschappen van grondlagen.

Geroerde monsters
Grondmonsters verkregen uit boringen die ernstig zijn verstoord.

Gesloten front
Er is geen rechtstreekse verbinding tussen boorfront en binnenkant buis(tunnel).

Gesloten frontschilden
Boorschilden waarbij geen verbinding is tussen boorfront en binnenkant buis.

Grondbelasting
De door grond uitgeoefende belasting op een constructie.

Gronddeformatie
Door sleufloze technieken wordt grond verwijderd of verdrongen. Dit kan deformaties of vervormingen van de ondergrond tot gevolg hebben.

Gronddekking
Dikte van de grondlaag boven de leiding.

Gronddruk(balans)schild
Schild met gronddruk als frontsteun.

Grondradar
Met dit apparaat wordt een kortdurende elektromagnetische puls de bodem ingestuurd. Uit een analyse van de te meten reflecties worden de gelaagdheid en/of een obstakel gedetecteerd.

Grondsteekapparaat
Apparatuur om grondmonsters te nemen (ongeroerd) door middel van steekbuizen in de grond.

Grondveer
Schematisatie van grondgedrag door middel van een veer. De eigenschappen van deze veer worden bepaald aan de hand van de grondeigenschappen en de gegevens van de leiding.

Grondwaterdruk
Zie *Grondwaterspanning*.

Grondwaterspanning
Een waterspanning (waterdruk) met een waarde t.o.v. van de atmosferische druk.

Grondwaterstijghoogte
Dit is de drukhoogte van het grondwater in een watervoerende laag. Deze hoogte kan worden gemeten met een peilfilter geplaatst in de betreffende watervoerende laag.

Groutvulling
Vulling van caviteiten, zoals tussen de buitenkant van de wand van een geboorde tunnel en de omgeving (de grond).

Gyrokompas
Stuurgereedschap of wel kompas berustend op het beginsel dat de as van een sneldraaiende tol zich richt naar de stand van de aardas.

Handontgraving
Het graven met de hand (de schop).

Hoekstuk
Hierbij gaat het om een met een gedefinieerde hoek (ca. 0,5° - 2,5°) gebogen stuk boorbuis. Dit hoekstuk heeft als taak om bij pilotboring de werkrichting van de boorbeitel te veranderen.

Hole-opener
Ruimer voor een boorgat bij gesteente formaties (rots).

Holoceen
De laatste circa 10.000 jaar van de geologische geschiedenis. Het Holoceen is begonnen op een tijdstip toen door temperatuurstijging een einde kwam aan de laatste ijstijd.

Horizontaal gestuurd boren (HDD)
Horizontal Directional Drilling oftewel horizontaal gestuurde boring: nauwkeurig bestuurbare sleufloze aanlegtechniek voor leidingen (pijpleidingen, buizen, kabels en leidingen) waarbij met een boorstelling vanaf het maaiveld de productleiding volgens een van te voren bepaald ondergronds tracé aangelegd kan worden en waterwegen en andere obstakels gekruist kunnen worden.

Horizontale beddingsconstante
Beddingsconstante of beddingsgetal voor de grond aan weerszijden van een buis.

Hose lining
Zie *Flexibele slangmethode*.

Hydratatievermogen
Het vermogen van ionen om water op te nemen.

Hydro-cycloon
Cyclonen gebruikt voor het afscheiden van verschillende korrelgrootte.

Hydroschild
Een boorschild waarbij het boorfront ondersteund wordt door een vloeistof in de boorkamer, meestal een bentonietsuspensie.

Hydrostatische druk
Met de diepte lineair toenemende grondwaterdruk.

Impactmoling
Pneumatische buisdoorperstechniek, waarbij een bodempersraket zich door de grond perst en een achteraan gemonteerde leiding meetrekt.

Impactramming
Pneumatische buisdoorperstechniek, waarbij de bodempersraket achter de leiding is gemonteerd en deze door de grond perst.

Inclination
Hoek tussen boorbuis en werkelijke verticaal of horizontaal.

Indirecte afdracht
Bovenbelasting op een element (buis) welke niet in de beschouwde doorsnede, maar in de zogenaamde oplegzone op de ondergrond wordt overgedragen.

Indringcoëfficiënt
Factor van indringen van een element in de grond.

Indringweerstand
Weerstand tegen het indringen van een element in de grond.

Infiltratiegebied
Gebied waarbij het grondwater wordt gevoed door middel van neerslag (neerwaartse grondwaterstroming door de afdekkende grondlagen).

Injectiemal
Mallen gebruikt bij reparatie van voegen in een buisverbinding.

Inklinometer
De inklinometer reageert op de zwaartekracht van de aarde. Deze meters worden gebruikt in het Steeringtoolsysteem om de hoek van de sonde te meten ten opzichte van de zwaartekracht-as.

Inshore deel
Het werkgebied dat tussen dat tussen hoog- en laagwaterlijn ligt.

Insluistijd
De tijd die een mens nodig heeft om zijn lichaam aan te passen aan een andere druk dan de atmosferische druk, alvorens te gaan werken.

Inspectietechniek
Technieken om leidingen te inspecteren op hun functionele situatie en parameters van het materiaal.

Inspuittechniek
Bij deze techniek wordt gebruik gemaakt van een spuitlans, die zich door middel van hoge waterdruk een weg baant door de bodem.

Intelligent pig
Apparaat dat wordt gebruikt om een buis van binnenuit te inspecteren (oneffenheden en vervormingen , wanddikte, locatie lassen, eventuele deuken etc.).

Intredehoek
De hoek die de makelaar van de boorstelling met het horizontale vlak maakt.

Intrekken
Productvoerende leiding in het boorgat trekken.

Intrekoperatie
Na het ruimen van het boorgat (indien noodzakelijk) de handeling waarmee de productvoerende leiding in het boorgat wordt getrokken.

Isohypsen
Een andere benaming voor isohypsen is potentiaallijnen. Deze lijnen geven aan waar in een watervoerende laag gelijke grondwaterstanden of stijghoogten voorkomen.

Jet-bit
Boorbeitel voorzien van spuitbuis.

Jet-bit Bottom Hole Assembly
Samenstel van eerste boorpijp voorzien van alle benodigde 'gereedschappen'. (Zie tevens bij *Bottom Hole Assembly*).

Joint
Verbinding tussen twee boorbuizen.

Kalibreren
Het ijken en op de juiste (nul) coördinaten controleren.

Kaolien
Dit is een tweelagige kleisoort met als hoofdmineraal kaoliniet.

Kationen
Positief geladen ionen.

Kationenuitwisselingscapaciteit (CEC)
Uitwisselbare kationen per gewichtseenheid meq/100g adsorptie.

Kaubit
Zeer glad voegvulmateriaal, wat een zeer lage stijfheid geeft tegen loodrechte belasting 'afschuiven'.

Korrelverdeling
De korrelverdeling is een curve die het gewichtspercentage aangeeft, dat er aan korrels van iedere mogelijke afmeting in het mengsel aanwezig is ten opzicht van de totale hoeveelheid korrels.

Kousmethode
Een foudraal op een haspel, die in een leiding wordt ingevoerd.

Kraakkop
Het uitbreken van een leiding door een conusvormige kop.

Kwartair (Quartair)
De laatste periode (circa 2,5 miljoen jaren) van de geologische geschiedenis. Het kwartaire tijdperk is gekenmerkt door het optreden van grote klimaatveranderingen. Het kwartair wordt onderverdeeld in het Pleistoceen en het Holoceen.

Kwelgebied
Kwelgebieden zijn gebieden, waarbij spanningswater zich bevindt onder een waterremmende laag. Hierdoor ontstaat een opwaarts gerichte grondwaterstroming (kwel). Deze stroming is afhankelijk van het stijghoogteverschil over en de hydraulische weerstand van de afdekkende laag.

Kwelsituatie
Mate van kwel door een waterkering of door een waterremmende afdeklaag.

Langspanning
Spanning in langsrichting werkend op een doorsnede loodrecht op de as. (Zie ook *Axiale spanning*).

Langsvoeg
De voeg van tunnelsegmenten in de lengterichting van de geboorde tunnel.

Liggerberekening
Berekening waarbij uitgegaan wordt van de axiale als tangentiële belastingen op een leiding, als ware de leiding een ligger (balk).

Luchtdruk(balans)schild
Boorschild waarbij door verhoogde druk in de boorkamer evenwicht verkregen wordt met het boorfront.

Magnetometer
De magnetometer reageert op de veldsterkte van het magneetveld van de aarde. Deze meter wordt gebruikt in het Steeringtoolsysteem om de richtingsafwijking van de sonde vast te stellen ten opzichte van de magnetische noordpool.

Mantelwrijving
Wrijving tussen buitenoppervlak van de boorbuizen en de omliggende grond.

Marine afzetting
Bezinking of afzetting door de zee.

Marsh-funnel
Trechter ontwikkeld door Marsh, gebruikt om de viscositeit van boorspoeling te controleren.

Maxi-boorinstallatie
Boorstelling met maximaal te leveren trekkracht tot meer dan 2500 kN.

Mengkamer
Ruimte achter de boorkamer met het boorrad van een boorschild.

Microtunneling
Techniek waarbij buiselementen in de grond worden geperst door middel van vijzels vanuit een daarvoor geconstrueerde persschacht. Hierbij wordt de geperste buis voorafgegaan door een bestuurbare boormachine met een meestal gesloten schild.

Moereind
Het mofgedeelte van een spie-mofverbinding.

Moment in langsrichting
Buigmoment in de lengterichting van de buis.

Moment in omtreksrichting
Buigmoment in de wand van de doorsnede van de buis (ring).

Monitoring
Registreren van metingen.

Montmorilloniet
Een klei mineraal vaak gebruik bij HDD als toevoegsel bij de boorvloeistof. Het is een aluminium silicaat wat kan reageren met substanties als magnesium en calcium.

Mudmotor
Boormotor met snijmessen aangedreven door boorspoeling.

Mudreiniging
Een stuk gereedschap bestaande uit de combinatie van vibrerende zeven en 'hydrocyclonen' om een effectieve scheiding van vaste stoffen te verwezenlijken.

Niet-direct overgedragen belasting
Zie *Indirecte overdracht.*

Nozzle
Spuitmond.

Nozzlebeitel
Spuitmond voorzien van een beitel.

Obstakeldetectie
Het vaststellen van de aanwezigheid van belemmeringen in de grond.

Octaëderlaag
Een laag gevormd door een regelmatig lichaam, begrensd door acht gelijkzijdige driehoeken

Oeverboren
Bij kanalen met een oeverbescherming van damwand of kademuur wordt een doorpersing onder een hoek aangebracht.

Offshore deel
Werkgebied dat voorbij de laagwaterlijn ligt.

Omtrekspanning
Materiaalspanning in de buisdoorsnede, haaks op de as van de buis

Ongeroerde monsters
Grondmonsters verkregen uit boringen die niet noemenswaardig zijn verstoord.

Ongestoorde vervorming
Als er geen belemmeringen zijn om te vervormen als gevolg van bijvoorbeeld temperatuurverschil.

Onshore deel
Werkgebied dat boven de hoogwaterlijn ligt.

Ontvangstput/ontvangstkuip
Bouwput waarheen het boorschild wordt geperst/geboord.

Ontzilting
Installatie die de fijne korrelgrootten (zand) afscheid.

Open front boortechniek
Hydraulische doorperstechniek waarbij gebruik wordt gemaakt van een open schild.

Open peilbuis
Zie *Peilbuis*.

Oversize-ring
Ring aangebracht op de buitenkant van een boorschild waardoor meer grond wordt afgeboord dan de diameter van de aan te brengen boorbuizen.

Partiële lining
Repareren van slechts een gedeelte van een leiding bij renovaties.

Passief belaste doorsnede
Doorsnede van een leiding die niet ondersteund wordt, echter wel in die doorsnede belast wordt door grond en daardoor verschillende spanningen heeft.

Peilbuis
Dit is het meest toegepaste meetinstrument om de grondwaterstand en de stijghoogten vast te stellen. Het is een buis, die aan de onderzijde voorzien is van een filter. Dit filter wordt geplaatst in de betreffende watervoerende laag, waarvan de stijghoogte van het grondwater moet worden bepaald. De hoogte van de grondwaterstand in de buis wordt gemeten. De buis kan worden weggedrukt of in een boorgat worden geplaatst.

Perifere aandrijving
Een aandrijving voor het boorrad aangebracht uit het middelpunt van de doorsnede.

Perskracht
Benodigde kracht die vijzels moeten opbrengen om de persing gaande te houden.

Persput/perskuip
Bouwput van waaruit de persing/boring wordt gerealiseerd.

Persvijzel
Een soort domme kracht bestaande uit een zware schroefspil in een blok die, door het aanbrengen van hydraulische druk, langzaam wordt uitgedrukt.

Piëzoconus
Een sondeerconus die is voorzien van een waterspanningsmeter in of nabij de punt, waarmee de waterspanning wordt gemeten tijdens het indrukken van de sondeerconus in de grond. De meting wordt gebruikt voor het detecteren van dunne klei- en zandlagen, maar kan ook worden gebruikt voor het bepalen van de stijghoogte van het grondwater en de waterdoorlatendheid van zandige lagen.

Pilot boring
(Geleide boring) eerste bestuurbare boorslag van een horizontaal gestuurde boring waarbij de boorkop volgens het ontworpen tracé van de boorstelling naar het uittredepunt wordt gestuurd.

Pipejacking
Methode om direct achter een boorschild pijpen vanuit een persput naar een ontvangput door de grond te persen, zodat de pijpen een doorlopende lengte vormen in de grond.

Pipesite
Werkgebied aan de kant van het uittredepunt waar de product-voerende buis gereed ligt om ingetrokken te worden.

Piping
Het ontstaan van zandmeevoerende wellen onder of door water-kerende constructies.

Plasticiteitsindex
Deze index geeft het verschil aan tussen de vloeigrens en de uitrolgrens (plasticiteitsgrens) van grond.

Plastische berekening
Berekeningswijze waarbij de vervormingcapaciteit van het materiaal binnen vastgestelde grenzen wordt benut.

Plastische zone
Gebied rondom het boorgat waar de grensspanning is bereikt.

Plasto-elastische berekening
Berekening waarbij de minimaal toelaatbare rekgrens in staal wordt meegenomen in de elastische berekening.

Pleistoceen
Het eerste gedeelte van het Kwartair dat circa 10.000 jaren geleden is geëindigd.

Pleistocene afzettingen
Grondlagen die gevormd zijn in het Pleistoceen.

Pneumatisch boren
Buisdoorpersing waarbij gebruik wordt gemaakt van een bodem-persraket, dus luchtdruk.

Pre-reaming
De handeling na het pilotboren, waarbij het boorgat vergroot wordt d.m.v. trek- of duw snijgereedschap te verplaatsen door het boorgat, alvorens de pijpleiding installatie te beginnen.

Pullhead
Trekkop bevestigt aan de voorzijde van de productvoerende buis ten behoeve van het intrekken van een leiding.

Pulsboring
Boormethode die gebruikt wordt voor bodemonderzoek. Door het wegpulsen van de grond wordt de verbuizing steeds dieper in de grond gebracht. Tijdens de boring maakt de boormeester een zo goed mogelijke boorbeschrijving van de bodem aan de hand van de inhoud van de puls.

Radiaal
Straalboog.

Reamer
Ruimer bevestigd aan boorstreng voor het vergroten van de diameter van het boorgat.

Recycling-installatie
Installatie die de gebruikte boorspoeling geschikt maakt voor hergebruik door de korrelfractie uit de boorspoeling te verwijderen.

Rekgrens
Grens waartoe iets gerekt kan worden zonder te breken.

Relining
Reparatie- of renovatietechniek, waarbij in bestaande leidingen een nieuwe binnenwand wordt aangebracht.

Renovatietechniek
Techniek voor het herstellen van de leiding zodanig dat deze weer goed functioneert.

Re-rounding effect
Door de inwendige druk neemt een, door andere belastingen veroorzaakte, ovaliserende vervorming van de buisdoorsnede af.

Resinlining
Renovatie van leiding met behulp van een hars of kunsthars.

Rig-site
De lokatie waar de 'Rig'' (boorstelling) en alle verder benodigde materieel opgesteld wordt, tevens de zijde waar de boring aangevangen wordt.

Ringberekening
Berekening van een buisdoorsnede met alle daarop werkende krachten.

Ringspanning
Zie bij *Omtrekspanning*.

Ringvoeg
De voeg loodrecht op de as tussen de leidingsegmenten.

Robottechniek
Repareren van buizen door middel van een gestuurde robot.

Rockbit
Beitel die aan de boorstreng wordt bevestigd bij harde gesteente.

Rolbeitel
Zie *Cutterdisc*.

Ruimen
Boorslag volgend op de pilotboring met als doel het geboorde gat indien nodig te vergroten tot de gewenste diameter voor het intrekken van de productvoerende buis, door middel van het terughalen van een ruimerkop.

Schaaldelen
De segmenten die bij de voortgang van de boring van een leiding aangebracht worden direct achter het schild.

Sediment
Bezinksel, neerslag of afzetting.

Seismisch onderzoek
Geofysisch onderzoek met behulp van een puls-echo-techniek, waarbij akoestische pulsen de grond in worden gezonden. Reflecties worden opgevangen met microfoons aan het aardoppervlak.

Shear thinning effect
Eigenschap van bepaalde boorvloeistoffen waarbij de viscositeit vermindert bij toename van de stroomsnelheid.

Slagsondering
Zie bij *Dynamic cone penetration test*.

Sleufloze technieken
Een techniek voor het aanleggen van kabels en leidingen, waarbij hoewel ondergronds aangelegd, geen sleuf gegraven wordt.

Sliplining
Aanbrengen van nieuwe buislengten in een bestaande leiding.

Sonderen

Methode voor grondonderzoek, waarbij een conus in de grond wordt gedrukt. Bij dit onderzoek worden de conusweerstand en de plaatselijke wrijvingsweerstand gemeten. Hieruit wordt het wrijvingsgetal berekend dat een correlatie heeft met de grondsoort.

Spoelboring

Hydraulische boring met gesloten front (vaak 'open face').

Spuitlans

Pijp waarmee water onder druk in de grond wordt gespoten.

Staartmantel

Achterste gedeelte van een boorschild, waarbinnen bij voortgang van het boren van de tunnel, segmenten aangebracht worden, die de tunnelbuis vormen.

Staartvoegdichting

Na het aanbrengen van de tunnelsegmenten wordt de caviteit van de buitenwand segment en grond opgevuld met grout.

Standard Penetration Test (SPT)

Bij deze test wordt in een boorgat (pulsboring) een grondsteekapparaat op de bodem neergelaten. Vervolgens wordt het steekapparaat met behulp van een valgewicht in de bodem van het boorgat geslagen, waarbij een indicatie verkregen wordt over de vastheid van de grond.

Startput

Zie persput/perskuip.

Static cone penetration test

Zie bij *Druksonderen*.

Steeringtool

Instrument aangebracht in het voorste gedeelte van een boorstreng om bij het horizontaal gestuurd boren de gevolgde positie te registreren.

Suspensie

Dit is een verdeling van colloïdale vaste-stofdeeltjes in een vloeistof.

Swivel

Zie *Wartel*.

Tangentiële belasting

Belasting welke op de (buis)doorsnede werkt in een vlak loodrecht op de (buis)as.

Tangentiële spanning
Spanningscomponent ten gevolge van de tangentiële belasting

Temperatuurspanning
Spanningen als gevolg van temperatuursveranderingen.

Tertiair
De geologische periode voor het Kwartair. Deze periode begint circa 65 miljoen jaren geleden en eindigt bij het begin van het Kwartair circa 2,5 miljoen jaren geleden.

Tetraëderlaag
Een laag gevormd door een driezijdige pyramide en als zodanig als kristalvorm aanwezig.

Thixotropie
Het verschijnsel van het opstijven van de boorvloeistof in ongeroerde staat als functie van de rusttijd (opbouw), bij hervatting van de stroming neemt de schuifsterkte (gelsterkte) weer af (afbraak).

Toolface
Dit is de richtingsoriëntatie van de boorkop, ofwel de hellingshoek.

Torsie
Moment op de boorbuis werkend in de as-richting van de boorbuis.

Trekkop
(Trek)kop gebruikt om de productbuis ofwel productleiding in te trekken.

Trekkracht
Kracht beschikbaar op de boorstelling om de boorbuis naar de boorstelling toe te trekken.

Trilzeef
Zeven die door middel van trillen grove bestanddelen afscheid.

Tru Tracker-systeem
Meetsysteem dat bestaat uit een elektrische kabel op het maaiveld boven het boortracé uitgelegd. Door met de kabel een lokaal magnetisch veld te activeren met een bekende intensiteit kan in de boorkop de positie van de kabel worden ingemeten. De locatie van de kabel is bekend en daarmee is dan ook de positie van de boorkop bekend.

Tubing
Zie bij tunnelsegment.

Tunnel Boor Machines (TBM)
Machine voor het boren van tunnels.

Tunnelring
Samenstel van (tunnel) segmenten gevormd tot een ring.

Tunnelsegment
Segmenten, meestal van beton of staal, aangebracht aan de binnenzijde van een tunnel gedurende de voortgang van het boren.

Tussendrukstation
Secondaire persinstallatie, gemonteerd tussen twee buiselementen,
ter verwezenlijking van het rupsprincipe om daarmee extra perskrachten te kunnen opbouwen.

Tussenstationvijzels
Vijzels van het tussendrukstation.

Uitrolgrens of plasticiteitsgrens
Watergehalte van grond bij de overgang van de plastische naar de
halfvaste toestand.

Uitsluistijd
Het omgekeerde van insluistijd, de tijd nodig om het lichaam, na de
werkzaamheden, terug te brengen onder atmosferische druk.

Uittredehoek
De hoek waarmede de boorbuis de grond uittreed.

Vaareind
Het spiegedeelte van de mof-spieverbinding.

Veer
Verbinding tussen 2 constructiedelen met veerachtige eigenschappen.

Veerkarakteristiek
Eigenschappen van een veer, zoals stijfheid en sterkte. Bij de
grondveer zoals die wordt gebruikt bij sterkteberekeningen van
leidingen wordt de veerstijfheid vaak beddingsconstante genoemd.
De grondveer is begrensd qua sterkte. Deze grenssterkte wordt
bepaald door de bezwijkbelasting van de grond.

Verdringingstechniek
Sleufloze techniek, waarbij een buis al trillende (laag frequent) in de
grond gedrukt of getrokken wordt.

Vervangingstechnieken
Technieken die bestaande leidingen vervangen.

Verhinderde vervorming
Als de belemmeringen om te vervormen bijvoorbeeld als gevolg van temperatuursverschillen verhinderd worden.

Verkeersbelasting
De belasting van de grond of wegen door de wiellast van een voertuig.

Vijzelkracht
De kracht voortgebracht door een vijzel.

Vloeigrens
Bij de vloeigrens (ook wel: gegarandeerde minimum rekgrens) neemt de rek in het materiaal toe bij gelijkblijvende spanning (afgezien van verstevigingseffect).
Bij grond is de vloeigrens het watergehalte bij de overgang van de plastisch naar de vloeibare toestand.

Vloeistof(druk)schild
Schild met vloeistofdruk als frontsteun.

Walk-Over Methode
Elektromagnetisch meetsysteem, dat bovengrond wordt gebruikt bij ondiepe boringen, waarboven gelopen kan worden.

Wartel
Werktuig dat tijdens het intrekken tussen de trekkop en barrelreamer wordt geplaatst om te voorkomen dat de rotatie van de boorstreng en de barrelreamer overgedragen wordt op de trekkop en product-voerende buis.

Washover pipe
Ook wel spoelbuis geheten, is een buis die op enige afstand van de boorkop over de boorstangen geschoven wordt om meer stijfheid te verkrijgen en de wrijving op de boorstangen te verminderen.

Wikkelbuismethode
Aanbrengen van een binnenmantel/lining in een buis door middel van wikkelen.

Wikkelkorf
Machine ingericht voor het wikkelen van de lining in een buis.

Wire-Line Methode
Meetsysteem waarbij gebruik gemaakt wordt van een draad in de boorstreng tussen het meetinstrument in het voorste gedeelte van de boorstreng en de pc in de stuurcabine voor het doorgeven van signalen.

Wrijvingsgetal
De bij het sonderen gemeten plaatselijke wrijving gedeeld door de
conusweerstand ($\times 100\%$).

Wrijvingsweerstand
Door de omringende grond/bentoniet op de buis uitgeoefende belasting tijdens het bewegen van een buis (intrekken of vooruitpersen).

Zakkingstrog
Als gevolg van het boren ontstaan er zakkingen en/of zettingen die de
vorm van een plooidal kunnen aannemen aan het maaiveld.

Zettingsbelasting
De extra belasting op een leiding doordat de grond meer zakt dan de
leiding.

TREFWOORDENREGISTER

Toelichting bij het gebruik
- Wanneer men een bepaalde (samengestelde) term niet aantreft, verdient het de aanbeveling onder een algemenere uitdrukking te zoeken. Voorbeelden:
  - '*Classificatie van grondsoorten*' is te vinden onder: '*Grondsoorten, classificatie van -*'.
  - '*Toetsing diepteligging leidingen bij Horizontaal Gestuurd Boren* is te vinden onder: '*Horizontaal Gestuurd Boren, toetsing diepteligging leidingen -*'.
- Een **vet** paginanummer geeft een belangrijke vindplaats aan.
- Getallen (in trefwoorden) zijn gealfabetiseerd als waren deze voluit geschreven.

Spie-eind, VIII/18
Spoelboring-methode, II/6
Staal, V/3
– kwaliteiten, V/4
Staartvoegdichting, VIII/23
Stalen buizen, VIII/21
Stalen buizen, coatings voor, VII/9, VIII/21
Standard Penetration Test (SPT), IV/13
Startput, IX/3
Static cone penetration test, IV/12
Steeringtool, VII/22, VII/23
– apparaat, VII/23
– gereedschap, VII/24
– systeemspecificaties, VII/26
Sterkteberekening, **V/17**
– van een leiding, IV/26
Stijfheids,
– eigenschappen, IV/26
– verhouding, V/13
Stijghoogte, IV/11
– meting van -, IV/22
Structuurschema Buisleidingen (SBUI), III/6,
    III/8
Stuurgroep Buisleidingen, III/4
Suspensie, VII/28
Swivel, VII/19, VII/20

T

TBM, Tunnel Boor Machines, II/6
TCI-bits, VII/11
Tekeningen,
– risico's bij maken van -, XI/11
Temperatuurspanningen, V/10
Tensor Steering Tool, VII/22
Terreinonderzoek, IV/12
Tertiair, IV/4, IV/10
Textuur, VI/10
Tie-in, VII/6
Tijdelijke belastingen, VIII/17, VIII/24
Tools, II/7
Toolface, VII/15, VII/22
Transportloco, VIII/23
Trekkracht, V/14
Tresca,
– benadering volgens -, V/20
Trilzeef, VII/32

Tru Tracker,
– methode, VII/22
– systeem, VII/17, VII/25
– systeemspecificaties, VII/26
Tubings, VIII/22, VIII/26
Tunnel Boor Machines, (TBM), II/6
Tunnelsegmenten, **VIII/12**, VIII/22
Tussen(druk)station, VIII/19, VIII/20
Tussenvijzels, II/7

U

Uitrolgrens, IV/21
Uittredehoek, VII/3
Uittredepunt, IV/30
Uitvoering, XI/7, **XI/16**
– risico's tijdens -, XI/21
Uitvoeringsfase, V/3, XI/8, XI/16
– risico's tijdens -, XI/16
Uitwisselingscapaciteit voor kationen, VI/9
Uitzettingscoëfficiënt, V/9
Unit Transport per pijpleiding (UTP), III/4
UTP, Unit Transport per pijpleiding, III/4

V

Van Heemst,
– motie -, III/3, III/5, **III/6**
Veen, IV/20
Veenvorming, IV/8
Veer, IV/27
Verdringingstechnieken,
– historische ontwikkeling -, II/4
Vergunningen, XI/10
Verkeersbelasting, V/12
Vervanging van leidingen, X/3
Vervangingstechnieken, X/5, X/14, X/15
Vervoersplan, III/6 *e.v.*
Vervorming- (en), V/9
– eigenschappen, IV/14
– ongestoorde -, V/9
– toetsing van -, V/5, V/21
– verhinderde -, V/9, V/10
Vijzelkracht, VIII/23
Vijzels, II/7
– tussen - , II/7

AUTEURSREGISTER

Ir. G. Arends – *Historische ontwikkeling* (hoofdstuk II).
Senior researcher, Technische Universiteit, Delft.
Civiele Techniek en Geowetenschappen afd. Ondergronds Bouwen.

L.C. van Asselt – *Beleidsaspecten* (hoofdstuk III).
Project secretaris Ondergronds Transport en Buisleidingen.
Ministerie van Verkeer en Waterstaat.
Directoraat – Generaal Goederenvervoer.

Ing. J.J. van den Berg – *Woord vooraf en Inleiding* (hoofdstuk I).
Raadgevend Ingenieursbureau Lievense B.V.
Voorzitter NSTT.

Ir. J.F. de Boer – *Risicobeheersing* (hoofdstuk XI).
Algemeen secretaris, Vereniging van boor-, kabelleg- en buizenleg-
bedrijven 'Bolegbo-vok'.

B.P. Boere – *Horizontaal gestuurd boren* (hoofdstuk VII).
Bedrijfsleider Bohrtechniek, Haustadt + Timmermann Bohrtechnik
Gmbh & Co. KG.

Ir. P.A.I. Ehlert – *Milieuaspecten* (hoofdstuk VI).
Bodemkundige, ALTERRA Research Instituut voor de Groene
Ruimte, Centrum Bodem.

Ir. M.J.C. Everaers – *Ontwerpaspecten* (hoofdstuk V).
Adjunct-Directeur, Raadgevend Ingenieursbureau Lievense B.V.

Ir. H.J.A.M. Hergarden – *Grondonderzoek* (hoofdstuk IV).
Senior adviseur, Geodelft.

Ing. J.R.C.M. Hermus – *Overige technieken* (hoofdstuk IX).
Groepsleider Technisch Bureau, Visser & Smit Hanab bv.

Ir. J.A. Ringers – Hoofdauteur – Auteur *Woord vooraf* en *Inleiding*
(hoofdstuk I). Directeur, Visser & Smit Hanab.

Ir. L.P.M. Rosenthal – *Renovatie- en Inspectietechnieken* (hoofdstuk
X). Specialist Distributie, KIWA Water Research (thans werkzaam
bij NV PWN Waterleidingbedrijf Noord-Holland).

Ir. G.L. Slee – *Algemeen*
Adviseur Kabels en Leidingen.
Gemeentewerken Rotterdam/Ingenieursbureau.

B.Vanhout – *Microtunnelling* (hoofdstuk VIII)
Area manager, Smet-Tunnelling nv (België).

Producten van
Reed Business Information

Hoe zat dat ook alweer?

Bij uw werk komt u in aanraking met andere afdelingen en bedrijven en u spreekt met leiding-
gevende en beleidsbepalende collega's die een andere achtergrond hebben en een andere termi-
nologie gebruiken. U komt begrippen tegen die u niet meer precies kent... Hoe zat dat ook alweer?

Het antwoord op die vraag kan van groot belang zijn. Een zorgvuldig beleid, betere prestaties en
doelmatige aanpak, vragen om parate kennis: hèt antwoord op economische druk. Daarom brengt
Reed Business Information een serie handige beroeps- en vakgerichte zakboekjes en handboeken,
met antwoorden op de vraag 'hoe zat het ook alweer...'. Handig om bij de hand te hebben in talloze
dagelijkse situaties. Naslagwerken met een omvangrijke hoeveelheid kennis op het gebied van
techniek, kwaliteit, ICT, HRM, financieel, logistiek, milieu, juridisch, facilitair en op het be-
drijfskundige terrein. Overzichtelijk en compact bijeengebracht.

Boordevol parate kennis, bij de hand in iedere situatie

De redactie van elk uitgave hanteert als uitgangspunt dat de logische lijn per vakgebied wordt
gevolgd. Die opzet maakt snel overzicht in de samenhang tussen onderwerpen mogelijk. Daarmee
zijn ze een bron van informatie van hoge kwaliteit. Handig om bij de hand te hebben in allerlei
dagelijkse voorkomende situaties, waarin een goed begrip van groot belang is.

Praktisch informatie onder handbereik

Handig en compact
Reed Business Information heeft ervaring op het gebied van kennisoverdracht en wij garanderen u
dat u met onze unieke uitgaven direct in het bezit bent van actuele en vooral praktische informatie.

Parate kennis op bestelling

- GWW techniek
- Sleufloze Technieken voor de leidingeninfrastructuur
- GWW kosten
- Poly-Technisch Zakboek
- Cd-rom Basiskennis voor Technici

- Praktijkhandboek Bouw & Installatietechniek
- Energie Zakboek
- Poly-Installatie Zakboekje
- Complete informatie Bouwbesluit
- Contractering bouwprojecten
- Handboek voor toegankelijkheid
- Cd-rom Keuringsrapporten arbeidsmiddelen
- Veiligheids Zakboekje 2001
- Veiligheids Zakboekje voor de bouw 2001

Bestellen

Op de volgende pagina's staat meer informatie over diverse producten van Reed Business Information (wijzigingen voorbehouden). Kijk voor een actueel overzicht op onze internet site: www.elsevier-vdu.nl

Of vraag onze catalogus aan, telefoon (0314) 35 82 99, fax (0314) 35 82 59 of e-mail: info@elsevier-vdu.nl

GWW techniek

Reed Business Information gaat een nieuwe serie ontwikkelen over GWW techniek. Deze serie geeft technische informatie over verschillende vakgebieden in de Grond-, Weg- en Waterbouw.

De eerste twee titels van deze serie zijn verschenen in 2003:
– *Betonverhardingen*;
– *Sleufloze Technieken voor de leidingeninfrastructuur.*

In 2004 worden drie nieuwe titels ontwikkeld:
– *Asfaltverhardingen*;
– *Funderingstechnieken*;
– *Grondwerken.*

Doelgroep

De serie GWW techniek is bestemd voor professionals in de Grond- Weg- en Waterbouw die werkzaam zijn bij zowel de opdrachtgevende als opdrachtnemende instanties in de publieke of private sector. Ook voor wie een studie volgt is de serie een uiterst waardevol naslagwerk.

Breed inzetbaar

Voor degene die nog maar een zeer beperkte kennis heeft van GWW techniek, biedt de serie een handreiking om snel een integraal overzicht te krijgen in de disciplines, die betrokken zijn bij deze technieken. De professional, die deskundig is op een deelgebied, zal vooral baat hebben bij de in de serie gepresenteerde kennis op aangrenzende technieken. Op deze wijze kan een ieder zijn blikveld verruimen.

Bestellen

De titels van de serie GWW techniek zijn verkrijgbaar in de boekhandel. U kunt de titels ook bestellen bij Reed Business Information, faxnummer: (0314) 35 82 59, internet: www.elsevier-vdu.nl of e-mail: info@elsevier-vdu.nl.

Betonverhardingen

Hoe worden moderne verhardingen van cementbeton gemaakt? Hoe maak ik een integrale afweging tussen verschillende oplossingen? Hoe ontwerp en dimensioneer ik de betonverharding? Waar krijg ik bij de werkvoorbereiding en uitvoering mee te maken? Hoe wordt de verharding onderhouden?

Op deze en vele andere vragen krijgt u een antwoord in *Betonverhardingen*, het eerste deel uit de GWW Techniek reeks dat u diepgaand informeert over alle facetten van betonverhardingen. Het handboek geeft de huidige stand van de techniek weer, met de bijbehorende kennis en ervaringen uit de praktijk. De inhoud leent zich voor directe studie om de eigen kennis te vergroten, maar kan ook worden gebruikt als naslagwerk, wanneer concrete projecten vragen om moderne, goed afgewogen oplossingen. Het handboek richt zich op ontwerpers, adviseurs en beheerders van wegen, werkzaam bij zowel opdrachtgevende als opdrachtnemende instanties in de publieke of private sector.

Inhoud
- Betonwegen
- Betontechnologie
- Verhardingsconstructie
- Dimensionering
- Realisatie
- Instandhouding

1^e druk, 368 pagina's op A4 formaat

Bestellen
Het boek *Betonverhardingen* is verkrijgbaar in de boekhandel. U kunt het boek ook bestellen bij Reed Business Information, faxnummer: (0314) 35 82 59, internet: www.elsevier-vdu.nl of e-mail: info@elsevier-vdu.nl

GWW kosten

Algemeen
De serie GWW kosten is samengesteld voor functionarissen in de GWW sector met als belangrijkste taak het calculeren van projecten. De complete serie bestaat uit 13 delen waarin per deel één tot vier hoofdcategorieën uit de RAW-systematiek behandeld worden. Elk deel bevat kosteninformatie op detail- en bestekspostniveau over de betreffende hoofdcategorieën van de RAW-systematiek. De informatie is volgens deze systematiek gestructureerd en daarmee op bestekspostniveau snel op te zoeken. De kosteninformatie wordt jaarlijks geactualiseerd en uitgebreid.

De GWW kosten boeken bevatten de volgende RAW-hoofdcategorieën:

Deel	Omschrijving	RAW-hoofdcategorie
1	Sloopwerk, verontreinigde grond en verontreinigd water	11, 17
2	Bemalingen, grondwerken, drainage	21, 22, 23
3	Leidingwerk, riolering en duikers	24, 25
4	Leidingwerk, gas en water	24, 25
5	Kabelwerk	24 , 26
6	Funderingslagen en gebonden verhardingen	28, 30, 31
7	Funderingslagen en elementenverhardingen	28, 30, 31
8	Wegbebakening, geleiderail, wegverlichting, terreininrichting	32, 33, 34, 63
9	Funderings- en betonconstructies	41, 42
10	Kleine kunstwerken en gemalen	47
11	Groenvoorzieningen	51
12	Kust- en oeverwerken, remming-, aanleg- en geleidewerken	52, 53
13	Conserveringswerken, werk algemene aard	59, 61

Inhoud
Elk boek is overzichtelijk ingedeeld in drie hoofdstukken, achtereenvolgens de kosten- en normentabellen. met bijbehorende arbeids- en productienormen, de specificaties met de opbouw van eenheidsprijzen en tenslotte de prijzenregisters, met een jaarlijks geactualiseerd overzicht van de kostprijzen van materiaal, materieel en onderaanneming.

Supplement
Hierin vindt u overzichten van loonkosten en uurtarieven voor werknemers vallende onder de CAO voor het Bouwbedrijf en de UTA-CAO. Dit supplement wordt tweemaal per jaar geactualiseerd en bevat daarmee de nieuwste ontwikkelingen op het gebied van de CAO's, de sociale en de fiscale verplichtingen. Daarnaast krijgt u uitgebreide overzichten van loonkostenberekeningen en de opbouw van uurtarieven.

ElsevierCALC
Naast de boeken bestaat GWW kosten ook uit een rekenprogramma, waarin eveneens alle kosten- en normengegevens staan. Met behulp van het databestand en dit programma kunt u eenvoudig gegevens zoeken, berekeningen maken en printen.

Meer informatie

Heeft u interesse in één of enkele RAW hoofdcategorieën, dan kunt u zelf bepalen hoeveel en welke delen u wenst te ontvangen. Bel ons gerust voor meer informatie. Ons telefoonnummer is: 0314 - 349 888 of kijk op www.gwwcalculaties.nl

Poly-Technisch Zakboek

Het Poly-Technisch Zakboek is al sinds 1928 hét naslagwerk voor bouwkundigen, werktuigbouwkundigen, elektrotechnici, civieltechnici, procestechnici, installatietechnici, technisch adviseurs, technisch ontwerpers, technisch tekenaars, etc. Ook voor wie een technische opleiding volgt, is het Poly-Technisch Zakboek een waardevolle informatiebron.

Het bevat een unieke verzameling gegevens in de vorm van definities, formules, tabellen, schema's en grafieken. De praktische opzet van dit naslagwerk stelt de gebruiker in staat, snel de gewenste informatie te vinden. Dit wordt mede mogelijk gemaakt door de indeling naar vakgebied en het uitgebreide trefwoordenregister.

Inhoud
- Eenheden en symbolen
- Wiskunde
- Statistiek
- Natuurkunde
- Scheikunde
- Informatica-techniek
- Regel- en besturingstechniek
- Mechanica
- Toegepaste mechanica
- Technisch tekenen
- Bouwtechnische symbolen
- Materialen
- Tabellen voor staalconstructies
- Bouwkunde en civiele techniek
- Landmeten
- Civiele techniek
- Berekenen van bouwconstructies
- Bouwfysica
- Klimaatregeling en leidingsystemen
- Koeltechniek en warmtepompen
- Energietechniek
- Elektro-installatietechniek
- Werktuigbouwkunde
- Elektronica
- Procestechniek
- Milieu en veiligheid
- Trefwoordenregister

Het Poly-Technisch Zakboek is ook verkrijgbaar op cd-rom!

Bestellen
Het *Poly-Technisch Zakboek* is verkrijgbaar in de boekhandel. U kunt het ook bestellen bij Reed Business Information, faxnummer: (0314) 35 82 59, internet: www.elsevier-vdu.nl of e-mail: info@ elsevier-vdu.nl

Cd-rom Basiskennis voor Technici

De cd-rom *Basiskennis voor technici* is een elektronische versie van de volgende hoofdstukken uit het Poly-Technisch Zakboek:

- Eenheden en symbolen
- Wiskunde
- Natuurkunde
- Scheikunde
- Materialen, algemene gegevens

Alle teksten zijn volledig af te drukken. Bovendien zijn de teksten te selecteren en kunnen ze worden overgenomen in uw eigen Windows-applicatie. De cd-rom bevat uitgebreide zoek- en navigatiemogelijkheden.Verder zijn er tientallen links naar relevante Internetsites opgenomen.

Bestellen

De cd-rom *Basiskennis voor technici* is verkrijgbaar in de boekhandel. U kunt het ook bestellen bij Reed Business Information, faxnummer: (0314) 35 82 59, internet: www.elsevier-vdu.nl of e-mail: info@elsevier-vdu.nl

PRODUCTEN VAN REED BUSINESS INFORMATION

Energie Zakboek

Het Energie Zakboek biedt u een actuele samenvatting van de belangrijkste onderwerpen uit de energietechniek. Formules, tabellen, figuren en definities geven een duidelijke uitleg. Zo ontstaat een samenhangend beeld van de verschillende terreinen in deze branche. De nadruk van dit zakboek ligt op de techniek. Daarnaast is er aandacht voor wetgeving en milieuaspecten.

Een handig en praktisch naslagwerk voor energietechnici, energieconsultants, installatietechnici, procestechnici, elektrotechnici, technisch ontwerpers en technisch adviseurs. Ook voor wie een technische opleiding in het HBO of WO volgt, is het Energie Zakboek een waardevolle informatiebron.

De praktische opzet van dit naslagwerk stelt de gebruiker in staat, snel de gewenste informatie te vinden. Dit wordt mede mogelijk gemaakt door de indeling naar vakgebied, het uitgebreide trefwoordenregister en twee leeslinten

Inhoud
- Energievoorziening
- Primaire energiebronnen
- Het energiesysteem
- Installatie-componenten en systemen
- Opslag van energie
- Energieconversieprocessen
- Algemene aspecten energiesysteem
- Energie in de samenleving
- Gegevens
- Trefwoordenregister

Het Energie Zakboek is ook verkrijgbaar op cd-rom!

Bestellen
Het *Energie Zakboek* is verkrijgbaar in de boekhandel. U kunt het ook bestellen bij Reed Business Information, faxnummer: (0314) 35 82 59, internet: www.elsevier-vdu.nl of e-mail: info@ elsevier-vdu.nl

Poly-Installatie Zakboekje

Het Poly-Installatie Zakboekje biedt u een actuele samenvatting van de belangrijkste onderwerpen uit de installatietechniek. Formules, tabellen, figuren en definities geven een duidelijke uitleg. Zo ontstaat een samenhangend beeld van de verschillende terreinen in deze branche.

Dit Zakboekje is een handig en praktisch naslagwerk voor allen die een (deel)functie hebben in de installatietechniek of hiertoe een opleiding volgen. Ook deze 5e druk is ontstaan uit een samen-werkingsverband tussen Uneto-VNI, Kenteq en Reed Business Information.

Inhoud
- Algemeen (Eenheden en symbolen, stofeigenschappen, warmte, stroming, geluid, elektriciteit, energie en milieu, behaaglijkheid, regel- en besturingstechniek)
- Gastechniek
- Ventilatietechniek
- Verwarmingstechniek
- Luchtbehandelingstechniek
- Sanitairtechniek
- Daken
- Elektrotechniek
- Trefwoordenregister

5e druk, 768 pagina's, formaat: $14 \times 9,8 \times 2,7$ cm

Het *Poly-Installatie Zakboekje* is uitsluitend verkrijgbaar bij:
Kenteq
t.a.v. de uitgeverij
Postbus 81
1200 AB Hilversum
Tel. : (035) 750 45 04
Tel. : (035) 750 42 42 (Infolijn)
Fax : (035) 750 45 55
E-mail: info@kenteq.nl

Bij bestelling het artikelnummer 11600.5 vermelden.